LE NOUVEL ESPACES

2

MÉTHODE DE FRANÇAIS

Guy CAPELLE
Noëlle GIDON

Table des illustrations

© **Cinestar** 35 bd. **Christophe L. Collection :** 34 hg, bg, 35 hd, 40 md, 65, 123 bd, 168 hd.**DIAF /** P. Dannic 58 hg, Pratt-Pries 58 hd, R. Rozencwajg 154 d ; **D.I.T.E. /** coll. P.P.P. 146, 147. **Explorer /** T. Ameller 185 hd ; Chino 134 gm, J.-P. Delagarde 38 bgd ; Gunther 42 b ; Ph. Roy 70 bg. **Enguerand M.** 27. **Explorer-Archives /** P. Cheuva 120 bg ; coll. Soazig 121 hd. **Fotogram Stone /** G. Bouzonnet 182 hg ; J.-M. Truchet 134 hg, 150 hd ; A. Soumillard 134 bg. **Gamma /** Apestéguy 8 hcg, 8 bm, 9 hcd ; Aventurier 17 ; Bazin 56 hd, 56 hg ; Bensimon 8 hm ; J.-J. Bernier 9 hd, Bonnette 8bg, Cerlik Erkul 131 ; B. Charlon 168 hg ; Covan 128 ; A. Duclos-R. Gaillarde 9 bd ; Ginfray 9 bc ; Reglain 8 bg, 40 bd ; Ruido 8 hg ; D. Simon 18 hg, 18 hd, 18 b. **Gamma** / R. Gaillarde 138 ; C. Pineau 107. **Gamma Sports /** F. Apestéguy 113 h ; F. de Beauvais 58 bd, E. Sampers 58 bg. **Giraudon** 10 ; **Jacana /** E. Dragesco 74 hg, Mc Hugh 74 gmb ; C. Nardin. 74 bg ; J.-P. Varin 74 gmh, md. **Jerrican /** Aurel 101, 154 g ; V. Clément 42 hd ; Crampon 112 g, 134 md ; Daudier 89 mh ; O. Davantes 38 dm ; Dianne 38 hd ; Gaillard 42 bd ; Limier 38 bd, 113 bd, 118 bd, 182 bd ; Nieto 54 bg ; Sitler 38 hgd, 42 m, 102 hg ; Valls 70 d. **Keystone :** 122 hg, hd, md. **Magnum /** M. Franck 167 ; H. Gruyaert 55 ; D. Hurn 183 ; R. Kalvar 119 ; M. Riboud 71 ; J.-R. Salgado 23. **Métis** / B. Descamps 39. **Monticelli :** 72. **Rapho /** M. Barret 58 mg, 82 mg, 176 hg ; Charles 54 bd ; De Sazo 102 d ; Doisneau 123 hd ; F. Ducasse 124 ; R. Frieman 135 ; G. Gester 7 ; M. Gile 54 hd, 184 ; H. Gloagen 40 hm, 123 m ; J. Hilary 186 ; J. Launais 40 hd ; F. Le Diascorn 151 ; M. Manceau 26 bd, 87 ; P. Michaud 26 bm ; A.-P. Neyrat 89 md, 118 mb ; Niepce 26 bg, 40 bg, 42 mg, 58 md ; H. W. Silvester 82 md ; Tracy 177 hd ; M. Tulane 103 ; Vincent 26 h ; H. Zalewski 123 hg, mg. **R.E.A** / Bellavia 38 bg, 40 hg ; T.Ribolowsky 38 hg, 150 bd ; Rudman 118 g. **RMN /** Spadem 21 ; © Succession H. Matisse D.R. 83, 117. **Sygma /** J. Donoso 16 b ; T. Orban 166 g ; G. Schachmes 16 h, 86 d. **Tapabor /** Kharbine 88. **Tempsport /** Lundt-Ruszniewsky 113 bm. **Top /** M. Dencla 185 mg. **Roger Viollet :** 120 hd, 136. **Vloo /** Mayer 89 bd ; Ronzel 89 bg ; Tesson 89 mg. **Vu /** B.Descamps 89.
Guide Michelin 1990, 70. Catalogue d'objets introuvables, Carelman, Balland Éditeurs 1969, © ADAGP Paris, 73 - Champérard 1988 © Albin Michel 80 - 7 à Paris, 162 - Extrait de l'album Les Bidochon, tome 6 © Binet / Fluide Glacial, 195.

Avec nos remerciements à :
Catherine Charles (V.S.D.) - Madame Figaro - Nice matin - Évian - Lee Cooper - RATP - Matra Hachette Communication - Office franco-québécois pour la jeunesse - Ministère de la Francophonie.

Couverture : Gilles Vuillemard.
Photo couverture : The Image Bank.
Conception graphique : Tout pour plaire.
Réalisation et maquette PAO : O'Leary.
Secrétariat d'édition : Jean Pencreac'h.
Illustrations :
B.D. : « À prendre avec des gants » :
Dessins et cartes : Jean-françoi
Recherche iconographique :

	DOSSIER 1. À qui ressemblent-ils ? Page 7	DOSSIER 2. Quelle est leur personnalité ? Page 23	DOSSIER 3. Quelles qualités faut-il ? Page 39	DOSSIER 4. Où ira-t-on ? Page 55	DOSSIER 5. Choisissez le meilleur. Page 71	DOSSIER 6. Faites passer le message. Page 87
Situations de communication orale :	▲ présentation de personnages ▲ portrait-robot	▲ réclamations dans un hôtel ▲ interrogatoire de témoins ▲ refus de propositions	▲ entrevue professionnelle ▲ interaction entre patron et chef de service	▲ interviews ▲ reportage ▲ enquête sur des habitudes et des faits passés	▲ présentation d'animaux ▲ recherche d'un suspect	▲ interview de publicitaire ▲ interrogatoire ▲ le téléphone
Situations de communication écrite et types de textes :	▲ compte rendu et commentaires de sondages	▲ test de magazine ▲ extrait de scénarios	▲ présentation de candidats à un poste de direction ▲ annonce de recherche de candidatures	▲ courrier des lecteurs ▲ présentation d'un concours	▲ extrait de catalogue pour la vente d'objets ▲ page de magazine sur les animaux ▲ extrait de guide de restaurants ▲ notice sur Henri Matisse	▲ publicités ▲ textes publicitaires
Notions et actes de parole :	▲ décrire ▲ identifier ▲ comparer des personnes ▲ contredire ▲ marquer son intérêt	▲ exprimer des émotions et des états psychologiques ▲ protester ▲ refuser et donner une raison ▲ s'excuser	▲ exprimer le doute ▲ la probabilité ▲ la certitude ▲ relancer la conversation ▲ faire préciser ▲ éviter de répondre de façon directe	▲ décrire des habitudes passées ▲ exprimer la probabilité ▲ exprimer l'antériorité ▲ renforcer une affirmation ▲ éviter de répondre	▲ décrire des objets ▲ comparer ▲ ironiser ▲ refuser poliment	▲ menacer ▲ exprimer la surprise ▲ relancer la conversation ▲ exprimer une opinion personnelle
Grammaire :	▲ imparfait et passé composé ▲ pronoms relatifs qui et que ▲ sans + infinitif ▲ accord des adjectifs de couleur	▲ gérondif ▲ devoir + infinitif ▲ relatif où ▲ subjonctif ▲ discours indirect au passé ▲ adverbes de manière	▲ valeurs de l'indicatif et du subjonctif ▲ la voix passive ▲ devoir, vouloir, pouvoir + forme passive de l'infinitif ▲ accord du COD et du participe passé	▲ futur simple ▲ futur antérieur ▲ plus-que-parfait	▲ faire + infinitif ▲ adjectifs en -able ▲ superlatif (relatif et absolu) ▲ pronoms possessifs	▲ participe présent ▲ place des pronoms personnels
Évaluation		**Faites le point**		**Faites le point**		**Faites le point**
Phonétique :	▲ liaisons et enchaînements	▲ accent tonique ▲ accent d'insistance	▲ le doute et l'indécision	▲ l'inquiétude	▲ les voyelles moyennes	▲ les semi-voyelles
Découverte des aspects socio-culturels :	▲ jugements	▲ le comportement des gens, états d'esprit, transposition au cinéma ▲ atmosphère d'un commissariat	▲ les professions ▲ qualités et qualifications ▲ la recherche d'un emploi ▲ relations entre patrons et employés	▲ vacances aventureuses en France ▲ goût de différents types d'aventures ▲ patron et employé d'une entreprise	▲ achats d'objets ▲ informations sur la nature et les animaux ▲ dans un commissariat ▲ une sélection de restaurants ▲ la peinture de Matisse	▲ l'influence de la publicité dans la société
Littérature	▲ J. Cocteau ▲ R. Sabatier		▲ R. Queneau ▲ B. Cendrars ▲ P. Eluard		▲ R. Desnos ▲ G. Perec	
Vie pratique	T'as de beaux yeux, tu sais !	Ne vous trompez pas de guichet !	Vous cherchez un emploi ?	Vous connaissez un bon hôtel ?	Où l'avez vous perdu ?	Je peux vous aider ?
Thèmes transversaux :	▲ l'intérêt porté aux autres, à leur apparence, à leurs habitudes	▲ le comportement avec les autres : la gestuelle ▲ les comportements et leur interprétation	▲ l'emploi ▲ les qualités professionnelles ▲ les rapports dans l'entreprise	▲ ouverture : aventures, voyages…	▲ consommation : les achats ▲ sensibilisation artistique	▲ consommation : publicité et stratégies d'influence
[illegible]	[illegible]	[illegible]	[illegible]	…ncep- [illegible]	▲ la description d'un objet ▲ comparer des …pects physiques et …erformances	▲ observer et analyser des publicités, reconnaître des intentions ▲ découvrir des stratégies d'influence ▲ suivre les étapes de la rédaction d'un texte ▲ s'auto-évaluer

Avant-propos

Par ses innovations dans le domaine de l'apprentissage et de l'acquisition, par la clarté de sa construction, par la rigueur de sa progression, la méthode de français ESPACES s'est largement imposée auprès des grands adolescents et des adultes auxquels elle s'adresse.

C'est pour renforcer son efficacité que nous avons souhaité intégrer les remarques des nombreux enseignants qui utilisent ESPACES et qui nous ont fait part de leurs suggestions, voire de leurs critiques : voici donc *le Nouvel* ESPACES **2**, qui fait suite au *le Nouvel* ESPACES **1**.

le Nouvel ESPACES **2** reprend l'esprit général et la structure du premier niveau. Il propose la même dynamique pédagogique qui reste une approche méthodologique originale : chacun des douze dossiers traite d'abord des besoins langagiers indispensables au traitement du thème, puis s'intéresse à la communication orale et enfin, grâce aux activités de communication écrite, fait réfléchir au fonctionnement de la langue et met en œuvre les techniques et les stratégies de lecture et d'écriture de textes. L'équilibre est toujours recherché entre mémorisation et approches cognitives qui développent des techniques et des stratégies d'apprentissage, favorisent l'auto-évaluation et mettent les apprenants sur la voie de l'autonomie.

Comme le premier niveau, *le Nouvel* ESPACES **2** propose un apprentissage balisé par un contrat d'apprentissage exposé en ouverture de chaque dossier. La grammaire est explicitée, dans les tableaux grammaticaux, les exercices de systématisation et dans les pages de récapitulation situées en fin de chaque dossier, en remplacement du feuilleton « Un beau coup de filet ». L'attrait grandissant exercé par le DELF nous a amenés à nous préoccuper de façon plus précise de la préparation des différentes épreuves et des moyens linguistiques nommément exigés. Dans cette perspective, la progression grammaticale revu au niveau 1, a été aussi modifiée au niveau 2.

À la fin des dossiers, des pages « Faites le point » alternent avec des pages « Littérature » qui proposent des textes littéraires enrichis d'une exploitation.

Comme pour *le Nouvel* ESPACES **1** :
Le cahier d'exercices a été adapté aux transformations du manuel.
Le guide du professeur a été considérablement étoffé pour faciliter la tâche du professeur.
Une vidéo et son livret d'accompagnement permettent d'illustrer les thèmes et de motiver les étudiants.

La structure d'un dossier

Information / Préparation : quatre pages de documents préparés et exploités par des exercices, et qui présentent les aspects lexicaux et grammaticaux importants du dossier.

Paroles : quatre pages centrées sur la compréhension et la production orales, à partir d'une histoire suivie présentée sous forme de BD.

Lectures / Écritures : quatr[illegible] ...égies de compréhension et d[illegible]

Récapitulation : u[illegible]

Hors dossier : [illegible]
Vie pratique [illegible]

Les pictogramme[illegible]

exerc[illegible]
de[illegible]

DOSSIER 7. [illegible] Page [illegible]	DOSSIER 8. C'est du passé ! Page 119	DOSSIER 9. On n'arrête pas le progrès. Page 135	DOSSIER 10. Quelle décision prendre ? Page 151	DOSSIER 11. De quoi demain sera-t-il fait ? Page 167	DOSSIER 12. L'Europe : quels espoirs ? Page 183
▲ émission radio ▲ réponses aux auditeurs ▲ instructions données à des subordonnés	▲ parler d'une époque passée ▲ rencontres	▲ discussion sur des projets ▲ entrevue avec un notaire ▲ situations de reproches	▲ discussion au conseil municipal ▲ négociations	▲ une entrevue agitée ▲ entretien pour défendre un projet	▲ dialogues argumentatifs et explicatifs ▲ opinions sur l'Europe
▲ article de magazine ▲ lettres	▲ article de magazine ▲ faits divers de journaux	▲ articles de magazine ▲ présentation de projets ▲ récit de découvertes ▲ dépêches d'agence	▲ compte rendu de délibération de séance ▲ article de magazine ▲ manifeste	▲ extraits d'ouvrages scientifiques ▲ règlement d'un jeu ▲ extrait de la déclaration des droits de l'homme et du citoyen	▲ articles de vulgarisation sur l'Europe
▲ interpeller poliment ▲ donner des ordres ▲ exprimer des possibilités ▲ faciliter le contact	▲ rapporter des événements passés ▲ se montrer aimable ▲ annoncer une mauvaise nouvelle avec précaution	▲ se renseigner ▲ exprimer l'étonnement ▲ faire des hypothèses à propos de faits passés ▲ faire des reproches	▲ exprimer la cause ▲ concéder ▲ suggérer une idée ▲ protester ▲ s'opposer à un point de vue	▲ exprimer la conséquence ▲ faire des hypothèses ▲ protester ▲ dégager sa responsabilité	▲ exprimer des opinions ▲ faire des objections ▲ introduire des restrictions ▲ rapporter des paroles
▲ le conditionnel ▲ si + imparfait / conditionnel	▲ le passé simple ▲ passé composé / imparfait	▲ plus-que-parfait / futur antérieur ▲ conditionnel passé	▲ la double négation : ne ... ni ... ni ▲ parce que et puisque ▲ les propositions subordonnées de concession	▲ les doubles comparatifs ▲ les propositions subordonnées de conséquence ▲ la modalisation	▲ emplois de l'infinitif ▲ conjonctions suivies du subjonctif ▲ le discours indirect : le futur dans le passé
	Faites le point		**Faites le point**		**Faites le point**
▲ intonation autoritaire ou aimable	▲ articulation montante-descendante	▲ la surprise	▲ l'opposition	▲ l'implication	▲ les liaisons interdites
▲ les problèmes de santé et les conseils d'un médecin ▲ la pratique sportive des Français	▲ les inventions sous la Révolution ▲ les années 30 ▲ les faits divers dans la presse	▲ l'Eurotunnel : historique, construction ▲ le rôle du notaire de famille ▲ l'Aéropostale	▲ le fonctionnement d'un conseil municipal ▲ une affaire judiciaire ▲ les grands travaux de Paris ▲ les problèmes d'une grande ville	▲ le monde du travail et ses évolutions ▲ les choix de société : l'innovation technologique ▲ la Déclaration des droits de l'homme	▲ la construction de l'Europe ▲ opinions sur l'Union européenne ▲ l'Europe et la francophonie ▲ l'utilité des langues vivantes
▲ C. Baudelaire		▲ R. Barjavel		▲ J.-M. Le Clézio	
Où avez-vous mal ?	Vous savez vous en servir ?	Comment y aller ? (bus, métro, taxi)	Changer d'espace. (train, avion)	Et si vous aviez une panne ?	
▲ la santé : éviter le stress ▲ se maintenir en forme	▲ réflexion sur des époques et des événements passés ▲ perspective historique	▲ la modernisation des transports et ses conséquences technologiques et humaines	▲ le sens civique : l'administration ▲ l'urbanisme ▲ les enjeux électoraux	▲ la mutation des sociétés ▲ l'innovation source de progrès ▲ les droits des citoyens	▲ les transformations du monde : l'Union européenne, fédéralisme et nationalités ▲ de l'utilité de connaître des langues.
▲ faire des hypothèses ▲ composer un réseau ▲ reconnaître des stratégies de communication ▲ reconnaître les intentions d'un texte	▲ repérer de l'information ▲ stratégie de questionnement ▲ repérer les éléments de base d'un récit ▲ structurer et rédiger un fait divers	▲ repérer et marquer la chronologie dans un récit ▲ comparer des projets ▲ recouper des informations	▲ reconnaître et utiliser les techniques de l'argumentation ▲ introduire des concessions ▲ critiquer des réalisations	▲ analyser la structure de textes ▲ argumenter, modaliser ▲ rechercher des idées	▲ exprimer des critiques ▲ argumenter ▲ développer des stratégies de conversation ▲ rédiger un rapport officiel

DÉPARTEMENTS
D'OUTRE-MER
SEYCHELLES
OCÉAN
INDIEN
COMORES
AFRIQUE
Mayotte (F)
MADAGASCAR
MAURICE
St-Denis
RÉUNION
Tropique du Capricorne
ETATS-UNIS
OCÉAN
ATLANTIQUE
Tropique du Cancer
CUBA
GUADELOUPE
Antilles
Basse-Terre
Fort-de-France
MER DES CARAÏBES
MARTINIQUE
VENEZUELA
GUYANE
Cayenne
BRÉSIL
NORD-PAS-DE-CALAIS
PAS-DE-CALAIS
Lille
Arras
NORD
SOMME
Amiens
AISNE
PICARDIE
Laon
Beauvais
OISE
Charleville-Mézières
ARDENNES
SEINE-MARITIME
HAUTE-NORMANDIE
Rouen
Évreux
EURE
MANCHE
St-Lô
Caen
CALVADOS
BASSE-NORMANDIE
ORNE
Alençon
ILE-DE-FRANCE
Paris
SEINE-ET-MARNE
ESSONNE
CHAMPAGNE-ARDENNE
Châlons-s. Marne
MARNE
Troyes
AUBE
Chaumont
H^TE-MARNE
MEUSE
Bar-le-Duc
MOSELLE
Metz
MEURTHE-ET-MOSELLE
Nancy
LORRAINE
Épinal
VOSGES
BAS-RHIN
Strasbourg
ALSACE
Colmar
HAUT-RHIN
CÔTES D'ARMOR
St-Brieuc
FINISTÈRE
Quimper
BRETAGNE
ILLE-ET-VILAINE
Rennes
MORBIHAN
Vannes
MAYENNE
Laval
Le Mans
SARTHE
PAYS-DE-LA-LOIRE
LOIRE-ATLANTIQUE
Nantes
Angers
MAINE-ET-LOIRE
La Roche-s-Yon
VENDÉE
Chartres
EURE-ET-LOIR
Orléans
LOIRET
LOIR-ET-CHER
Blois
Tours
CENTRE
INDRE-ET-LOIRE
Bourges
CHER
Châteauroux
INDRE
Auxerre
YONNE
CÔTE D'OR
BOURGOGNE
Dijon
NIÈVRE
Nevers
SAÔNE-ET-LOIRE
Mâcon
H^TE-SAÔNE
Vesoul
Belfort
DOUBS
Besançon
TERRITOIRE DE BELFORT
FRANCHE-COMTÉ
Lons-le-Saunier
JURA
DEUX-SÈVRES
Niort
VIENNE
Poitiers
POITOU-CHARENTES
La Rochelle
CHARENTE-MARITIME
CHARENTE
Angoulême
HAUTE-VIENNE
Limoges
LIMOUSIN
Guéret
CREUSE
CORRÈZE
Tulle
Moulins
ALLIER
AUVERGNE
Clermont-Ferrand
PUY-DE-DÔME
CANTAL
Aurillac
H^TE-LOIRE
Le Puy
LOIRE
St-Étienne
RHÔNE
Lyon
Bourg-en-Bresse
AIN
RHÔNE-ALPES
H^TE-SAVOIE
Annecy
Chambéry
SAVOIE
Grenoble
ISÈRE
Valence
DRÔME
Privas
ARDÈCHE
Gap
HAUTES-ALPES
ALPES-DE-H^TE-PROVENCE
Digne
PROVENCE-ALPES-CÔTE D'AZUR
ALPES-MARITIMES
Nice
VAR
Toulon
BOUCHES-DU-RHÔNE
Marseille
VAUCLUSE
Avignon
GARD
Nîmes
Périgueux
DORDOGNE
GIRONDE
Bordeaux
AQUITAINE
LOT-ET-GARONNE
Agen
LANDES
Mont-de-Marsan
PYRÉNÉES ATLANTIQUES
Pau
LOT
Cahors
MIDI-PYRÉNÉES
Rodez
AVEYRON
TARN-ET-GARONNE
Montauban
Albi
TARN
GERS
Auch
Toulouse
H^TE-GARONNE
Tarbes
HAUTES-PYRÉNÉES
Foix
ARIÈGE
LOZÈRE
Mende
HÉRAULT
Montpellier
LANGUEDOC-ROUSSILLON
Carcassonne
AUDE
PYRÉNÉES ORIENTALES
Perpignan
Bastia
HAUTE-CORSE
CORSE
Ajaccio
CORSE-DU-SUD
RÉGION PARISIENNE
Cergy-Pontoise
VAL D'OISE
HAUTS-DE-SEINE
SEINE-ST-DENIS
Bobigny
Nanterre
PARIS
Versailles
SEINE-ET-MARNE
YVELINES
Créteil
VAL-DE-MARNE
Évry
ESSONNE
Melun
Limite de département
Préfecture de département
Limite de région
Préfecture régionale
0
100 km
AFDEC

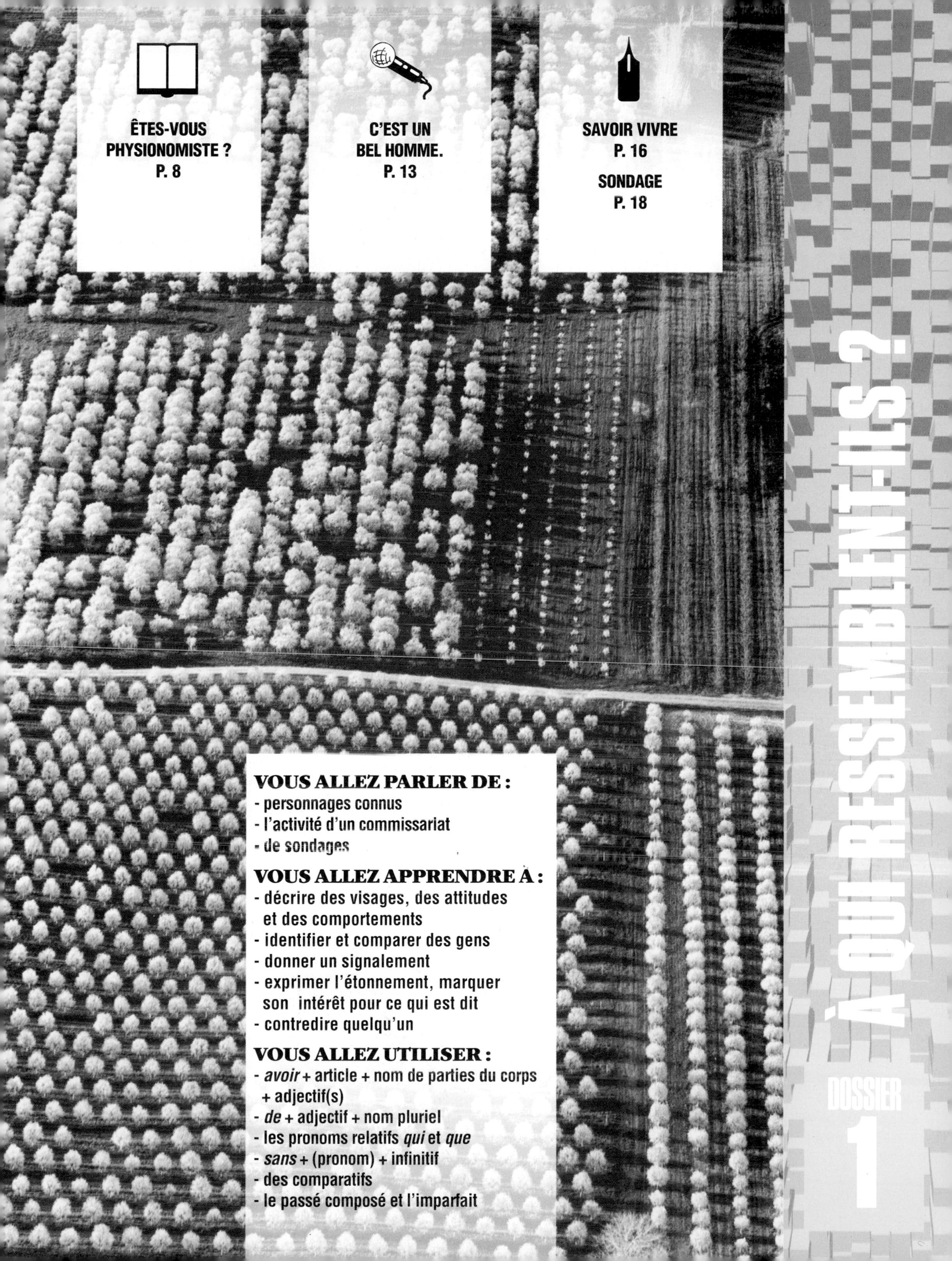

DOSSIER 1

À QUI RESSEMBLENT-ILS ?

VOUS ALLEZ PARLER DE :
- personnages connus
- l'activité d'un commissariat
- de sondages

VOUS ALLEZ APPRENDRE À :
- décrire des visages, des attitudes et des comportements
- identifier et comparer des gens
- donner un signalement
- exprimer l'étonnement, marquer son intérêt pour ce qui est dit
- contredire quelqu'un

VOUS ALLEZ UTILISER :
- *avoir* + article + nom de parties du corps + adjectif(s)
- *de* + adjectif + nom pluriel
- les pronoms relatifs *qui* et *que*
- *sans* + (pronom) + infinitif
- des comparatifs
- le passé composé et l'imparfait

Êtes-vous physionomiste ?

Les enfants ressemblent à leurs parents et font souvent la même chose qu'eux dans la vie. Le fils d'un acteur devient acteur lui même. De la même manière, il y a des familles de peintres, de savants, de politiciens...

1 De qui s'agit-il ?

1. Regardez le dessin des différentes parties du visage. Apprenez le nom de ces parties et les adjectifs qui peuvent les caractériser.
2. Lisez les cinq descriptions et dites à quels personnages elles correspondent.
3. Écoutez cinq autres descriptions et identifiez les personnages.

Décrivez un visage

1. avoir + article défini + nom de la partie du visage :
Il /Elle **a le** visage ovale, **les** cheveux bruns, **les** yeux bleus, **le** nez droit, les traits réguliers.

2. avoir + article indéfini + nom de la partie du visage :
Il/Elle **a un** visage ovale, **un** grand front, **de** longs cheveux bruns, **de** petits yeux bleus, **des** traits réguliers.

Que devient l'article pluriel « des » si un adjectif précède le nom ?

2 Quels sont les couples ? Quels sont les enfants ?

Identifiez les couples et leurs enfants. Justifiez vos choix.

La fille de ... , c'est la jeune femme qui ... . Elle ressemble à sa mère : elle a les mêmes yeux.
Le fils de ... , c'est ... . Il a le même nez droit que son père. etc.

3 Il s'est maquillé !

Cet acteur s'est maquillé pour jouer le rôle de Dracula.

1. Qu'est-ce qu'il y a de changé dans son visage ?
   L'acteur a les cheveux sur le front. Dracula a le front très dégagé.
2. Donnez des conseils de maquillage à l'acteur.
   Il faut que tu tires tes cheveux en arrière....

1. Johnny Hallyday. C'est le chanteur que tous les passionnés de rock connaissent bien. Il chante depuis de longues années et il est toujours très populaire. Il a les cheveux plutôt bruns, de petits yeux bleus et un large sourire.

2. C'est le personnage qui a les cheveux blancs, le front très dégagé, des oreilles assez grandes, des traits marqués. Il porte des moustaches presque aussi blanches que ses cheveux. C'est le **prince Rainier de Monaco.**

3. Grace de Monaco. C'était la femme du prince Rainier et une actrice que tout le monde admirait. Sur la photo, elle a les cheveux tirés en arrière. Elle est souriante.

4. Caroline de Monaco. C'est la jeune femme qui a de longs cheveux châtains et un gros ruban marron au-dessus de l'oreille gauche. Elle a la bouche ouverte. Elle porte une montre au poignet et elle a de grosses boucles d'oreilles.

5. Sylvie Vartan. Elle n'est plus très jeune. Elle a de longs cheveux blonds qui paraissent presque jaunes sur la photo. Elle a les yeux noirs, des sourcils et un visage assez fins.

4 Devinez.

Complétez les phrases suivantes avec « qui » ou « que ». Puis, regardez les photos ci-dessus et dites qui sont les personnages.

1. C'est une femme .... a les cheveux blonds, ... a les yeux clairs et le visage ovale, ... je connais.
2. C'est une jeune femme .... porte beaucoup de bijoux, ... les grandes revues de mode recherchent ...... a une sœur, presque aussi célèbre qu'elle.

LES PRONOMS RELATIFS QUI ET QUE

Qui, sujet : C'est un **jeune homme qui** a les yeux bleus.
J'aime bien **l'actrice qui** a gagné le prix.
Que, COD : C'est **l'acteur que** les jeunes préfèrent.
Le livre que tu lis est en français.

Que remplacent les pronoms relatifs « qui » et «que » ?

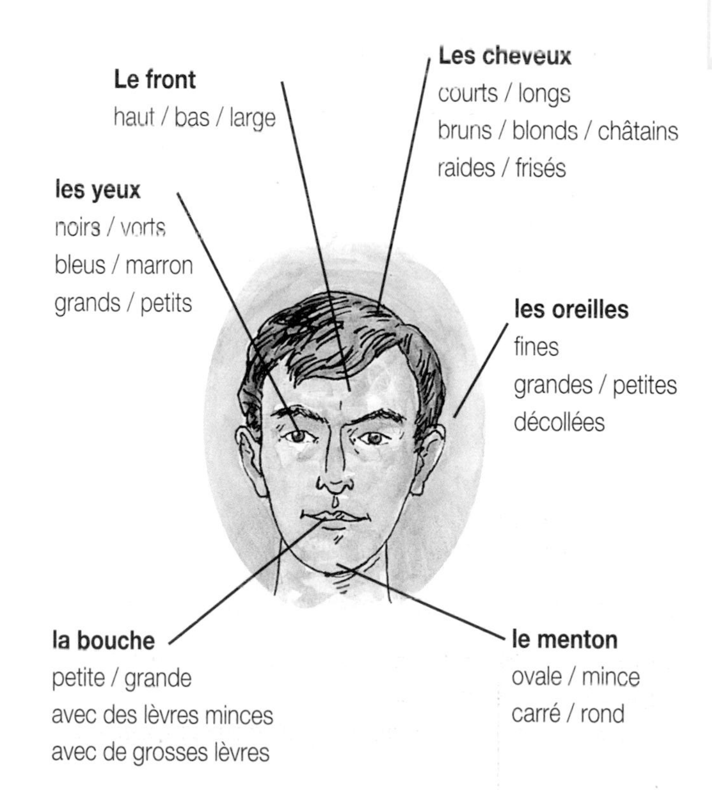

6 Son attitude est célèbre !

Décrivez-le.

Le Penseur (1904)
Auguste Rodin

7 Précisez de qui il s'agit.

Reliez les deux phrases avec un pronom relatif COD.

Cette femme, c'est Sandra. Vous la voyez en train de boire.
Cette femme que vous voyez en train de boire, c'est Sandra.

1. L'homme aux lunettes, c'est Christophe. Il a un verre à la main.
2. Ces trois hommes, ce sont mes amis. Vous ne les connaissez pas.
3. Ces quatre personnes viennent de loin. Vous les observez.
4. Le blond est le frère de celui de gauche. Il porte un costume gris foncé.
5. Cette femme assise, c'est Corinne. L'homme debout à droite la regardait.

8 Est-ce que vous les reconnaissez ?

Écoutez et indiquez le numéro du premier personnage mentionné.

Son mari, c'est l'homme qu'elle regardait. —> Il s'agit du personnage n° 2.

EMPLOIS DE L'IMPARFAIT ET DU PASSÉ COMPOSÉ

Emplois de l'imparfait

a. Décrire des états, des actions passés sans durée délimitée :
Elle était assise. Elle réfléchissait.
Il faisait nuit.

b. Décrire des actions passées qui se répètent :
Ils levaient leur verre et buvaient de temps en temps.

Emploi du passé composé

Rapporter des événements passés, d'une durée délimitée :
Ils ont vu le tableau. Ils ont discuté pendant une heure.

9 Ils se ressemblaient beaucoup.

Mettez les verbes entre parenthèses au passé composé ou à l'imparfait.

Quand l'homme (arriver), il (faire) déjà nuit. Je le (voir) mal. Il (être) grand et (porter) un imperméable. Il (s'approcher) de moi et me (demander) l'heure. Je le (regarder) et je le (reconnaître) tout de suite. Il (ressembler) tellement à son père. Il (avoir) les mêmes yeux. Bleus, assez grands, tristes. Son visage (être) plutôt long, ses lèvres fines. Il (devoir) avoir une trentaine d'années. Je (parler) de son père et je le (inviter) à prendre un verre. Ensuite, il (partir), et nous ne (se revoir) jamais.

Nuancez vos appréciations		
Il / Elle } n'est	{ pas très	jeune / âgé(e)
Il / Elle } est	{ plutôt assez très trop	grand(e) / petit(e) gros(se) / maigre mince

Décrivez-les.

Observez les quatre personnages présentés à l'exercice 8. Décrivez-les et utilisez des adverbes d'intensité (voir tableau ci-dessus).

Leur mémoire était-elle bonne ?

Dans un jeu télévisé, les participants devaient regarder le dessin ci-contre pendant un temps très court et décrire ensuite de mémoire la scène aussi fidèlement que possible. Voici la description faite par un des participants :

Dans le tableau que nous avons vu, il y avait quatre personnages : une femme et trois hommes.
La femme était assise. Elle était blonde et elle avait les cheveux longs. Elle portait une robe jaune clair. Elle tenait un verre à la main, elle écoutait de la musique et elle réfléchissait. Les trois hommes, qui étaient debout, discutaient. L'un d'eux, celui de droite, était assez gros. Il portait de grosses lunettes. Celui qui était à sa droite était plutôt grand. Il avait des cheveux blonds et frisés. Le troisième était brun, avec des cheveux très courts. Il était de taille moyenne. Ils portaient tous les trois des costumes bleu foncé. Ils avaient un verre à la main...

1. Vous observez le dessin et vous faites la liste des erreurs commises par le premier participant.
   La femme ne portait pas une robe ; elle avait un chemisier blanc et une jupe jaune clair.
2. Écoutez la description de la deuxième participante et corrigez les erreurs qu'elle a pu faire.
3. Imaginez ce qui s'est passé ensuite.
   La musique s'est arrêtée et la femme s'est levée...

L'ACCORD DES ADJECTIFS DE COULEUR

Normalement, l'adjectif s'accorde avec le nom :
une robe blanche, des chaussures noires,
mais il ne s'accorde pas quand :

a. l'adjectif est lui-même qualifié par un autre adjectif ou un nom :
des pantalons bleu foncé, des chaussures jaune clair, une cravate bleu ciel ;

b. l'adjectif de couleur est un nom :
une robe marron, des chemises orange.

Attribuez des couleurs aux objets.

Associez ces noms : des chaussures, une veste, une robe, des fauteuils, du fromage, des olives, des haricots, un visage...
aux adjectifs suivants :
vert, noir, jaune citron, rouge tomate, blanc, orange, gris...

Inventez et écrivez d'autres associations.
Des yeux bleu clair.

À PRENDRE AVEC DES GANTS

1 De quoi s'agit-il ?

Avant d'écouter le dialogue, observez les dessins.

1. Qu'évoque pour vous le titre « À prendre avec des gants » ? (Si vous ne savez pas, cherchez dans un dictionnaire.)
2. Où se passe la scène ?
3. Combien y a-t-il de séquences différentes ? Identifiez-les en désignant les personnages.

2 Rétablissez la vérité. 

Écoutez les dialogues, puis écoutez les affirmations et rétablissez la vérité.

1. La dame a une photo du disparu.
2. La dame et l'homme disparu se connaissent bien.
3. L'homme a emmené son chien.
4. Berthier est trop jeune pour être commissaire.
5. Le commissaire Berthier s'occupe de toutes les affaires.
6. Le disparu portait un chapeau, un blouson de cuir, un pantalon beige et des chaussures marron.

3 C'est dans le dialogue !

Trouvez :

1. une demande d'information ;
2. un ordre ;
3. une hypothèse (= une supposition) ;
4. un argument donné pour justifier une affirmation ;
5. une évaluation positive.

4 Quel est leur signalement ?

Donnez leur signalement et décrivez leurs attitudes.

1. La dame **2.** Le commissaire. **3.** Guyot.

Pour marquer votre intérêt

Ah oui ?...	Et alors...	Eh bien !
C'est vrai !	Dites donc !	Non !
Quelle histoire !	Pas possible !	

SANS + INFINITIF

Les pronoms COD ou COI se placent entre « sans » et l'infinitif : sans le dire, sans lui parler, sans les consulter, sans nous regarder, sans rien demander

 Le pronom « rien » se place entre « sans » et l'infinitif :
sans **rien** voir
mais « personne » se place après l'infinitif :
sans voir **personne**

5 Qu'est-ce qu'ils n'ont pas fait ?

Il est parti. Il n'a rien dit. Il n'a vu personne.—> Il est parti sans rien dire, sans voir personne.

1. Elle l'a croisé. Elle n'a rien remarqué.
2. Il est passé. Il n'a vu personne.
3. Il est parti en vacances. Il n'a rien emmené.
4. Il a pris une décision. Il n'a consulté personne.
5. Elle a signé la déclaration. Elle n'a rien relu.

6 Qu'est-ce qu'on apprend ?

1. Sur le disparu.
2. Sur le commissaire Berthier.
3. Sur la nature de l'histoire.

7 La concierge est très intéressée ! 

Écoutez le dialogue et relevez les expressions qui marquent l'intérêt et la curiosité.

Puis, jouez la scène.

– *Alors, madame Legendre, qu'est-ce qu'ils vous ont dit au commissariat ?*
– *Ça les intéresse, cette histoire. Vous ne savez pas qui j'ai vu ?...*

C'EST UN BEL HOMME!

COMMISSARIAT DE LA POLICE JUDICIAIRE.

.../...

…/…

" CELUI QUI A ARRÊTÉ LE GANG DES CHAMPS-ÉLYSÉES? "

"DE TOUTE FAÇON, IL PART TOUT À L'HEURE EN MISSION "

" LA DERNIÈRE FOIS QUE VOUS L'AVEZ VU, IL PORTAIT UN COSTUME MARRON, UNE CRAVATE VERTE, UNE CHEMISE BLANCHE ET DES CHAUSSURES BEIGES."

8 Le portrait-robot.

Mettez-vous d'accord !
Un vol a été commis dans une bijouterie. Deux témoins jurent avoir vu le voleur. Ils font leur déposition.
Regardez les dessins, choisissez un personnage et décrivez « votre » voleur. Le second témoin vous contredit poliment et décrit « son » voleur. Jouez la scène.

Pour contredire quelqu'un

Excusez-moi, mais...
Je vous demande pardon, mais...
Je crois que vous vous trompez...
Je ne suis pas d'accord avec vous...
Si vous permettez...
Vous faites erreur...

9 Autoportrait...

Vous devez retrouver une personne que vous ne connaissez pas dans un café. Vous vous parlez au téléphone. Chacun se décrit et dit comment il / elle est habillé(e) pour que vous puissiez vous connaître.

10 On cherche des acteurs.

Lisez l'annonce ci-dessous. Vous aurez deux minutes au téléphone pour persuader le metteur en scène de vous convoquer pour la séance de casting (séance de choix des acteurs).

Metteur en scène

recherche
des acteurs pour les rôles principaux
d'un grand film d'amour :

une femme, 20-25 ans,
grande et mince, blonde de préférence,
et un homme,
25-30 ans, grand, beau, séducteur.

Téléphonez d'urgence
au 47 32 56 87.

Liaisons et enchaînements

❑ Lisez le texte ci-dessous et indiquez où doivent se faire les liaisons et les enchaînements.

Un homme a disparu depuis trois jours. Il a laissé un animal dans son appartement. Sa voisine va faire une déposition au commissariat. Elle y aperçoit un policier que ses exploits ont rendu célèbre.

❑ Écoutez l'enregistrement.

a. Donnez un exemple de liaison et de chacun des deux types d'enchaînements, vocalique et consonantique.
b. Faut-il faire des liaisons entre « déposition » et « au », « exploits » et « ont » ? Pourquoi ?
c. Qu'est-ce qu'on doit faire obligatoirement dans le cas où on ne fait pas la liaison ?

Magazine SAVOIR VIVRE

Michel Drucker a été pendant longtemps le présentateur vedette des émissions de variétés. S'il est moins populaire aujourd'hui, il conserve cependant l'estime du public.

Michel Serrault : il sait jouer tous les rôles avec esprit. C'est un grand séducteur.

ANTICIPEZ

1 De quoi s'agit-il dans ce texte ?

1. Regardez les photos. Avez-vous entendu parler de ces hommes ?
2. Quelles sont, à votre avis, les qualités que doit posséder un homme ?
3. Quelles qualités, chez un homme, peuvent plaire à une femme ?

2 Lisez le texte.

Y a-t-il accord entre le texte et votre réponse à la dernière question de l'exercice précédent ?

METTEZ EN ORDRE

3 Comment est structuré cet article ?

Introduction : Qu'est-ce qui fait courir les femmes ?

Critères : 1 | 2 | 3 | 4 | 5 | 6 | 7 | 8

Conclusion : ....

4 Quels sont les mots ?

Trouvez les mots qui, dans ce texte, permettent de classer par ordre d'importance.

En premier lieu...

Messieurs, pour séduire,

On ne vous l'a pas encore présenté et pourtant vous savez que c'est lui. Cette réaction est-elle fréquente ? Comment s'explique-t-elle ? Un récent sondage

En premier lieu vient *l'intelligence*, et Bernard Pivot, « l'homme qui a redonné aux Français le goût de la lecture grâce à son émission hebdomadaire à la télévision », obtient le premier rang. *La chaleur humaine*, mélange de gentillesse, d'écoute des autres et de fidélité dans l'affection, prend la deuxième place.

L'humour, la capacité de faire rire avec esprit, suit l'intelligence et la chaleur humaine de très près. Dans ces deux catégories, c'est Michel Drucker et Michel Serrault qui arrivent en tête.

En quatrième position, nous trouvons *le regard* qui retient beaucoup l'attention des femmes, surtout celui d'Alain Delon.

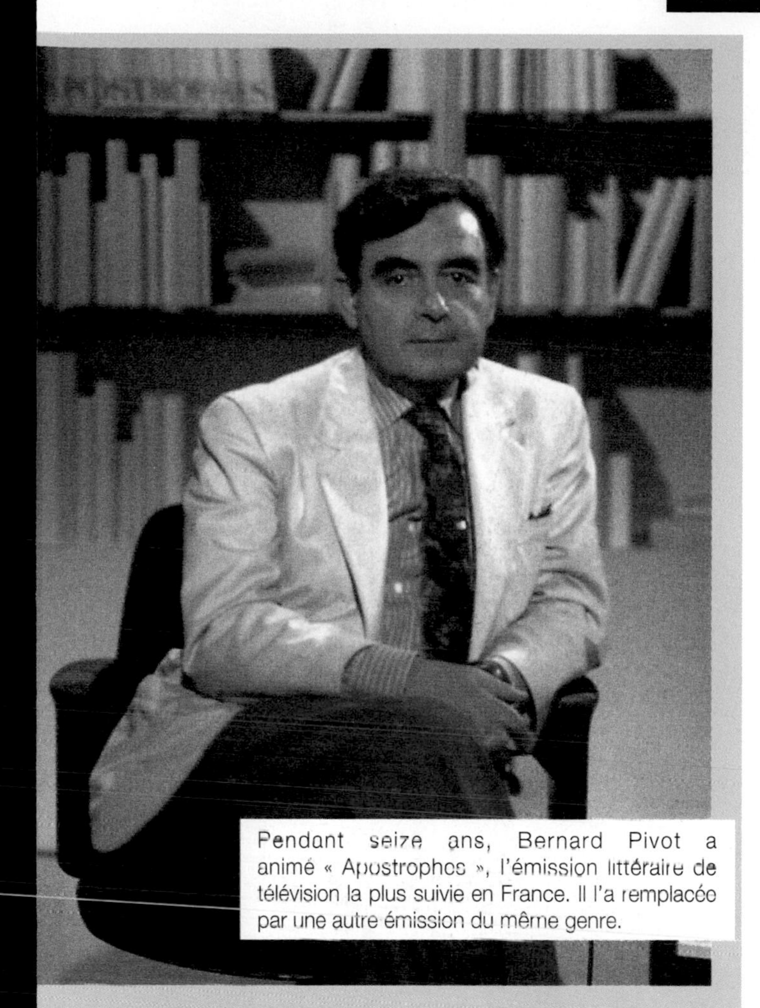

Pendant seize ans, Bernard Pivot a animé « Apostrophes », l'émission littéraire de télévision la plus suivie en France. Il l'a remplacée par une autre émission du même genre.

recherchez l'efficacité.

révèle les huit aspects de la séduction masculine aux yeux des six cents Françaises de 15 à 70 ans interrogées dans tous les milieux de la société.

Vient ensuite *l'élégance*, aussi bien celle de Roger Moore que celle d'Yves Saint Laurent, suivie par *l'aisance* (le naturel du comportement en société) que semblent posséder au plus haut point des hommes comme Robert Redford et Bruno Masure, le présentateur des informations à la télévision.

La réussite sociale n'arrive qu'en septième position, peut-être parce que c'est une raison de choix plus difficile à avouer...

Enfin *la virilité*, au huitième rang, n'est plus ce qu'elle était, semble-t-il ! Comprenez le message, messieurs : le machisme n'est plus à la mode. Si vous n'êtes pas naturellement doués, prenez vite des cours d'intelligence et de chaleur humaine et sachez faire rire vos partenaires ! Votre succès est à ce prix.

Avec lequel de ces hommes aimeriez-vous passer une soirée ?

	Paris	province	Ensemble
Bernard Pivot	70 %	56 %	63 %
Michel Drucker	58 %	62 %	60 %
Michel Serrault	60 %	54 %	57 %
Alain Delon	48 %	56 %	52 %
Roger Moore	50 %	46 %	48 %
Yves Saint Laurent	49 %	43 %	46 %
Robert Redford	48 %	42 %	45 %

5 Les différents emplois de « que ».

Dans le texte, indiquez la ligne où « que » est utilisé comme :

1. conjonction (= mot introduisant une proposition subordonnée) ;
2. pronom relatif ;
3. partie de négation restrictive ;
4. conjonction introduisant la deuxième partie d'une comparaison.

RECHERCHEZ LES FAITS

6 Quels mots correspondent aux définitions ?

1. Qui n'est pas préparé, instinctif.
2. Quelqu'un qui vous ressemble.
3. Groupe social.
4. Amuser.
5. Manière de se comporter qui ne donne pas une impression d'effort.
6. Finir par dire la vérité.
7. Qui a des dons, des capacités naturelles.
8. Finesse et humour.

a. Faire rire. **b.** Avouer. **c.** Spontané. **d.** Milieu.
e. Esprit. **f.** Aisance. **g.** Doué. **h.** Semblable.

INTERPRÉTEZ

7 Commentez ce sondage.

1. Est-ce que quelque chose vous surprend ? Pourquoi ?
2. Dans quel ordre est-ce que, vous, vous classez ces huit qualités ?
3. D'après vous, manque-t-il des qualités ? Si oui, lesquelles ?
4. Pouvez-vous prédire quels seraient les résultats d'un sondage semblable dans votre pays ?

SONDAGE

1

1

2

Inès de la Fressange.
1. Collection automne-hiver, Chanel.
2. Collection automne-hiver, Chanel.
3. La pause.

3

Qu'est-ce qui les attire ?

Un récent sondage réalisé en France révèle les huit caractéristiques féminines qui retiennent plus particulièrement l'attention des hommes.

Ce sont, par ordre d'importance :

1. La beauté, le charme physique ;
2. La sincérité, la franchise ;
3. L'élégance naturelle et le goût pour s'habiller ;
4. Le fait de ne pas fumer ;
5. L'intelligence ;
6. La fidélité ;
7. Le sens de l'humour ;
8. La douceur et la tendresse.

Pour vérifier la sincérité de leurs réponses, on a demandé aux hommes interrogés de choisir entre les trois photographies (ci-dessus) du même modèle habillé chaque fois différemment.

C'est la photo 1 qui a eu leur préférence.

Sondage BVA pour *Jours de France.*

Commentez le sondage.

1 Définissez la situation de communication.

Écrivez une lettre à un(e) ami(e) français(e) pour lui faire part soit des réactions des hommes, soit des réactions des femmes de votre pays et pour lui donner votre point de vue.

2 Informez-vous.

Cherchez des idées.

1. Faites un sondage dans votre groupe.
   - Est-ce qu'on place les caractéristiques dans le même ordre ?
   - Est-ce qu'on en ajoute d'autres ?
   - Comment les femmes réagissent-elles devant les photos d'Alain Delon, de Bernard Pivot et d'Yves Saint Laurent ?
   - Comment les hommes réagissent-ils devant les photos du modèle ?
2. Discutez de vos résultats en groupe.
   - Est-ce que vous pouvez vous mettre d'accord sur un ordre ?
   - Qu'est-ce qui est différent dans votre pays ?

3 Organisez vos idées.

Séparez :

- la raison de votre lettre,
- la description de votre enquête (comment avez-vous fait ?),
- l'exposé des résultats,
- votre analyse et vos commentaires (ce que vous en pensez).

4 Écrivez votre lettre.

1. Rappelez la situation (vous venez de lire deux sondages) et la raison qui vous pousse à écrire (vous voulez que votre correspondant sache ce qu'on pense dans votre pays).
2. Exposez votre enquête.
3. Exprimez votre point de vue.

5 Montrez votre lettre à un(e) autre étudiant(e) et discutez-en ensemble.

Pour l'évaluation du texte, vous pouvez utiliser des critères comme :

- le texte est-il bien organisé selon la structure prévue à l'exercice 3 ?
- les articulations du texte sont-elles assez nettes ?
- chaque paragraphe est-il bien construit autour d'une seule idée centrale ?
- l'idée centrale de chaque paragraphe est-elle bien formulée et bien mise en valeur ?
- y a-t-il des répétitions qu'on peut éliminer ?
- les commentaires sont-ils bien introduits par des formules qui les distinguent des faits (à mon avis / pour ma part / je pense que / il semble que...) ?

À vous de donner d'autres critères pour évaluer le texte !

6 Modifiez votre texte en fonction des critiques faites et vérifiez le temps des verbes, l'orthographe et la ponctuation.

7 Projet libre.

1. Vous écrivez à un magazine pour dire ce que vous imaginez des Français(es) d'après ces deux sondages.
2. Vous aviez déjà une idée sur les rapports hommes-femmes en France. Dites si ces sondages vous confirment ou non dans vos idées et s'il faut les prendre au sérieux.

RÉCAPITULATION

COMMUNICATION

- **Décrire des personnes**
  Elle a les cheveux châtains, des traits réguliers.
  Elle a de longs cheveux blonds et un visage assez fin.
- **Identifier**
  C'est la femme que vous avez rencontrée.
- **Comparer**
  Il a la même bouche que son père.
  Il a le front plus haut.
- **Contredire**
  Vous plaisantez ! Avec son chien enfermé depuis trois jours ?
  Je crois que vous vous trompez / que vous faites erreur.
- **Marquer son intérêt**
  Ah oui ! Et alors ? Non ? Pas possible !
- **Nuancer ses affirmations**
  Il est assez / plutôt gros.
- **Faire des suppositions**
  Il est peut-être parti en voyage sans le dire.

GRAMMAIRE

L'imparfait

- **L'imparfait se forme** sur le radical de la première personne du présent :

nous **fais**ons —> je **fais**ais, nous **écriv**ons —> j'**écriv**ais
sauf dans le cas du verbe « être » : « j'**ét**ais ».
Les terminaisons sont régulières : ais, ais, ait, ions, iez, aient.

- **L'imparfait s'emploie** pour décrire des états :

– états naturels : Il faisait froid.
– attitudes : Ils étaient debout.
– états d'esprit : Elle réfléchissait. Ils voulaient partir.

Le début et la fin de ces états ne sont pas pris en compte. Ils peuvent cependant être précisés par des adverbes :

Il faisait froid hier matin.
En janvier dernier, ils voulaient partir (mais, finalement, ils ont décidé de rester).

Le passé composé

- Le passé composé sert à rapporter des événements passés :
  La musique s'est arrêtée. La femme s'est levée.

On implique que ces événements ont eu, dans le passé, un début et une fin qui peuvent être précisés par des adverbes :

À trois heures, la musique s'est arrêtée. Cinq minutes après, la femme s'est levée.

L'opposition passé composé-imparfait

Le passé composé rapporte les événements et l'imparfait décrit les circonstances de ces événements :

Je lisais (circonstance, état) quand elle est entrée (événement).
Je ne suis pas sorti (non-événement) parce qu'il pleuvait (circonstance, état naturel).

Les pronoms relatifs qui et que

- Le relatif **qui**, employé seul, a toujours fonction de sujet :
  C'est la jeune femme qui est assise.
- Le relatif **que** est un complément d'objet direct (COD) :
  C'est la femme qu'il regardait.

Les adverbes d'intensité qui modifient des adjectifs

Les adverbes « bien, assez, plutôt, très, trop, pas très... » peuvent modifier l'intensité des adjectifs qui les suivent :

Il est plutôt gros, très grand.
Elle est assez petite.

La préposition sans + nom ou pronom + infinitif

La préposition **« sans »** peut être suivie d'un nom sans article (sans sucre) ou d'un infinitif. Dans ce dernier cas, les pronoms COD ou COI se placent entre **« sans »** et l'infinitif :

Il la regardait sans l'écouter, sans lui parler.

Rien se met à la même place que les pronoms :
sans **rien** voir.
Personne se place après l'infinitif : sans voir **personne**

L'accord des adjectifs de couleur

Les noms utilisés comme adjectifs et les adjectifs qualifiés par un autre adjectif ou un nom sont **invariables**.

Elle portait une robe **marron** et des chaussures **orange**.

« Marron » et « orange » sont des noms employés comme adjectifs.

Elle avait des yeux **bleu vert** et elle portait une jupe **jaune citron**. Ils avaient des costumes **vert foncé** et des cravates **bleu clair**.

Les adjectifs « bleu, jaune, vert, bleu » des exemples sont modifiés par un autre adjectif (vert, foncé, clair) ou par un nom (citron).

Jean Cocteau

La jeune femme

Que voulez-vous que j'y fasse
Comment cela se fait-il
La jeune femme est de face
Alors qu'elle est de profil

Comment cela se fait-il
Elle n'a qu'un œil de face
Elle en a deux de profil
Que voulez-vous que j'y fasse

Que voulez-vous que j'y fasse
Comment cela se fait-il
Sa figure est une glace
Qui reflète son profil

Clair-obscur,
Éd. Le Rocher, 1934.

— Décrivez le visage de Dora Maar peint par Picasso.

Robert Sabatier

L'homme était vêtu d'un élégant costume d'alpaga clair, avec une chemise bleu outremer en soie sur laquelle[1] tranchait[2] une cravate d'un orangé voyant[3], portait des chaussures jaune clair et cachait une coiffure brune, bien gominée, sous un feutre[4] mou[5] à bord baissé sur le front. Malgré son nez légèrement aplati[6], comme celui d'un boxeur, il était beau garçon, avec ses yeux noirs, sa peau mate[7]. Sa bouche trop grande, ses lèvres lisses[8] lui donnaient un air équivoque et on lisait dans ses yeux marron une incroyable méchanceté. La taille haute, les épaules larges, il descendait les marches deux par deux avec un dandinement[9] affecté. Pur produit de son époque, il aurait pu figurer parmi les compagnons d'Al Capone[10].

Les Allumettes suédoises
Éd. Albin Michel, 1969.

1. *sur laquelle* : sur cette chemise.
2. *trancher* : faire contraste.
3. *voyant* : qui se voit trop
4. *feutre* : chapeau en feutre.
5. *mou* : opposé : rigide, dur.
6. *aplati* : que les coups des boxeurs ont rendu plat.
7. *mat(e)* : qui ne brille pas, qui n'a pas d'éclat.
8. *lisse* : comme une peau égale et douce, sans plis.
9. *dandinement* : léger mouvement du corps de droite à gauche pendant la marche, nonchalant et un peu ridicule.
10. *Al Capone* : gangster américain des années 20-30 célèbre pour ses " exploits " à Chicago pendant la prohibition.

— 1. Recopiez le tableau suivant et remplissez-le.

vêtements	couleur	matière	autres qualificatifs
costume	clair	alpaga	élégant

— 2. Dans quels cas les adjectifs de couleur ne s'accordent pas avec le nom ? Donnez des exemples.

— 3. Relevez les stéréotypes qui amènent à la caractérisation finale : « il aurait pu figurer parmi les compagnons d'Al Capone ».

— 4. Décrivez un personnage féminin distingué, la dernière phrase de votre texte étant : « Elle aurait pu être au bras d'un prince ».

T'as de beaux yeux, tu sais !

Que nous apprennent ces vêtements sur ceux qui les portent ?

Activités

1. Écoutez et dites chaque fois si le compliment vous paraît sincère ou s'il vous paraît peu naturel ou exagéré.
2. Faites des compliments à votre voisin(e).
3. Quelle(s) intention(s) pouvez-vous avoir quand vous faites un compliment ?

Faites des compliments.

Il est super / génial ton blouson !

J'aime beaucoup ta jupe / ta robe / ton manteau... elle / il te va très bien.

Elles sont belles tes chaussures, où tu les as achetées ?

C'est tout à fait ton style / ton genre.

La couleur de ce pull met tes yeux en valeur.
Cette (nouvelle) coiffure te va très bien / te rajeunit...

Vous avez un très beau manteau.

Oh, c'est à la dernière mode !

Répondez à un compliment.

On ne remercie pas du compliment, on s'excuse presque d'en être la cause.

Tu aimes ça vraiment ?

Tu ne trouves pas que ça me grossit ?

Je ne suis pas un peu jeune / vieille pour porter ça ?

Tu ne me préférais pas avec les cheveux longs / courts / frisés... ?

Tu trouves ? / Vous trouvez ?

En France, faites des compliments :

– à des ami(e)s,
– à des gens que vous connaissez assez bien, mais évitez d'en faire à des gens que vous ne connaissez pas, sauf si vous avez une autre intention...

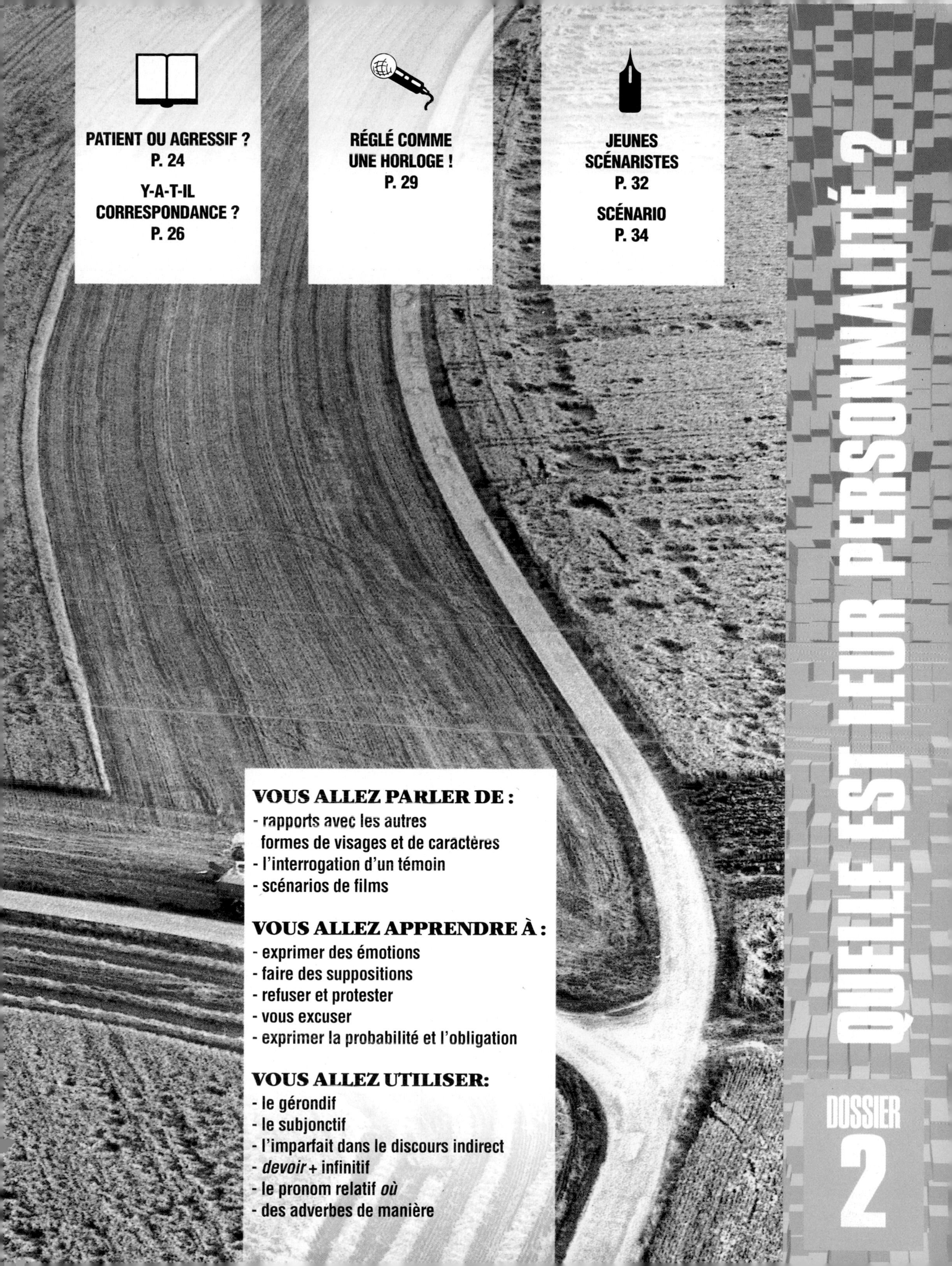

DOSSIER 2

QUELLE EST LEUR PERSONNALITÉ ?

VOUS ALLEZ PARLER DE :

- rapports avec les autres
  formes de visages et de caractères
- l'interrogation d'un témoin
- scénarios de films

VOUS ALLEZ APPRENDRE À :

- exprimer des émotions
- faire des suppositions
- refuser et protester
- vous excuser
- exprimer la probabilité et l'obligation

VOUS ALLEZ UTILISER:

- le gérondif
- le subjonctif
- l'imparfait dans le discours indirect
- *devoir* + infinitif
- le pronom relatif *où*
- des adverbes de manière

Patient ou agressif ?

Comment réagissez-vous dans ces situations ?

2

1. Vous êtes invité(e) chez des amis. On vous donne une tasse de café déjà sucré. Or vous détestez le café sucré.

a) Vous n'osez rien dire par politesse et vous buvez le café.
b) Vous ne croyez pas qu'il faille en parler et vous buvez le café.
c) Vous demandez qu'on vous apporte une autre tasse.
d) Vous le refusez en disant que vous ne mettez jamais de sucre dans votre café.

2. Vous avez à étudier et vos voisins font jouer leur radio beaucoup trop fort.

a) Vous attendez qu'ils arrêtent leur radio.
b) Vous frappez à leur porte et vous leur dites qu'il est important que vous soyez au calme pour travailler.
c) Vous leur écrivez une lettre d'insultes que vous glissez sous leur porte.
d) Vous donnez de grands coups dans le mur en criant des insultes pour qu'ils fassent moins de bruit.

3. Vous faites la queue pour l'autobus. Quelqu'un passe devant vous.

a) Vous ne pensez pas qu'il l'ait fait exprès et vous attendez votre tour.
b) Vous dites : « Excusez-moi mais j'étais là avant vous. »
c) Vous repassez devant la personne en lui disant : « Il faut que vous fassiez la queue comme tout le monde. »
d) Vous dites à haute voix que c'est scandaleux en prenant les autres voyageurs à témoin.

4. Vous êtes dans le compartiment non fumeur d'un train. Un homme entre, s'assoit en continuant de fumer sa pipe.

a) Vous le regardez sans rien dire.
b) Vous lui dites poliment en montrant le panneau : « Je ne crois pas qu'on puisse fumer ici. »
c) Vous le regardez dans les yeux en toussant.
d) Vous lui dites, en colère : « Il faut que vous appreniez à lire ! »

5. Vous êtes au restaurant. La viande qu'on vous a servie n'est pas très tendre. Le serveur vous demande si tout va bien.

a) En souriant, vous lui dites que la viande est délicieuse.
b) Vous demandez qu'il vous change la viande qui est trop dure.
c) Vous repoussez votre assiette en disant que la viande n'est pas mangeable.
d) Vous lui dites : « Je veux que vous me changiez cette viande. »

6. Un ami vous demande de l'aider à déménager. Or, ce jour-là, vous avez un examen important à passer.

a) Vous allez l'aider sans rien dire.
b) Vous vous excusez en donnant la raison.
c) Vous lui dites qu'il est impossible que vous alliez l'aider car vous avez trop à faire ce jour-là.
d) Vous lui donnez votre accord en sachant que vous n'avez pas l'intention d'aller l'aider.

1 Faites le test.

Écoutez, et notez le numéro de la question et la lettre de la réponse choisie : votre voisin(e) vous donne les résultats.

Totalisez vos points en comptant
a = 1, b = 3, c = 5, d = 6
Si vous avez :
- **entre 6 et 10 :** Vous êtes très tolérant et sans doute un peu timide. Attention ! Les autres risquent de profiter de vous.
- **entre 11 et 15 :** Vous êtes patient. Vous savez rester calme, mais vous ne faites que ce qui vous plaît.
- **entre 16 et 20 :** Vous devez être assez nerveux et vous pouvez être agressif. Vous ne cédez pas quand vous êtes sûr de votre bon droit.
- **entre 21 et 24 :** Vous êtes nerveux et agressif. Vous allez souvent trop loin et vous devez avoir du mal à garder vos amis. Il faut vous contrôler.

2 Ils le faisaient en même temps !

Il travaillait et il écoutait la radio.
Il travaillait en écoutant la radio.

1. Il attendait l'autobus et il lisait.
2. Il leur parlait et il souriait.
3. Il disait oui et il savait qu'il ne voulait pas le faire.
4. Ils discutaient et ils buvaient leur café.

LE GÉRONDIF

Le **participe présent** se forme en ajoutant **-ant** au radical de l'imparfait : prenais —> prenant, buvais —> buvant.

avoir : ayant, savoir : sachant
Pas de gérondif avec « pouvoir ».

Formation du gérondif : en + participe présent

Emploi : le **gérondif** équivaut à une proposition subordonnée de temps, de cause ou de condition :
- action simultanée : Elle lui a parlé **en souriant**.
- cause : Il refuse **en disant** qu'il ne met jamais de sucre.
- condition : **En protestant**, vous obtiendrez ce que vous voulez.

3 Comment réagissent-ils ?

Écoutez les conversations et dites chaque fois si les personnes sont calmes, nerveuses, sûres d'elles, timides.

4 Dites-le autrement.

À partir des indications données dans les paragraphes 5 et 6 du test, créez des phrases comme dans l'exemple.

En souriant, vous lui dites que la viande est délicieuse. —> Cette viande est vraiment délicieuse. / Je n'ai jamais mangé de viande aussi bonne.

5 Quelque chose ne va pas !

Écoutez les réclamations de gens habitant l'hôtel et dites s'ils s'expriment de façon calme ou brusque.

6 Il y a de quoi se plaindre !

Trouvez d'autres situations de réclamation. Préparez les « sketches » (saynètes) en groupe et jouez les scènes.

Y a-t-il correspondance ?

Visage triangulaire, nez fin, lèvre inférieure mince.

Qualités : intelligence et sensibilité (sensible), ambition (ambitieux / -euse), courage
Risques : nervosité et manque de patience, jalousie (jaloux / -se), froideur (froid / e), égoïsme (égoïste)

Visage large et carré, front haut, lèvre inférieure épaisse.

Qualités : franchise (franc / franche), volonté (volontaire) et générosité (généreux / -euse), énergie (énergique)
Risques : impulsivité (impulsif /-ve), passion (passioné / e)

Visage rond, nez plutôt large, lèvre supérieure épaisse.

Qualités : gaieté (gai / e), et optimisme (optimiste), chaleur (chaleureux / -euse), confiance (confiant / e)
Risques : gourmandise (gourmand / e) et paresse (paresseux : -euse), indécision (indécis / e)

Visage ovale, traits réguliers, lèvre supérieure mince.

Qualités : douceur (doux / douce) et sentimentalité, tendresse (tendre), calme
Risques : rêverie (rêveur / -euse) et émotivité, mais aussi méfiance (méfiant / -e) et pessimisme (pessimiste)

2

7 Quels sont les contraires ?

Trouvez les adjectifs de sens opposés dans les listes ci-dessus.

Optimiste —> Pessimiste

1. (nez) fin
2. (lèvre) mince
3. froid
4. énergique
5. confiant
6. calme

EXPRIMER LA PROBABILITÉ ET L'OBLIGATION AVEC DEVOIR + INFINITIF

Je **dois** / Tu dois / Il doit
Nous **dev**ons / Vous devez / Ils **doiv**ent

Probabilité
Elle doit être méfiante. = Elle est sans doute méfiante.
Ils doivent être optimistes. = Ils sont probablement optimistes.

Obligation
Vous devez partir. = Il faut que vous partiez.
Nous devons rentrer chez nous. = Il faut que nous rentrions chez nous.

8 Que pensez-vous de ces gens ?

Justifiez vos réponses.

Il a les lèvres épaisses.
Il doit être...

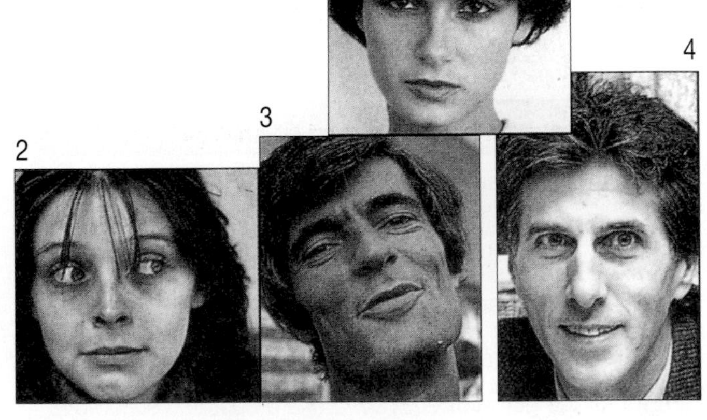

9 Probabilité ou obligation ?

Écoutez et dites s'il s'agit de probabilité (P) ou d'obligation (O).

10 Qu'en pensez vous ?

Complétez en mettant le verbe à la forme qui convient.

Marcel Marceau est un mime célèbre ; il est né en 1923 à Strasbourg.

1. Je ne crois pas qu'il (pouvoir) être heureux.
2. J'ai peur qu'il (être) vraiment triste.
3. Je doute qu'il (rire) toujours de cette manière.
4. Je ne pense pas qu'il (faire) partager ses émotions au public.
5. J'espère qu'il (ne pas être) toujours comme ça.

11 Qu'est-ce que vous leur souhaitez ?

vos amis / réussir leurs examens —> Je souhaite que mes amis réussissent leurs examens.

1. vos parents / faire un grand voyage
2. des jeunes mariés / être heureux
3. votre ami (qui est malade) / aller mieux
4. des amis (qui partent en vacances) / avoir du beau temps

12 Qu'est-ce qui vous rend comme ça ?

Imaginez des situations où vous vous sentez nerveux, gai, agressif, triste, jaloux et terminez les phrases.

Ce qui me rend nerveux, c'est de passer un examen. J'ai peur de ne pas réussir.

1. Ce qui me rend gai, c'est d'être avec des amis. J'ai envie...
2. Quand quelqu'un est désagréable avec moi, je deviens agressif. Je veux...
3. Ce qui me rend triste, c'est...
   Je souhaite...
4. Quand un ami a de bons résultats et pas moi, je me sens... ; je ne pense pas...

13 Qu'est-ce qu'il faut que vous fassiez ?

Dites ce que vous devez faire dans les situations suivantes.

Un ami vous invite à déjeuner, mais vous n'êtes pas libre ce jour-là. —> Il faut que je refuse en donnant mes raisons et que je m'excuse.

1. Quelqu'un fait jouer sa radio très fort et vous empêche d'étudier.
2. Vous avez un rendez-vous urgent et votre voiture est en panne.
3. Vous trouvez dans la rue un objet de valeur.
4. Vous êtes au restaurant et on vous sert un vin qui n'est pas bon.

14 Comment est-il / elle ?

Un(e) de vos ami(e)s a rencontré l'homme ou la femme de ses rêves. Vous lui posez des questions pour savoir comment il / elle est. Intéressez-vous aux caractéristiques physiques et à la personnalité.

LE SUBJONCTIF DANS LA PROPOSITION SUBORDONNÉE

Formation :
Il se forme sur le radical de la 3e personne du pluriel du présent : nous **construis**ons : que je **construis**e,
nous **finiss**ons : qu'il **finiss**e ...
Les terminaisons sont régulières : **-e, -es, -e, -ions, -iez, -ent.**

Subjonctifs irréguliers :
aller : que j'aille, avoir : que j'aie, être : que je sois, faire : que je fasse, pouvoir : que je puisse, vouloir : que je veuille

Emploi :
Le subjonctif s'emploie après les verbes
- **d'obligation** : Il faut que vous veniez.
- **de volonté et de souhait** : Je souhaite que vous ayez de la chance.
- **de doute** : Je ne crois pas qu'il soit très heureux.
- **exprimant des émotions** : Je suis étonné qu'elle ne soit pas venue.

 J'espère que + indicatif

À PRENDRE AVEC DES GANTS

2

1 De quoi s'agit-il ?

1. Qu'est-ce qu'on peut deviner en regardant les dessins ?
2. Combien y a-t-il de scènes différentes dans cet épisode ?
3. Où se passent-elles ?
4. D'après son visage et son allure, comment imaginez-vous le commissaire Berthier ?

Qu'est-ce qui s'est passé ?

Écoutez et répondez aux questions.

1. Le commissaire Berthier était absent. Où était-il ? Qu'est-ce qu'il faisait ?
2. Qui a-t-on retrouvé ? Dans quelles circonstances et en quel état ?
3. Qui s'occupe de l'affaire ?
4. Quelles étaient les habitudes de Jean Lescure ?
5. Comment était-il avec la concierge et avec ses voisins ?
6. À quelle heure est-il sorti le dernier soir ?
7. Pourquoi la concierge a-t-elle pensé qu'il allait au cinéma ?

LE DISCOURS INDIRECT

Elle me **dit**	que sa fille **va** au cinéma.
Elle **m'a dit**	que sa fille **allait** au cinéma.
Il me **demande**	si je **pars**.
Il **m'a demandé**	si je **partais**.
	ce que je **voulais**.
Il **voulait** savoir	qui **allait** s'occuper de l'affaire.

Quels changements entraîne le passage du verbe principal du présent au passé ?

Qu'est-ce qu'on apprend ?

1. Sur le disparu.
2. Sur la concierge.
3. Sur l'enquête.

4 Qu'est-ce qu'on lui a demandé ?

Mettez les phrases au style indirect avec verbe principal au passé et dites ce que la concierge a répondu.

Qui s'occupe du chien ? —> On lui a demandé qui s'occupait du chien. Elle a répondu que c'était M. Lescure.

1. Est-ce qu'il reçoit beaucoup de gens chez lui ?
2. Qui voyez-vous monter chez lui ?
3. Est-ce qu'il vous parle souvent ?
4. Quand va-t-il au cinéma ?
5. Est-ce qu'il est en bons termes avec les voisins ?

Qu'est-ce qu'ils ont dû faire ?

Faites des hypothèses.

1. Jean Lescure n'avait plus de portefeuille quand on l'a retrouvé. On...
2. Personne n'allait voir Jean Lescure, il...
3. C'était un homme réglé comme une horloge, l'assassin...
4. La concierge l'a vu sortir. Elle...
5. Le chien restait seul, il...
6. Jean Lescure ne parlait pas beaucoup à ses voisins, il...

LE RELATIF « OÙ » POUR LE LIEU ET LE TEMPS

L'impasse Lemière est l'endroit **où** on l'a retrouvé.
Le 15 mai est le jour **où** on a retrouvé Jean Lescure.

C'est le jour où il a disparu...

Il vivait au 37, rue de Belleville. —> Le 37, rue de Belleville est l'endroit où il vivait.

1. Il partait travailler à 8 heures.
2. Il allait au cinéma le samedi.
3. Il promenait son chien à 7 heures.
4. Il vivait dans cet immeuble.

RÉGLÉ COMME UNE HORLOGE !

COMMISSARIAT DE LA POLICE JUDICIAIRE.

" ON L'A RETROUVÉ IMPASSE LEMIÈRE AVEC UN COUTEAU DANS LE DOS. PLUS DE PORTEFEUILLE, PAS DE PAPIERS..."

2

.../...

…/…

IL ACHETAIT SON JOURNAL EN PROMENANT SON CHIEN TOUS LES JOURS DE 7h À 7h 30.

" IL PARTAIT TRAVAILLER À 8h ET IL REVENAIT À 7h DU SOIR."

2

7 Changez de registre.

1. Trouvez dans le dialogue les expressions familières correspondant aux expressions suivantes :
   - Non, je vous assure qu'il ne recevait personne.
   - C'était un homme très ponctuel.
   - Jean Lescure / le défunt.
   - Un homme d'une très bonne éducation.
   - Les locataires de cet immeuble sont irréprochables.

2. Jouez la scène en imaginant que les inspecteurs interrogent un directeur de banque à la place de la concierge.
   - *Il recevait beaucoup d'amis ?*
   - *Personnellement, je ne l'ai jamais vu recevoir quelqu'un.*
   - *...*

8 Ça ne l'intéresse pas !

Écoutez le dialogue.

1. Choisissez la bonne réponse.
   Elle refuse d'aller se promener en forêt parce que
   a. elle préfère regarder la télé
   b. il fait trop froid
   c. elle n'a pas de bonnes chaussures.
2. Notez les arguments qu'elle donne pour refuser.

Pour vous aider à refuser

C'est gentil, mais je n'ai pas très envie de...
Pas aujourd'hui. Il y a un bon film à la télé...
J'en ai assez de... j'aime mieux / Je préfère...
Non, je t'assure que...
Ça ne m'intéresse pas.

9 Il n'en a pas envie !

Un(e) de vos amis veut toujours que vous fassiez ce qu'il/elle a envie de faire tout en faisant croire que c'est vous qui en avez envie ! Par exemple, aujourd'hui il veut aller au cinéma et vous n'en avez pas envie. Il vous donne ses arguments : il ne fait pas beau, ce film ne repassera pas et il est intéressant...

Préparez le dialogue avec votre voisin(e) et jouez la scène.

10 Jeu de rôle.

Vous allez voir une voyante pour connaître la vraie personnalité de votre fiancé(e). Vous lui montrez une photo. Ce qu'elle vous dit ne semble pas du tout correspondre à l'homme ou la femme que vous connaissez. Vous êtes de plus en plus inquiet(ète).

- *Oh, elle a les lèvres minces. Elle doit être égoïste, il n'y a pas qu'elle qui compte.*
- *Mais pas du tout, elle est...*
- *Faites attention... Et en plus elle...*

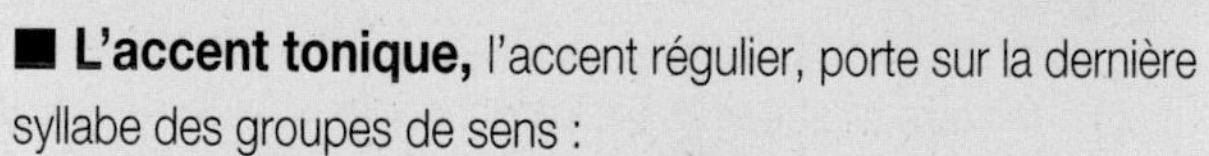

L'ACCENT TONIQUE ET L'ACCENT D'INSISTANCE

■ **L'accent tonique,** l'accent régulier, porte sur la dernière syllabe des groupes de sens :

Et son **chien**, qui s'en occu**pait** dans la jour**née** ?
Per**sonne**. Il attendait son **maître**.

■ **L'accent d'insistance** s'ajoute à l'accent tonique. Il porte sur la première ou la deuxième syllabe du mot mis en relief :

Personne, je vous dis. – Ah **ça, ja**mais !

❑ Prononcez les phrases suivantes d'abord normalement, puis en mettant un accent d'insistance sur les mots en italique. Puis, écoutez l'enregistrement.

1. Son chien est enfermé depuis *trois* jours.
2. *Certainement.* C'était un homme *aimable.*
3. Il allait au cinéma *tous* les samedis.
4. Il n'était pas en *mauvais* termes avec les voisins ?
5. je n'ai *jamais* vu quelqu'un monter.

ANTICIPEZ

1 De quoi s'agit-il ?

Ce texte est-il un extrait :

- de pièce de théâtre ?
- de scénario de film ?
- de roman ?

2 Qu'est-ce qu'ils font ?

Indiquez les gestes ou les attitudes sous ces dessins.

1. ....

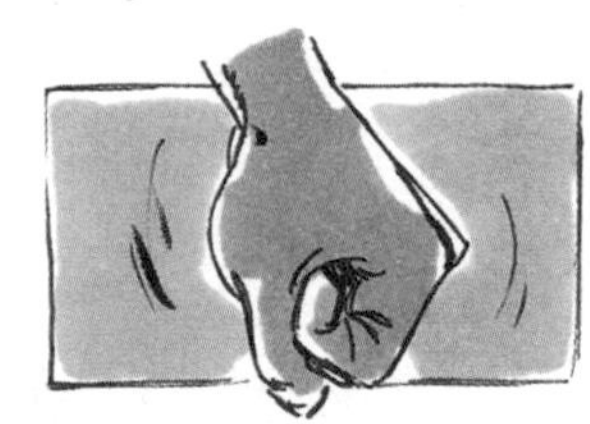

2. ....

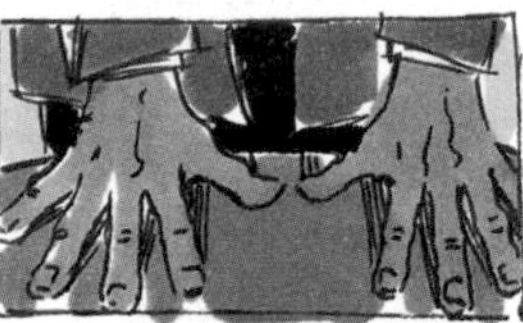

3. ....

4. ....

RECHERCHEZ LES FAITS

3 Qu'est-ce qui le montre ?

Quelles attitudes ou quels gestes montrent que :

1. Sandrine est triste ?
2. Laurent est en colère et qu'il n'en peut plus ?
3. Sandrine est en colère ?
4. Sandrine est désespérée ?

4 C'est dans le texte !

Trouvez les mots ou expressions du texte correspondant à :

1. fait des efforts pour...
2. la situation m'était insupportable.
3. prenne la décision moi-même sans te consulter.
4. être responsable (de ses décisions), aller jusqu'au bout.
5. s'il te plaît.
6. crie très fort.

JEUNES SCÉNARISTES

Voici l'extrait d'un scénario reçu cette semaine.

INTÉRIEUR JOUR – Dans l'appartement de Sandrine.

Sandrine porte une mini-jupe grise et un chemisier noir et blanc. Elle a les cheveux défaits, les yeux rougis par les larmes. Elle baisse la tête. Elle a un mouchoir à la main droite, qu'elle serre nerveusement. Ses lèvres tremblent légèrement.

SANDRINE *(d'une voix lente)* : Pourquoi est-ce que tu ne m'en as pas parlé plus tôt ? Pourquoi est-ce que tu me dis ça maintenant ?

LES ADVERBES DE MANIÈRE EN -MENT

En règle générale, **l'adverbe en -ment se forme sur le féminin de l'adjectif** :

nerveuse -ment légère -ment

⚠ Si l'adjectif se termine à l'écrit par une voyelle, l'adverbe se forme sur le masculin :

vrai —> **vrai**ment absolu —> **absolu**ment

passionné —> **passionné**ment

⚠ Les adjectifs terminés en **-ent** et **-ant** donnent respectivement des adverbes en **-emment** et **-amment** :

prudent —> **prudemment**, élégante —> **élégamment**

Laurent a les deux mains posées sur le dos d'un fauteuil près de la cheminée. Il porte un pantalon de velours gris et une veste marron. Il lève la tête brusquement.

LAURENT *(Il est visiblement en colère. Il s'efforce de rester calme, mais il fait de grands gestes.)* : T'en parler ! Comme si c'était facile de te parler. Je t'ai dit plusieurs fois que je n'en pouvais plus, qu'il fallait que je change d'air... Mais non, tu t'en moquais. Tu as continué ta petite vie comme si tu ne voyais rien ! Il faut que je te mette devant le fait accompli ? Eh bien, tu y es ! Je pars.

Sandrine s'est retournée. Elle fait face à Laurent. Elle a le menton légèrement levé d'un air de défi. La colère a remplacé la tristesse.

Laurent lui coupe la parole. Il hausse légèrement les épaules.

SANDRINE : Changer d'air ! Tu ne fais que ça depuis que tu es né. Tu as toujours fui tes responsabilités. Tu n'as jamais pu assumer tes choix. Tu répètes le même schéma depuis...

LAURENT *(d'un ton ironique)* : Oh, je t'en prie, épargne-moi ce genre de psychanalyse... Mais tu as peut-être raison finalement. Alors, aujourd'hui, ça va être une grande première. Je pars et j'assume. Salut !

Laurent se dirige vers la porte. Sandrine ouvre la bouche. Elle veut dire quelque chose mais se tait. On entend la porte qui claque. Sandrine porte ses poings à ses lèvres pour s'empêcher de pleurer.

SANDRINE *(Elle hurle.)* : Laurent !

2

INTERPRÉTEZ

5 Comment se comportent-ils ?

Complétez avec des adverbes de manière construits à partir des adjectifs suivants :

- ironique,
- brutal,
- fixe,
- calme,
- lent,
- brusque,
- élégant,
- prudent,
- bruyant.

Au début de la scène, Sandrine parle ...... et Laurent s'efforce de répondre .... Il la regarde .... Puis, elle se retourne ...... et lui parle .... Il lui répond ....

6 Que vous suggèrent ces attitudes ?

Choisissez entre menace, défi, résignation, colère, sympathie.

1. Avoir les yeux baissés.
2. Avoir le menton levé.
3. Avoir les poings serrés.
4. Montrer du doigt.
5. Avoir la main tendue, ouverte.

7 Imaginez

Qu'est-ce qu'il s'est passé avant cette scène ?

2

SCÉNARIO

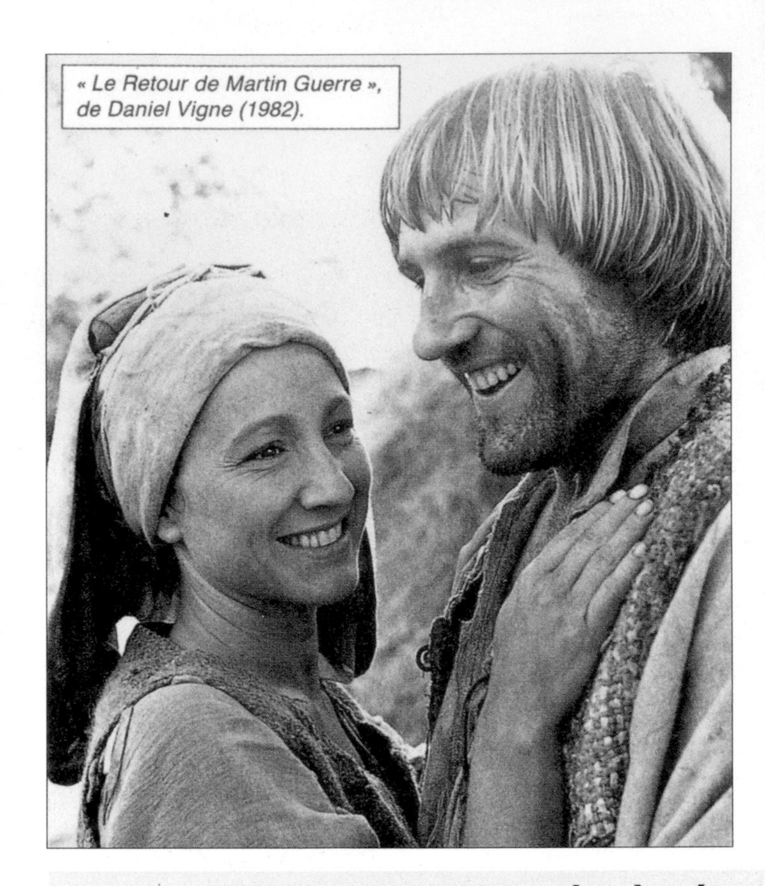
« Le Retour de Martin Guerre », de Daniel Vigne (1982).

AVEZ-VOUS DÉJÀ ÉCRIT UN SCÉNARIO ?

« Jean-Marc ou la Vie conjugale », de André Cayatte (1964).

« Garde à vue », de Claude Miller (1981).

« La Bête humaine », de Jean Renoir (1938).

1 Que se passe-t-il entre eux ?

Examinez ces photos et essayez de deviner la nature de la scène, des sentiments et des émotions qui animent les personnages. Essayez de mettre des paroles dans leur bouche.

2 Quelle scène !

Par groupes, choisissez une scène que vous voulez travailler.

3 Que s'est-il passé avant ?

Imaginez les événements qui mènent à la scène ou résumez une histoire que vous connaissez : policière, d'amour, d'espionnage, de science-fiction...

Cette scène va marquer un tournant dans l'histoire. À quoi va-t-elle aboutir ? À une rupture, une réconciliation, un nouveau drame ?

4 Précisez les circonstances de la scène.

Où se passe-t-elle ? À l'intérieur ou à l'extérieur ? De jour ou de nuit ? À la ville ou à la campagne ? Dans un lieu public, désert ? Dans quel décor ? Accueillant, triste, moderne ?

5 Décrivez les participants.

1. Combien y a-t-il de personnages ? Qui sont-ils (âge, aspect physique, personnalité, profession, milieu familial...) ?
2. Quel caractère ont-ils ? Comment vont-ils réagir ?
3. Où se tiennent-ils ? Comment sont-ils ? Assis ou debout ? En mouvement ou immobiles ? Proches ou éloignés les uns des autres ?
4. Comment se comportent-ils dans cette scène ? Sont-ils calmes, nerveux, inquiets, gais, tristes, ennuyés, effrayés ?

6 Écrivez votre scène.

Une fois tous ces éléments définis par le groupe, chacun écrit son scénario sans oublier de décrire les comportements et les attitudes des personnages (jeux de physionomie, gestes, ton de la voix) et les jeux de scène.

7 Évaluez vos productions.

On compare les scénarios écrits par les membres du groupe et on essaie de faire la synthèse. Le scénario final est joué par des représentants du groupe.

RÉCAPITULATION

COMMUNICATION

- **Exprimer des émotions et des états psychologiques**
  Elle est sensible / nerveuse / jalouse / passionnée / indécise / optimiste...
- **Protester**
  Vous ne savez pas lire !
  C'est scandaleux !
  Vous ne pouvez pas faire attention !
  Cette viande n'est pas mangeable !
- **Refuser en donnant une raison**
  Non, pas aujourd'hui, je n'ai pas envie de sortir.
  J'aime mieux lire. / Ça ne m'intéresse pas.
- **S'excuser**
  Excusez-moi, je ne l'ai pas fait exprès.
- **Faire des suppositions**
  Il doit être ambitieux.
  Il a dû partir en voyage.

GRAMMAIRE

Le gérondif

- **formation : en + participe présent**

(Le participe présent se forme sur le radical de l'imparfait + la terminaison -ant.)

 « en commen**ç**ant, en pla**ç**ant, en mang**e**ant, en chang**e**ant ... »
Exceptions : avoir : **en ayant** ; savoir : **en sachant**

- **emploi :** Le sujet du gérondif est celui du verbe principal.
  Le gérondif indique une circonstance ou une hypothèse.
- **temps, simultanéité :** Il lit en mangeant.
- **moyen :** C'est en forgeant qu'on devient forgeron. (proverbe)
- **hypothèse :** En lui donnant des conseils, vous le rassurerez.
  (= Si vous lui donnez des conseils)

 Attention au sens dans l'utilisation du gérondif :
Il réussit en travaillant. (mais pas : * Il travaille en réussissant.)

L'emploi de devoir suivi de l'infinitif

Devoir a deux valeurs de sens :

- **probabilité :** Elle doit être sentimentale.
  (= Elle est probablement sentimentale.)
  Il a dû oublier son chien. (= Il a sans doute oublié son chien.)
- **obligation :** Il a dû repasser son examen.
  (= Il a été obligé de repasser son examen.)

Le pronom relatif où

Il s'emploie à la fois :
pour **le lieu** : C'est l'immeuble **où** il habite.
pour **le temps** : C'est le jour **où** je l'ai rencontré.

Le subjonctif

C'est **le mode de l'imaginé** par opposition à l'indicatif, le mode du réel.
Il s'emploie dans les propositions subordonnées **après des verbes exprimant** :

- **la volonté, le souhait :** Je veux que tu viennes.
- **l'obligation, la nécessité :** Il est important que tu viennes.
- **le doute :** Je n'espère pas qu'il vienne. (mais : J'espère qu'il viendra.)
- **une émotion :** Je suis surpris que tu viennes.
  J'ai peur que tu ne viennes pas.

 Si le sujet de la proposition principale et celui de la subordonnée sont les mêmes, on emploie l'infinitif au lieu du subjonctif :
J'ai peur **que tu** lui **parles**.
mais J'ai peur **de** lui **parler**.

L'imparfait dans le discours indirect

Si on a un présent dans la subordonnée dépendant d'une proposition principale au présent, on a obligatoirement un imparfait dans la subordonnée si le verbe principal est au passé.
Il me dit qu'il part / va partir.
Il m'a dit qu'il partait / allait partir.

La formation des adverbes de manière

On ajoute -ment à la forme féminine de l'adjectif.
nerveusement, **impulsive**ment, **sentimentale**ment ...

 Cependant les adjectifs terminés en -ant ou -ent font des adverbes en -amment ou en -emment :
abond**ant** —> abond**amment**, réc**ent** —> réc**emment,** impru**dent** —> impru**demment**.

 Quelques adverbes se forment sur le masculin :
absolument, **passionné**ment, **vrai**ment.

1 Compréhension orale

Écoutez et dites de qui il s'agit.

2 Production orale

Décrivez cette personne et faites-lui cinq compliments.

3 Production écrite

En 120 mots environ, répondez à l'une des deux petites annonces suivantes.

1. Parisienne, grande, mince, sensible, 30 ans, aimant la danse, le cinéma et la lecture, souhaite échanger correspondance avec homme libre 30-40 ans, romantique, ayant goûts semblables. Écrire journal, réf. 653/8B.
2. Directeur commercial, 35 ans, cultivé, sportif, équilibré, souhaite établir relations amicales avec jeune femme 25-30 ans, séduisante, sportive, sentimentale. Écrire journal 653/7E.

DES MOTS ET DES FORMES

4 Quels adjectifs correspondent à ces noms ?

Indiquez le féminin.

confiance —> confiante

1. sensibilité ;
2. ambition ;
3. gourmandise ;
4. méfiance ;
5. gaieté ;
6. courage ;
7. indécision ;
8. égoïsme ;
9. nervosité ;
10. franchise ;
11. rêverie ;
12. tendresse.

5 Deux choses à la fois !

Parler / écrire. —> Elle parle en écrivant.

1. S'habiller / Écouter la radio.
2. Penser / Conduire (une voiture).
3. Chanter / Travailler.
4. Manger / Lire.

6 Il a pris sa décision !

Mettez les verbes entre parenthèses à la forme qui convient.

L'homme était assis. Il (réfléchir), le coude gauche posé sur la cuisse et le menton appuyé sur la main. Il (regarder) au loin… Puis, il (sembler) sortir de ses pensées. Il (se lever) et (s'éloigner) à grands pas. Il (venir) de prendre une décision. Cela (se voir) à son allure !

7 Quelle est votre hypothèse ?

Il n'est plus dans sa chambre. —> Il doit être parti.

1. J'entends ta sœur dans le salon. *(revenir)*
2. Vous voulez vous reposer. *(fatiguer)*
3. On ne les entend plus. *(se coucher)*
4. Elles ne discutent plus. *(se mettre d'accord)*

8 Comment voyez-vous vos amis ?

Pensez à un(e) de vos amis(e)s et complétez ces phrases.

1. Je ne pense pas qu'il / elle…
2. Je souhaite que…
3. Je doute que…
4. Je suis surpris(e) que…
5. J'espère que…

Ne vous trompez pas de guichet !

Le client s'informe :

- C'est combien pour envoyer une lettre aux États-Unis ? en Allemagne ?
- Donnez-moi cinq timbres à 2,50 francs, s'il vous plaît.
- Je voudrais envoyer un télégramme / un mandat / un paquet / une lettre recommandée. Où sont les formulaires ?
- Je voudrais toucher un mandat. C'est à quel guichet ?
- Est-ce qu'il y a du courrier en poste restante pour moi ?

L'employé des postes donne des renseignements, demande un complément d'information :

- Vous vous êtes trompé(e) de guichet, allez au guichet n° 5.
- Remplissez / Veuillez remplir un formulaire.
- Les formulaires sont derrière vous.
- Vous avez une pièce d'identité ?
- Ordinaire ou recommandé(e) ? En express ?

À la banque

Le client s'informe auprès d'un(e) employé(e) :

- Je voudrais retirer de l'argent / changer de l'argent / toucher un chèque de voyage / faire un virement.
- Je voudrais ouvrir un compte en banque. Que faut-il faire ?
- Vous avez la monnaie de cinq cents francs ?

À un guichet, l'employé(e) répond :

- Veuillez signer ici, s'il vous plaît.
- Vous voulez des billets de cent ou de cinquante ?
- Veuillez passer à la caisse.

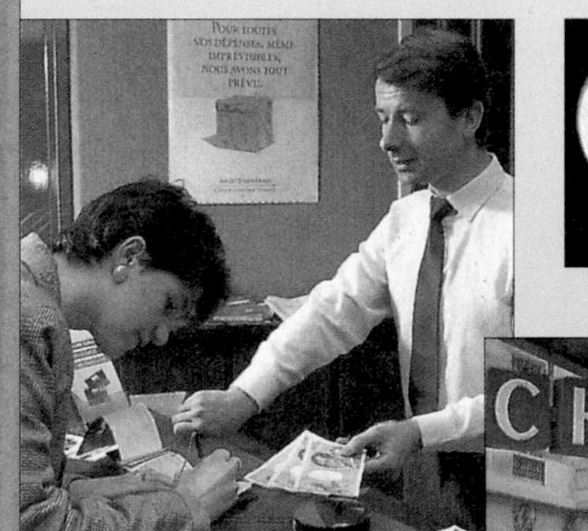

* **Heures d'ouverture des banques :**
du lundi au vendredi, de 9 heures à 16 heures 30.
* Il n'ya pas de bureau de change dans toutes les banques. Renseignez-vous.
* On peut aussi changer de l'argent le dimanche dans les aéroports et les gares.

Vie Pratique

DOSSIER 3

QUELLES QUALITÉS FAUT-IL ?

VOUS ALLEZ PARLER DE :

- professions : avantages et inconvénients,
- qualités professionnelles
- différents types de chefs
- lettres de candidatures

VOUS ALLEZ APPRENDRE À :

- exprimer le doute, la probabilité et la certitude
- faire préciser des affirmations
- éviter de donner des réponses trop directes

VOUS ALLEZ UTILISER :

- le subjonctif et l'opposer à l'indicatif
- la voix passive
- *devoir, pouvoir, vouloir* suivis de la forme passive de l'infinitif
- l'accord du COD et du participe passé

Ce sont tous des professionnels.

1

2

3

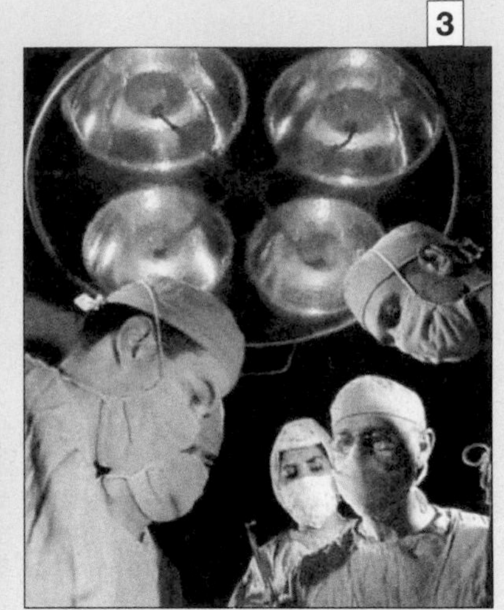

4

5

6

3

 **Quels sont ces métiers ?** 

Écoutez et dites de quels métiers il s'agit.

1. .... **4.** ....

2. .... **5.** ....

3. .... **6.** ....

 **Quels métiers exigent ce genre de qualités ?**

Dites pourquoi.

1. Le sens des responsabilités.
2. De la précision.
3. Le sens de l'organisation.
4. De l'énergie.
5. Le sens des relations humaines.
6. De l'imagination.
7. Le sens critique.
8. La connaissance de langues étrangères.

3 Qui cherche-t-on ?

Pour être organisateur de voyages (« tour operator ») —> Il faut quelqu'un qui ait le goût des voyages et le sens des relations humaines.

Pour être :

1. architecte.
2. metteur en scène.
3. pilote d'avion.
4. chirurgien.
5. chef de publicité.
6. informaticien/ne.
7. secrétaire.
8. éditeur/éditrice

INDICATIF ET SUBJONCTIF

Le **mode indicatif** exprime des faits réels ou jugés comme réels :

On sait qu'il **fera** bien son travail.
C'est quelqu'un qui **a** le sens des responsabilités.

Le **mode subjonctif** exprime des faits subjectifs : volonté, doute, peur, souhait...

On a peur qu'il ne **fasse** pas bien son travail.
On cherche quelqu'un qui **ait** le sens des responsabilités.

4 Quels sont les avantages et les inconvénients ?

Discutez des avantages et des inconvénients des métiers décrits à la page 40 ou d'autres métiers de votre choix.

Représentant de commerce : *On rencontre beaucoup de gens et on organise son temps comme on veut. On peut gagner correctement sa vie mais on n'est presque jamais chez soi et on travaille beaucoup.*

5 Qu'est-ce qui est important ?

1. Quels avantages doivent, d'après vous, aller avec un emploi : le salaire, la sécurité de l'emploi, les possibilités de promotion, de bonnes conditions de travail, les horaires, les vacances, les possibilités de formation...
2. Quels sont pour vous les trois avantages les plus importants ? Dites pourquoi.

Pour moi, ce qui est important c'est d'abord... parce que...

6 Vous n'en êtes pas certain !

Mettez le verbe principal à la forme négative.

Je crois qu'il acceptera nos conditions. —> Je ne crois pas qu'il accepte nos conditions.

1. Je suis sûr qu'il fera preuve de sens critique.
2. On pense que tu as le sens de l'organisation.
3. Je suis certain qu'il connaît des langues étrangères.
4. On pense qu'ils pourront faire face à la situation.
5. On croit qu'ils ont suffisamment d'énergie pour réussir.

7 Quelle est votre appréciation ?

Écoutez le dialogue entre Michel Dupuis et un conseiller d'orientation.

1. Quel diplôme Michel Dupuis a-t-il obtenu ?
2. Où a-t-il fait un stage ?
3. Qu'est-ce qu'il veut faire ?
4. Quelles qualités semble-t-il avoir ?
5. Citez deux des conseils que lui donne le conseiller d'orientation ?
6. Rédigez une brève appréciation sur le candidat ?

8 Jeu de rôle.

Le directeur du personnel d'une entreprise d'import-export a fait passer cette annonce pour trouver un adjoint à son directeur commercial.

Vous êtes jeune, entre 25 et 30 ans.
Vous parlez au moins deux langues étrangères.
Vous aimez voyager.
Vous avez une formation supérieure.
Vous vous adaptez facilement.
Contactez-nous au 00 60 01 23

A. Vous êtes intéressé(e) et vous préparez votre présentation en mettant en valeur vos qualités et votre expérience.
B. Vous téléphonez au directeur pour essayer d'obtenir ce poste.

LEQUEL CHOISIR ?

La société Électrex est spécialisée dans la production de matériel électrique. C'est une entreprise ancienne de taille moyenne qui doit être réorganisée et modernisée.
Elle cherche un nouveau directeur de la production qui puisse transformer la société. Il faut donc quelqu'un qui soit techniquement compétent, efficace et qui ait le sens des relations humaines car le personnel est ancien et redoute les changements.

HÉLÈNE FAVREAU, 40 ans, est entrée dans la société il y a quinze ans. Elle est déléguée du syndicat et fait de la politique au niveau local. Elle est très appréciée des ouvriers. Elle a défendu leurs intérêts à plusieurs reprises contre la direction trop conservatrice. Elle est efficace, compétente et accepte la nécessité d'une modernisation pour sauver l'entreprise et les emplois. Mais peut-elle changer de camp et prendre la responsabilité de mesures impopulaires ?

GEORGES BOURRIDE, 35 ans, est ancien élève de l'École centrale. Il est resté pendant dix ans dans une grande société industrielle comme adjoint du directeur de production mais il n'a pas été promu au départ de son directeur. Il est cependant dynamique et compétent. Mais peut-il s'adapter à une petite société et obtenir la confiance du personnel ?

BERTRAND LABROT, 28 ans, est dans la société depuis trois ans. Il n'a qu'une maîtrise de gestion de l'université, mais il a acquis beaucoup d'expérience en peu de temps. Il est énergique, efficace et ambitieux. Il est célibataire et fait beaucoup de sport. Cependant, il n'a pas encore eu de responsabilités de direction.

CORINNE LACHAUD, 35 ans, possède tous les diplômes nécessaires. Elle est dans la société depuis cinq ans et sa compétence n'est pas discutée. Elle est très discrète et, à cause de cela, elle n'est pas très bien connue de ses collègues et du personnel. Elle vient de divorcer et doit élever seule ses deux jeunes enfants.

FRANK PERROT, 32 ans, n'a pas fait de brillantes études mais c'est le fils du député de la ville et tout le monde le connaît et l'aime bien. Après une jeunesse un peu agitée, il s'est marié. Il est employé par la société depuis quatre ans. Il est travailleur et a le sens des responsabilités. Il est actuellement l'adjoint du directeur de la production.

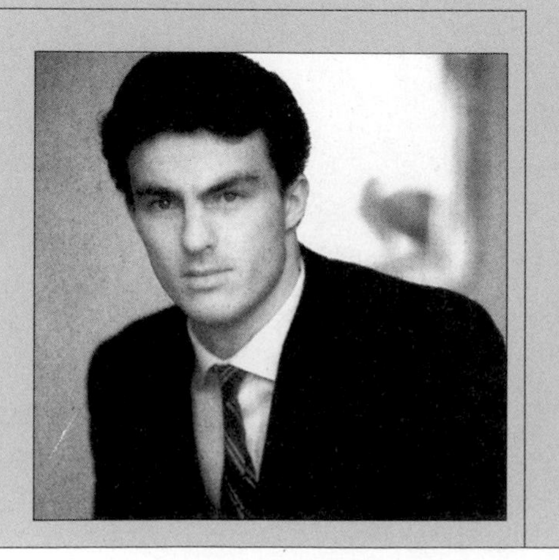

LE PASSIF DES VERBES : « ÊTRE » + PARTICIPE PASSÉ

Le passif permet d'attirer l'attention sur le mot qui devient sujet de la phrase.

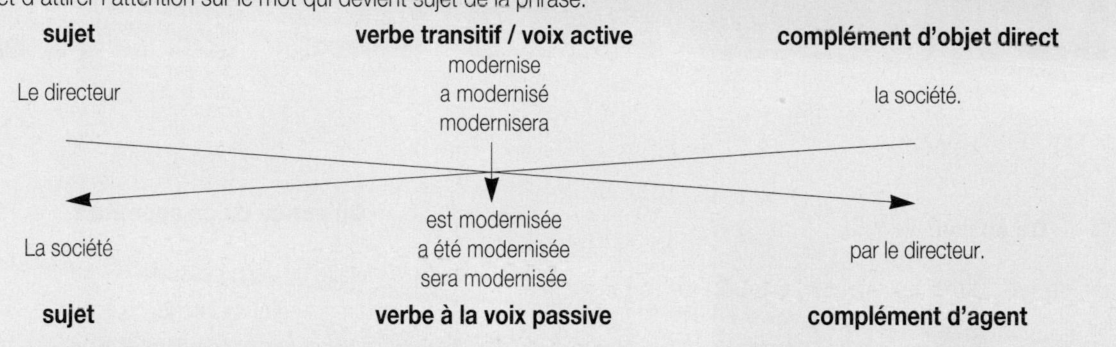

⚠ Les verbes **pouvoir**, **vouloir** et **devoir ne** se mettent **pas au passif**. C'est l'infinitif qui les suit qui se transforme :

On peut prendre des mesures. —> Des mesures peuvent être prises.
Le comité doit examiner ce problème. —> Ce problème doit être examiné par le comité.

 Les verbes pronominaux ne se mettent pas au passif.

 Ne pas confondre passé composé avec « être » et la forme passive au présent :

Elle est appréciée par ses amis. *(présent passif)*
Elle est entrée dans la salle. *(passé composé)*

1. Quelle est la condition pour qu'on puisse transformer une phrase au passif ?
2. Quelle est la préposition qui précède le complément d'agent ?
3. Considérez : On réorganise la société. / La société est réorganisée.

Pourquoi est-ce que le complément d'agent, dans ce cas, n'est pas exprimé ?

9 Quel est le résultat ?

Mettez les mots soulignés en valeur en tête de phrase et transformez la phrase.

On modernise la société. —> La société est modernisée.

1. On nomme un nouveau directeur.
2. Le comité décidera de nouvelles mesures.
3. La direction et le personnel ont conclu un accord.
4. Le personnel accepte les changements avec difficulté.
5. Les ouvriers ont apprécié une candidate.

10 Peut-on mettre ces phrases au passif ?

Si c'est possible, mettez la phrase au passif. Sinon, dites pourquoi la transformation est impossible.

1. On ne l'a pas promu.
2. Il ne s'adapte pas à la société.
3. Les employés apprécient Hélène Favreau.
4. On a pris des mesures impopulaires.
5. Il est nommé adjoint au directeur.

11 Quelle est la raison ?

Transformez la phrase pour utiliser « devoir » ou « pouvoir » suivi d'un infinitif à la forme passive.

Il faut réorganiser la société. —> La société doit être réorganisée.

1. Il est possible de moderniser la compagnie.
2. Il faut renouveler le personnel.
3. Il est possible d'améliorer les résultats.
4. Il est nécessaire de prendre de nouvelles mesures.
5. Il faut trouver de nouvelles orientations.

12 Points forts et points faibles.

Quels sont les points forts et les points faibles de chacun des candidats ?

Georges Bourride a reçu une excellente formation et il a dix ans d'expérience. Mais il peut avoir des problèmes d'adaptation.

13 Quel candidat choisir ?

Discutez en groupe, essayez de vous mettre d'accord sur un nom. Justifiez votre choix.

3

À PRENDRE AVEC DES GANTS

1 Où en sont-ils ?

Avant de lire, dites où en est l'enquête et regardez les dessins.

1. Quels documents les inspecteurs donnent-ils au commissaire ?
2. Qui voit-on sur les photos ?
3. Qui peut être l'homme qui est sur la photo ?
4. Quelle hypothèse pouvez-vous faire ?

2 C'est dans le dialogue !

Trouvez des mots ou des expressions correspondant à :

1. commis par un voleur ;
2. se promener ;
3. qui est toujours à l'heure ;
4. affirmatif, catégorique ;
5. personne sans argent ;
6. costume noir de gala : le dos de la veste est long et fendu ;
7. toujours poli, qui a de bonnes manières avec les gens.

3

3 Qu'est-ce qu'ils ont fait ?

Ils ont cherché chez lui et ils ont trouvé des photographies.
—> Ils ont trouvé des photographies en cherchant chez lui.

1. Les voisins ont regardé la photo. Ils ont reconnu Jean Lescure.
2. Lescure s'est caché et il a changé de milieu social.
3. Les inspecteurs ont examiné les photos et ils ont fait des déductions.
4. Lescure a dit qu'il était à l'étranger et il a obtenu une carte de Sécurité sociale.
5. Les inspecteurs ont interrogé les voisins et ils ont appris qui était Jean Lescure.

4 Berthier a de l'autorité.

1. Comment le commissaire affirme-t-il son autorité ? Citez les phrases où il le fait.
2. Comment les inspecteurs reconnaissent-ils son autorité ? Citez les phrases.

5 Qu'est-ce qu'on apprend ?

1. Sur l'identité de Jean Lescure.
2. Sur son mariage et sa famille.
3. Sur ses habitudes et son caractère.

LE DOUTE	LA PROBABILITÉ	LA CERTITUDE
J'en doute.	C'est probable.	Je suis formel.
Je ne crois pas que... Je doute que... J'ai peur que...	C'est peut-être... Ça doit être... Je crois que...	C'est certainement... Je suis sûr que... J'affirme que...
+ subjonctif	+ indicatif	

6 En êtes-vous sûr ?

Transformez ces certitudes en hypothèses.

Cet homme, c'est Jean Lescure. —> Cet homme doit être Jean Lescure. / C'est peut-être Jean Lescure.

1. Cet homme se cachait.
2. Cette robe sort d'un grand magasin.
3. Il est en règle.
4. Il était à l'étranger.
5. C'est ce qu'il a dit.

7 Qu'en pensez-vous ?

Faites des hypothèses.

Les empreintes :
Ça doit être / *Je suis certain que ce sont* / *Je doute que ce soient* } *celles de l'assassin.*

1. La photographie.
2. La carte de Sécurité sociale.
3. Jean Lescure.
4. La robe.
5. Le crime.

IL SE CACHAIT...

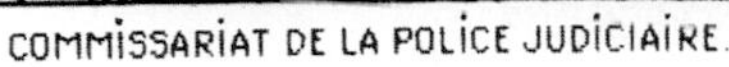
COMMISSARIAT DE LA POLICE JUDICIAIRE.

3

.../...

.../...

3

TOUS LES VOISINS SONT FORMELS: CET HOMME, CE FABRICE, C'EST JEAN LESCURE. AVEC QUELQUES ANNÉES EN MOINS BIEN SÛR.
11

ET L'AUTRE PHOTO, LA PETITE FILLE, LES GENS L'ONT DÉJÀ VUE?
12

NON.
à mon papa chéri
13

COMMISSAIRE, CETTE PHOTO A AU MOINS DIX ANS. JE DOUTE QU'ILS RECONNAISSENT LA PETITE. ELLE A DÛ GRANDIR.
14

CE JEAN LESCURE SE CACHAIT, IL A CHANGÉ DE NOM, MAIS AUSSI DE MILIEU SOCIAL. VOUS IMAGINEZ UN OUVRIER QUI SE MARIE EN QUEUE-DE-PIE?
15

ET LA ROBE DE LA MARIÉE! ELLE NE SORT PAS DU MAGASIN DU COIN! C'ÉTAIT PAS UN MARIAGE DE FAUCHÉS, JE PEUX VOUS LE DIRE.
16

VOUS ALLEZ UN PEU VITE DANS VOS DÉDUCTIONS MAIS ÇA SE TIENT...
17

VOUS AVEZ VÉRIFIÉ SON NUMÉRO DE SÉCURITÉ SOCIALE?
EN RÈGLE. IL A FAIT UNE DEMANDE IL Y A CINQ ANS. AVANT, IL DEVAIT ÊTRE À L'ÉTRANGER. ENFIN, C'EST CE QU'IL A DÛ DIRE.
18

ET ON N'A RETROUVÉ AUCUN PAPIER?
RIEN.
19

HUM... ELLE COMMENCE À M'INTÉRESSER, CETTE HISTOIRE. LES VOISINS, QU'EST-CE QUE ÇA DONNE?
20

PAS GRAND-CHOSE: UN HOMME COURTOIS, POLI, MAIS ASSEZ FROID, QUI CAUSAIT PEU. PAS D'AMIS, PAS DE FEMMES.
MAIS UN CHIEN!
21

BON. QUELQU'UN DOIT BIEN ÊTRE AU COURANT DE CE MYSTÈRE... CONTINUEZ ET FAITES-MOI UN RAPPORT.
BIEN SÛR, COMMISSAIRE. SI VOUS VOULEZ QU'ON RESTE...
22

NON, NON, ÇA VA. RENTREZ CHEZ VOUS.
23

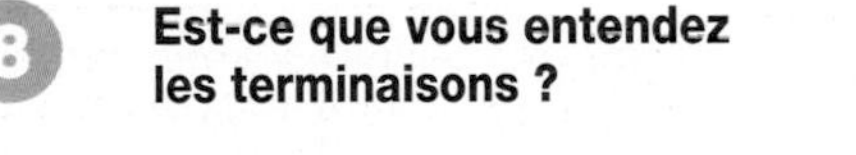

8 Est-ce que vous entendez les terminaisons ?

Écrivez le participe passé. Faites l'accord si nécessaire.

1. Les photos, où les avez-vous (...) ?
2. Il n'a pas (...) ses empreintes.
3. Ses voisins, vous les avez (...) ?
4. La robe de mariée, où l'ont-ils (...) ?
5. Il les a (...) facilement, ses papiers.

9 Dites-le autrement.

Trouvez dans le texte des expressions familières équivalentes.

1. On ne reste pas, on est pressés.
2. Ne partez pas tout de suite.
3. On est fatigués, la journée a été longue.
4. Elle a coûté très cher.
5. Ce sont des gens riches.

Qu'est-ce qu'ils se disent ?

Faites un court dialogue pour chacune des situations suivantes en employant chaque fois une des expressions familières de l'exercice précédent. Jouez les scènes avec un autre étudiant.

1. Un ami vous invite à prendre un verre avec lui. Vous avez rendez-vous, vous êtes en retard et vous partez très vite.
2. Vous rentrez chez vous après une journée de travail difficile. Votre femme / mari veut que vous alliez au cinéma.

L'ACCORD du participe passé AVEC LE COD

• Faire l'accord du participe passé avec le complément d'objet direct (COD) si ce dernier est placé avant le verbe :
Tu ne nous as pas vu**s**.

• ne pas le faire s'il est placé après :
Tu n'as pas vu les deux inspecteurs.

11 Il n'a pas encore pris position.

Le chef de service évite de prendre position et de donner les réponses que son patron attend.
Écoutez le dialogue et relevez les expressions qui servent à ne pas donner de réponses précises.

Pour éviter de donner une réponse directe

Vous savez, je ne connais pas assez bien...
C'est bien difficile de juger aussi vite...
Donnez-moi un peu plus de temps...
C'est un peu trop tôt pour en parler...
Je ne peux encore rien dire...

Jeu de rôle.

Un patron d'entreprise interroge un de ses chefs de service sur un nouvel employé. Préparez le dialogue avec votre voisin(e) : que veut savoir le patron, comment le chef de service va-t-il éviter de prendre position ? Choisissez vos rôles et jouez la scène.

INTONATION : LE DOUTE ET L'INDÉCISION

■ L'intonation du doute et de l'indécision reste, en général, plate ou légèrement montante.

Elle ne comporte ni la descente qui caractérise l'affirmation, ni la montée de l'interrogation.

❑ Répétez les phrases affirmatives que vous allez entendre, puis transformez-les pour marquer le doute ou l'indécision.

1. C'est possible.
2. C'est ce qu'il a dû dire.
3. On n'a pas assez d'indices.
4. On ne peut rien en conclure.
5. Il est difficile de se faire une opinion aussi vite.

La notion de chef est en train d'évoluer partout et, d'abord, dans la vie professionnelle. Cependant les chefs existent toujours et il faut bien vivre avec. Voici quelques suggestions fondées sur l'expérience...

Un chef, comment s'en servir.

Le papa

Démonstratif et bienveillant, il se croit aimé. Et il l'est souvent. Il fera tout ce qu'il peut pour sauver un collaborateur en danger. Il adore donner des conseils. Il sait féliciter quand il le faut, mais il déteste qu'on se passe de sa protection. Pas très stimulant mais confortable.

Donnez-lui vos dossiers en retard à traiter : il aime ça. Manifestez-lui une reconnaissance éternelle.

On peut faire de lui ce qu'on veut à condition de ne jamais mettre son autorité en doute. Il met ses collaborateurs en valeur comme ses enfants. Si vous tenez à grandir, changez de service.

Le chef de bande

Moderne, fonceur, hyperactif, il veut que son équipe gagne, et lui avec. Il adore écouter mais n'entend pas toujours. Il n'a pas le temps. Il sait où il va. Avec lui on est dans le bon train. Mais attention ! Il élimine les lents comme les rebelles. Il aime le risque... pour lui et pour les autres.

Si vous êtes fidèle, souple et travailleur, vous irez au bout du monde avec lui. Si vous pouvez supporter ses colères, ses numéros de charme et ses déprimes soudaines, votre carrière est assurée. Restez tendu intérieurement mais paisible en surface : vous vous rendrez indispensable. Si vous ne vous sentez pas bien, changez de train.

ANTICIPEZ

1 De quoi s'agit-il ?

Regardez les dessins, le titre et lisez le chapeau de l'article.

1. De quoi traite l'article ?
2. Combien de types de chef sont décrits ?
3. Qu'évoquent pour vous les dessins ?

RECHERCHEZ LES FAITS

2 Quels mots les caractérisent ?

Dans chacun des cinq cas, regroupez les mots qui reflètent le mieux la personnalité du chef.

Le copain : sympa, complice, concertation, accord, agréable, peu sûr.

3 Positif ou négatif ?

Faites une liste de cinq qualités positives et valorisantes et de cinq qualités que vous considérez comme négatives et dévalorisantes.

4 De quel type de chef s'agit-il ?

Moins il est sûr de lui, plus il se montre autoritaire. —> Il s'agit de l'autocrate.

1. Plus il est aimable, moins il est sûr en cas de danger.
2. Plus il fonce, moins il tolère la contradiction.
3. Plus il est aimable, plus il est indifférent aux autres.
4. Plus on le rassure, plus il est bienveillant.
5. Plus il impose son autorité, plus il faut garder son calme.

L'autocrate

Il est formaliste et peu sociable. Plutôt rigide, il se méfie de tout le monde et gouverne à la discipline. Il délègue peu son autorité. Il garde un contrôle jaloux sur tout. Il communique par notes de service. Moins il est sûr de lui, plus il se montre autoritaire.

Pour vivre en paix, il faut respecter les formes, ne pas s'opposer, ou pire même, utiliser la flatterie. En cas d'ordre absurde, inutile de discuter : attendre le contrordre. Ne jamais attaquer de front. Garder son calme et sa patience. Il finira bien par partir en retraite. Forcée, qui sait ?

Le copain

Il est sympa et n'est pas trop fier de son titre de chef.

Il veut être le complice de ses subordonnés. Il aime qu'on l'aime. Il recherche la concertation et l'accord de tous, mais il prend souvent les décisions seul ! Il n'assume pas toujours ses responsabilités et il évite de prendre parti. Il est agréable à vivre, mais peu sûr en cas de danger.

Il faut, d'abord, le rassurer et être copain avec lui mais rester prudent, ne pas le mettre face à ses contradictions. Il est facile à manipuler et même à déstabiliser : s'il refuse de prendre une décision, prenez-la à sa place... et faites-le savoir.

Le carriériste

Il n'a qu'une idée en tête : sa stratégie personnelle et son équipe doit le servir. Il ne délègue pas trop de son autorité afin de pouvoir s'attribuer les succès de ses subordonnés, mais suffisamment pour les désavouer en cas d'échec. Il est toujours très aimable... et profondément indifférent à ce qui arrive aux autres.

Face à ce type de fauve, il faut jouer serré, montrer qu'on a compris et qu'on accepte son jeu. À condition d'en tirer quelques avantages : je te fais ta publicité, mais tu me laisses en paix. Si vous êtes plus arriviste que lui, faites habilement savoir à son chef que cet ambitieux veut sa place.

D'après « L'Express », n° 1980 (p. 57).

5 Définissez-les.

Trouvez des définitions et des exemples d'emploi pour les adjectifs qualificatifs suivants : démonstratif, bienveillant, hyperactif, stimulant, déprimé, formaliste, arriviste. Donnez un synonyme et un antonyme (contraire) si vous les connaissez. Sinon, aidez-vous de votre dictionnaire.

Démonstratif : qui montre ses sentiments. « Mon chien est très démonstratif, il me saute au cou quand j'arrive. »
(syn. : expansif, ant. : réservé)

INTERPRÉTEZ

6 Qu'en pensez-vous ?

1. D'après vous, quel est le meilleur chef ? Quel est le pire ? Dites pourquoi.
2. Expliquez le titre : « Un chef, comment s'en servir. »

7 Quel genre de chef êtes-vous ?

Imaginez que vous avez la responsabilité d'une équipe de dix personnes, cinq hommes et cinq femmes.
Comment dirigeriez-vous cette équipe ?

8 Portrait-robot.

Dites quel est, d'après vous, le chef idéal.

9 En avez-vous fait l'expérience ?

Avez-vous une expérience personnelle à raconter, ou celle d'un(e) de vos ami(e)s ?

EMPLOI

3

Posez votre candidature.

Hervé Dutour cherche un emploi de responsable commercial. Il pose sa candidature au poste d'attaché commercial proposé par Pétraz Électronique.

Hervé Dutour
96, rue Tasteur
33 Bordeaux - Caudéran

Bordeaux, le 3 mai 1995

Mercurius
16 bis, rue Dart
Réf. 69 24 89 FS.

Monsieur le chef du personnel,

Je désire poser ma candidature au poste d'attaché commercial que vous décrivez dans l'annonce parue dans l'« Hebdo » le 25 avril.

J'ai 27 ans et demi. Je pratique l'espagnol couramment et l'anglais écrit. Je possède le diplôme de sortie de l'École de Commerce de Bordeaux que j'ai obtenu il y a cinq ans. J'ai ensuite suivi deux stages en entreprise avant d'obtenir un premier poste de représentant dans une société de vente de matériel agricole. Depuis trois ans, je suis attaché commercial à la Société de Micro-informatique Microtex, au salaire moyen de 220 000 francs par an (y compris les commissions et les primes).

Je crois posséder le sens des responsabilités et des relations humaines. J'ai une grande habitude des contacts et des voyages. Je recherche un poste qui m'offre un meilleur salaire et des possibilités de promotion plus rapides que le poste que j'occupe actuellement. Je suis également désireux d'acquérir une expérience plus large et d'accéder un jour à des fonctions de direction.

Veuillez trouver ci-joint mon curriculum vitae, ainsi qu'une photo et les attestations que m'ont remises mes premiers employeurs. Si ma candidature retient votre attention, vous pouvez me joindre à l'adresse ci-dessus.

Avec mes remerciements anticipés, veuillez agréer, Monsieur le chef du personnel, l'expression de ma respectueuse considération.

H Dutour

Pièces jointes : CV, photo.

1 Quelles sont les parties de la lettre ?

Examinez la lettre de candidature d'Hervé Dutour et précisez le contenu de chaque paragraphe.

2 A-t-il bien lu l'annonce ?

Comparez l'annonce suivante et la lettre d'Hervé. Vérifiez qu'Hervé a bien suivi les indications données.

Un avenir lumineux !

Commerciaux - 250-400 KF

Futurs Chefs de vente

Paris - Champagne - Nord - Alsace - Rhône-Alpes

PÉTRAZ : leader mondial sur le marché en plein essor de L'AFFICHAGE ÉLECTRONIQUE (journaux lumineux, panneaux multilignes, écrans graphiques, écrans vidéo géants...).

Votre premier challenge : dynamiser nos ventes sur votre région, auprès d'une clientèle composée, au départ, en priorité de COMMERÇANTS. NOMBREUSES POSSIBILITÉS D'ÉVOLUTION dès la première année, en particulier vers des postes d'encadrement : Chef de vente ou Directeur régional. À 27-30 ans environ, professionnel de la VENTE DIRECTE de biens d'équipement, vous possédez un talent hors pair pour motiver une décision d'achat rapide.

CHANGEZ POUR ÉVOLUER, en adressant votre CV,
votre photo et votre rémunération actuelle à
MERCURIUS, 16 bis, rue Dart, 75008 Paris, sous la réf. 692489 FS.
Merci de préciser la région souhaitée.

3 Est-ce une bonne lettre de candidature ?

Vous êtes le chef du personnel de Mercurius.

1. Comment jugez-vous la présentation de sa lettre ?
   Vérifiez : – la disposition sur la feuille,
   – Le découpage en paragraphes,
   – Les formules de politesse utilisées.
2. Est-ce que Hervé Dutour fournit tous les renseignements nécessaires ?
3. Qu'est-ce qui manque à cette lettre ?
   – Où montre-t-il qu'il s'est renseigné sur la société Mercurius et qu'il s'y intéresse (pour le profit qu'il peut en tirer) ?
   – Où dit-il ce qu'il pourrait apporter à cette société (énergie, enthousiasme, désir de bien faire, petite expérience déjà acquise...) ?
4. Maintenant, répondez à Hervé.

4 Rassemblez des idées.

Posez votre candidature à ces deux autres postes dans la même société : responsable comptabilité-gestion ; assistant du responsable de la publicité.

1. Quelles sont vos qualifications ?
   Choisissez celles qui semblent le mieux convenir au poste décrit.
   Faites-en une liste précise.
2. Quelle expérience avez-vous ?
   Avez-vous fait des stages en entreprise ?
   Quels postes avez-vous occupés successivement ?
   Quel poste occupez-vous actuellement ? Si vous êtes chômeur, dites pourquoi.
3. Quelles sont vos qualités personnelles ?
   Avez-vous des attestations qui en témoignent ?
4. Quelles sont les raisons de votre candidature ?
5. Organisez vos idées (voir la lettre d'Hervé) et écrivez votre lettre.

5 Soyez attentif !

Révisez votre lettre : présentation, organisation, formules de politesse, orthographe, ponctuation.

Attention : Vous allez être jugé(e) à la fois sur la forme et sur le fond !

RÉCAPITULATION

COMMUNICATION

- **Exprimer le doute**
  Il n'est pas certain qu'on puisse transformer la société.
  Je doute qu'on trouve ses empreintes.
- **Exprimer la probabilité**
  Ça doit être... / C'est probablement... / C'est sans doute...
- **Exprimer la certitude**
  Il est certain que... / C'est certainement...
  C'est sans aucun doute ...
  J'affirme que... / Je suis formel.
- **Relancer la conversation, faire préciser**
  Alors, vous pensez que...
  Vous m'avez bien dit que...
  Si je vous comprends bien...
- **Éviter de répondre de façon directe**
  C'est bien difficile de juger aussi vite.
  C'est un peu tôt pour en parler.
  Je ne peux encore rien affirmer, mais...

3

3

GRAMMAIRE

Les valeurs de l'indicatif et du subjonctif

- L'indicatif présente les **faits** comme **réels.**
  Il y a quelqu'un qui peut faire face aux problèmes.
  (Cette personne existe.)
- Le subjonctif permet d'**imaginer** les faits.
  Je cherche quelqu'un qui puisse faire face aux problèmes.
  (On imagine qu'une telle personne existe peut-être.)

La voix passive

- On ne peut mettre au passif que les phrases ayant un COD.
  La société emploie Frank Perrot. —> Frank Perrot est employé par la société.
- Le COD de la phrase (Frank Perrot) à la voix active devient le sujet du verbe à la voix passive (est employé). Le sujet du verbe à la voix active (La société) devient le complément d'agent du verbe à la voix passive (par la société). Le complément d'agent est précédé de « par ».
- Puisque l'auxiliaire du passif est « être », il faut faire l'accord du participe passé avec le sujet :
  Ces cinq candidats sont considérés comme des directeurs possibles par le chef du personnel.
- On supprime le complément d'agent quand il n'apporte pas d'information intéressante.
  On a renvoyé cet employé.
  Cet employé a été renvoyé.

mais

Le directeur a renvoyé cet envoyé.
Cet employé a été renvoyé par le directeur.

- Les verbes pronominaux ne se mettent pas au passif.

Les verbes devoir, pouvoir et vouloir + la forme passive de l'infinitif

Les verbes devoir, pouvoir et vouloir ne peuvent se mettre au passif. C'est l'infinitif qui les suit qui prend la forme passive.

Un des candidats **doit être choisi** aujourd'hui.
Hélène Favreau **peut être nommée**.

L'accord du COD et du participe passé

Si le COD est placé devant le verbe, on fait l'accord :

Tes amies, tu ne les as pas accompagnées ?
Ce sont les deux inspecteurs que je vous ai envoyés.

Blaise Cendrars

Nous ne voulons plus être tristes
C'est trop facile
C'est trop bête
C'est trop commode
On en a trop souvent l'occasion
Tout le monde est triste
Nous ne voulons plus être tristes.

Feuille de route, III,
Éd. Denoël, 1924.

Paul Eluard

J'ai eu longtemps un visage inutile,
Mais maintenant
J'ai un visage pour être aimé
J'ai un visage pour être heureux.

Poèmes pour la paix,
Éd. Gallimard, 1918.

Raymond Queneau

L'espèce humaine

L'espèce humaine m'a donné
le droit d'être mortel
le devoir d'être civilisé
la conscience humaine
deux yeux qui d'ailleurs[1] ne fonctionnent pas très bien
le nez au milieu du visage
deux pieds deux mains
le langage
l'espèce humaine m'a donné
mon père et ma mère
peut-être des frères on ne sait
des cousins à pelletées[2]
et des arrière-grands-pères
l'espèce humaine m'a donné
ses trois facultés
le sentiment l'intelligence la volonté
chaque chose de façon modérée[3]
l'espèce humaine m'a donné trente-deux dents un cœur un foie[4]
d'autres viscères[5] et dix doigts
l'espèce humaine m'a donné
de quoi se dire satisfait.

L'Instant fatal,
Éd. Gallimard, 1948.

1. *d'ailleurs :* si on considère les choses d'un autre point de vue.
2. *pelletée :* ce qui tient sur une pelle ; à pelletées : en grand nombre.
3. *de façon modérée :* sans excès ; ni trop, ni trop peu.
4. *foie :* important organe interne du corps annexé au tube digestif.
5. *viscères :* tous les organes internes du corps (foie, cœur, cerveau, intestins...)

— 1. Quel est le vers qui revient quatre fois dans le poème ?

— 2. Quelles sont les trois facultés essentielles de l'homme ?

— 3. Il y a au moins une allusion humoristique dans ce poème. Quelle est-elle ?

— 4. Trouvez six caractéristiques humaines, physiques ou morales, que Queneau n'a pas citées ?

— 5. En utilisant les caractéristiques que vous avez trouvées, composez un court poème sur le modèle de celui de Queneau.

Vous cherchez un emploi ?

Au téléphone

Celui ou celle qui cherche un emploi

- Bonjour, madame / monsieur.
- J'ai lu votre annonce parue dans *le Figaro* du...
- Je vous téléphone au sujet de l'annonce parue dans *le Monde* de mardi.
- Je suis intéressé(e) par le poste de... que vous proposez.
- Je vous téléphone de la part de M. Lardet de la Société Alpha.

La standardiste

- Hachette. Bonjour.
- Ne quittez pas, je vous passe le chef du personnel / le responsable du service.
- Désolé, monsieur Sardot est en conférence. Veuillez rappeler.
- Monsieur Sardot est sorti. Pouvez-vous rappeler plus tard ?
- Veuillez patienter, le poste est occupé.

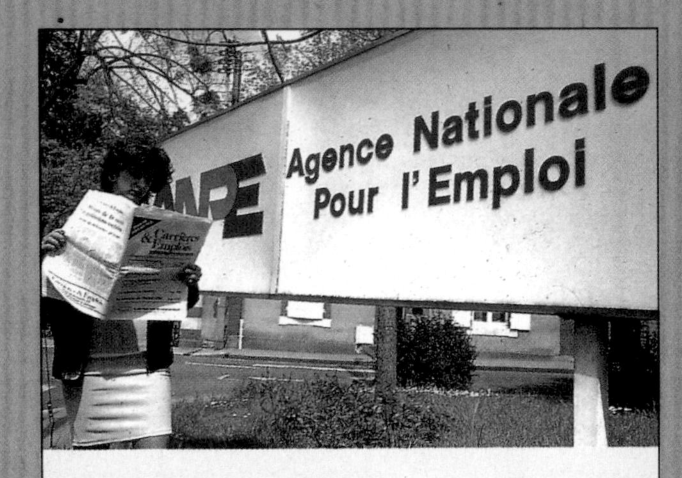

Le demandeur d'emploi

- Vous savez à quelle heure je peux le joindre ?
- Est-ce que je peux avoir quelques renseignements complémentaires ?

Le chef du personnel

- Je regrette, la place est déjà prise.
- Pouvez-vous passer demain à 10 heures ?
- Apportez-nous un curriculum vitae détaillé et vos références.
- Veuillez nous donner votre nom et votre adresse.
- Nous avons bien reçu votre demande. Nous vous convoquerons prochainement.

Activités

1. Vous téléphonez à la société Publirel qui offre un emploi temporaire de traducteur.

2. Vous téléphonez au chef du personnel de la société Arma qui cherche des professeurs de langues pour ses employés. Vous offrez vos services et vous demandez des renseignements sur le type de cours, les horaires...

Vie Pratique

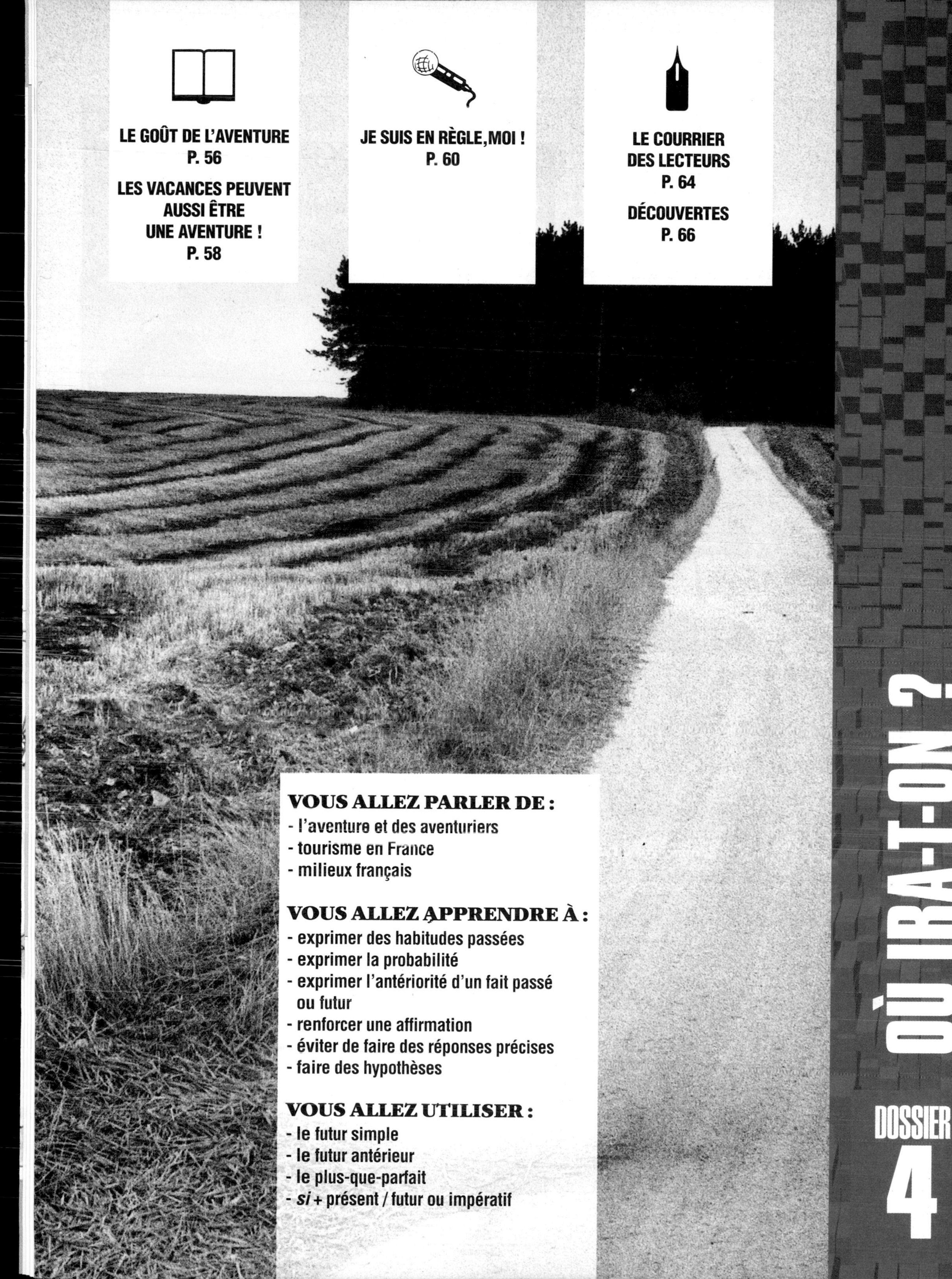

DOSSIER 4
OÙ IRA-T-ON ?

VOUS ALLEZ PARLER DE :
- l'aventure et des aventuriers
- tourisme en France
- milieux français

VOUS ALLEZ APPRENDRE À :
- exprimer des habitudes passées
- exprimer la probabilité
- exprimer l'antériorité d'un fait passé ou futur
- renforcer une affirmation
- éviter de faire des réponses précises
- faire des hypothèses

VOUS ALLEZ UTILISER :
- le futur simple
- le futur antérieur
- le plus-que-parfait
- *si* + présent / futur ou impératif

RÉCAPITULATION

COMMUNICATION

- **Exprimer des habitudes passées**
  Il n'allait jamais prendre un verre.
  Il ne parlait pas beaucoup.
  Il mangeait toujours seul.
- **Exprimer la probabilité**
  Vous visiterez le Quercy.
  Ce sera des vacances pas comme les autres.
- **Exprimer l'antériorité d'un événement futur**
  Ils auront tout préparé avant de partir.
- **Renforcer une affirmation déjà exprimée**
  Ça va de soi, non ?
  Mais si... Si on y croit !
- **Éviter de répondre à une demande de renseignement**
  Je ne sais plus, moi !
  C'est loin tout ça, j'ai oublié.
  Je ne m'en souviens plus.
  C'est du passé.
- **Menacer quelqu'un**
  J'aurai ta peau !

GRAMMAIRE

Le futur simple

- **Formation :** le radical est l'infinitif du verbe suivi des terminaisons **-ai**, **-as**, **-a**, **-ons**, **-ez**, **-ont**

Quelques exceptions : être : **je serai**, avoir : **j'aurai**, faire : **je ferai**, aller : **j'irai**, pouvoir : **je pourrai**, vouloir : **je voudrai**, devoir : **je devrai.**

- **Emploi :**
- Le futur exprime un avenir probable :
  On passera de bonnes vacances.
- Il sert à faire **des prédictions** (qui peuvent ou ne peuvent pas se réaliser) :
  Il fera beau la semaine prochaine.
- On peut modifier sa valeur avec un adverbe :
  Il fera certainement beau la semaine prochaine.

Le futur antérieur

- **Formation :** il se forme avec l'auxiliaire « avoir » ou « être » au futur simple suivi du participe passé du verbe.
  Ils **auront traversé** beaucoup de pays.
  Elles **seront parties** lundi prochain.
- **Emploi :** il indique qu'un événement se produira avant un autre événement futur ou une certaine date dans le futur :
  Je te téléphonerai quand **j'aurai fini mon travail**.
  Il sert à faire des suppositions :
  On **aura** tout **fini** dans deux jours, le 4 septembre.

Le plus-que-parfait

- **Formation :** Il se forme avec l'auxiliaire « avoir » ou « être » à l'imparfait suivi du participe passé du verbe.
  Il **avait** tout **fini** lundi dernier.
  Elles **étaient parties** quand il s'est levé.
- **Emploi :** il indique qu'un événement s'est produit avant un autre événement exprimé au passé composé ou à l'imparfait, ou un certain moment du passé :
  Il avait fait des photos, mais il les a perdues hier dans le métro.
  Avant d'écrire, il avait imaginé les aventures qu'il racontait.

1 Compréhension orale. 

Écoutez la conversation et choisissez la bonne réponse.

1. L'été dernier, la famille d'Alain est allée :
   a. dans les Alpes.
   b. au bord de la mer.
   c. dans les Pyrénées.
2. Ils ont fait :
   a. du kayak.
   b. de l'escalade.
   c. du saut du haut d'un pont.
3. On se prépare à l'escalade :
   a. en s'entraînant.
   b. en regardant les autres.
   c. en faisant du kayak.
4. Les parents :
   a. ont fait du kayak.
   b. se sont lancés du haut d'un pont .
   c. ont fait de l'escalade.

2 Production orale. 

Évitez de donner une réponse précise aux questions que vous entendrez.

3 Production écrite. 

Vous cherchez une secrétaire. Vous écrivez à un de vos amis qui vous aidera peut-être à trouver la bonne candidate. Vous lui expliquez les qualités que vous exigez :

1. avoir de l'ordre ;
2. posséder le sens des responsabilités ;
3. savoir recevoir les visiteurs ;
4. pouvoir répondre au téléphone ;
5. prendre le courrier ;
6. faire la comptabilité.

Expliquez vos exigences en commençant par :
« Je voudrais trouver quelqu'un qui... »

DES MOTS ET DES FORMES

4 Mettez ces phrases au passif, si c'est possible. 

1. Peu de gens ont vécu une grande aventure.
2. Les aventuriers acceptent des risques de plus en plus grands.
3. Les médias ont souvent exploité le thème de l'aventure.
4. La science découvrira les secrets de l'univers.
5. Les grands changements se réalisent lentement.

5 C'est ce qu'on fera !

Mettez les verbes entre parenthèses au futur ou au futur antérieur selon le sens.

1. Quand vous (lire) ce rapport, on en (reparler).
2. Quand vous (aller) chez lui, il (changer) peut-être d'adresse.
3. On l'(interroger) quand on l'(retrouver).
4. Quand il (partir), on ne se (souvenir) plus de lui.
5. Quand vous lui (rendre) ce service, vous (devenir) indispensable.

6 C'est du passé !

Mettez les verbes entre parenthèses à un temps du passé.

1. Vous me (dire) qu'on l'avait retrouvé ?
2. Il (changer) de nom et il (se cacher).
3. Il (se lancer) dans cette profession parce qu'il (avoir) les qualités nécessaires.
4. Il (partir) en exploration parce qu'il (avoir) le goût du risque.
5. Elle (être) très appréciée parce que, l'année d'avant, elle (défendre) ses collègues.

Vous connaissez un bon hôtel ?

Le client

- Je voudrais réserver une chambre pour une / deux personnes, avec salle de bains / douche, au calme, avec vue sur la mer...
- Vous pouvez me dire le prix d'une chambre / de la pension complète / de la demi-pension.
- Avez-vous un restaurant dans l'hôtel / un garage ?
- Vous acceptez les chiens ?
- C'est à quel étage ?
- Il y a un ascenseur ?
- Voulez-vous me préparer ma note ?

Le réceptionniste

- Je regrette, monsieur, l'hôtel est complet. Il n'y a plus de chambres avec salle de bains. Nous avons une chambre avec douche...
- Pour combien de jours ? À partir de quand ?
- C'est à quel nom, monsieur ?
- C'est 350 francs pour une personne seule et 650 pour une chambre double, petit déjeuner inclus.
- Au deuxième / troisième...
- Oui, dans le couloir à droite.

Annuellement votre MICHELIN

[symbole]	Ascenseur
[symbole]	Air conditionné
TV	Télévision dans la chambre
[symbole]	Établissement en partie réservé aux non-fumeurs
[symbole]	Téléphone dans la chambre relié par standard
[symbole]	Téléphone dans la chambre, direct avec l'extérieur
[symbole]	Chambres accessibles aux handicapés physiques
[symbole]	Repas servis au jardin ou en terrasse
[symbole]	Piscine : de plein air ou couverte
[symbole]	Plage aménagée – Jardin de repos
[symbole]	Tennis à l'hôtel
25 à 150	Salles de conférences : capacité des salles
[symbole]	Garage dans l'hôtel (généralement payant)
P	Parking réservé à la clientèle
[symbole]	Accès interdit aux chiens

Un hôtel-restaurant en Touraine (Chenonceau). Son enseigne évoque le magnifique château Renaissance.

Activités

1. Vous téléphonez à un hôtel pour réserver une chambre.
2. Vous arrivez dans un hôtel. Vous demandez une chambre.
3. Quelles sont les caractéristiques de cet hôtel ? Quels services y trouve-t-on ?

Les idées de la semaine

Vous aurez bientôt à changer les fauteuils de votre salon ? Pourquoi ne pas vous offrir des sièges éprouvés ?
Ces fauteuils, qui ont parcouru plus de 30 millions de kilomètres à bord d'un avion d'Air France, ont été mis en service en 1970. On habillera leur structure droite en acier d'un cuir neuf de la couleur que vous choisirez.

● *Pour 18 700 francs vous disposerez de deux sièges très confortables avec accoudoirs et tablette pour poser les verres.*

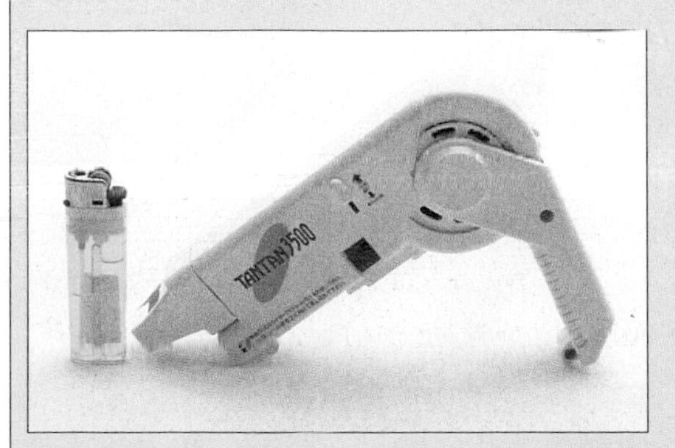

Vous pourrez faire sécher vos cheveux avec le gaz d'un petit briquet jetable. La flamme du briquet fera chauffer l'air froid produit par ce petit appareil léger et pliable.

● *395 francs.*

Ces grosses lunettes aux verres inclinables s'adapteront à toutes les lumières et à toutes les situations. Leur monture est faite d'un matériau antichoc, leurs branches sont réglables en longueur. Leurs verres incassables vous protégeront à 100 % des rayons ultraviolets.

● *471 francs.*

Avec une seule enceinte acoustique vous diffuserez un son « stéréo ». Vous pourrez la suspendre au centre d'une pièce. Il y a un haut-parleur sur chaque face du petit triangle.

● *Pour 5 000 francs vous la ferez installer chez vous.*

Ces pichets de 1 litre en acrylique transparent ont une double paroi. Ils conserveront les boissons à une température constante pendant trois heures.

● *Chaque pichet vous coûtera environ 150 francs.*

DOSSIER ... CHOISISSEZ LE MEILLEUR.

VOUS ALLEZ PARLER DE :

- présentation commerciale d'objets originaux
- records détenus par des animaux
- recherche de suspect
- peinture
- restaurants

VOUS ALLEZ APPRENDRE À :

- décrire des objets
- caractériser des animaux et des phénomènes naturels
- comparer
- ironiser
- refuser poliment

VOUS ALLEZ UTILISER :

- *faire* + infinitif
- des adjectifs en *-able*
- des superlatifs absolu et relatif
- les pronoms possessifs

1 Comment sont ces objets ? 

Identifiez-les.

Objets	Taille	Forme	Couleur	Matière	Prix	Particu-larités
Fauteuils						
Lunettes						
Sèche-cheveux						
Enceinte						
Pichets						

VERBE + SUFFIXE « ABLE »

Le plus souvent dans le sens de « pouvoir » + verbe.

jeter —> jetable (= qu'on peut jeter)

2 C'est réalisable !

Définissez ces adjectifs.

Des sièges inclinables sont des sièges qu'on peut incliner.

1. Des lunettes adaptables.
2. Un appareil pliable.
3. Des sièges réglables.
4. Un briquet jetable.
5. Une nourriture immangeable.
6. Des verres incassables.

3 À quoi servent-ils ?

Les fauteuils servent à s'asseoir confortablement et à se reposer en lisant ou en regardant la télévision.

« FAIRE » + INFINITIF

Mes amis **font recouvrir** leurs fauteuils de cuir.
Il **a fait changer** ses verres de lunettes.
Faites-vous **installer** une enceinte acoustique.
Je vais me **faire faire** un costume sur mesure.

Dans tous les cas les actions de « recouvrir, changer, installer » ne sont pas faites par le sujet de ces phrases mais par une autre personne.

 « Faire » + infinitif indique que le sujet est la cause de l'action et non l'agent, qu'il fait faire l'action.

4 On peut le faire faire !

Vos réponses doivent contenir faire + infinitif.

Le cuir de vos fauteuils est usé. —> Oui, nous allons les faire recouvrir.

1. Il a une nouvelle enceinte acoustique ? – Oui, il ...
2. Tu as des problèmes avec tes lunettes ? – Oui, il faut que ...
3. Tu feras nettoyer tes vieux fauteuils ? – Oui, je ...
4. Je viens de casser mes lunettes. Elles sont réparables ? – Oui, tu ...
5. Ses cheveux sont secs ? – Oui, elle ...

5 Tu sais ce que je viens d'acheter ? 

Vous téléphonez à un(e) ami(e) et vous lui décrivez les objets que vous venez d'acheter.

Lunettes-montre. Ne soyez plus importuné dans la rue par des passants sans-gêne qui vous demandent l'heure ! Grâce à ces lunettes, ils la liront DIRECTEMENT !

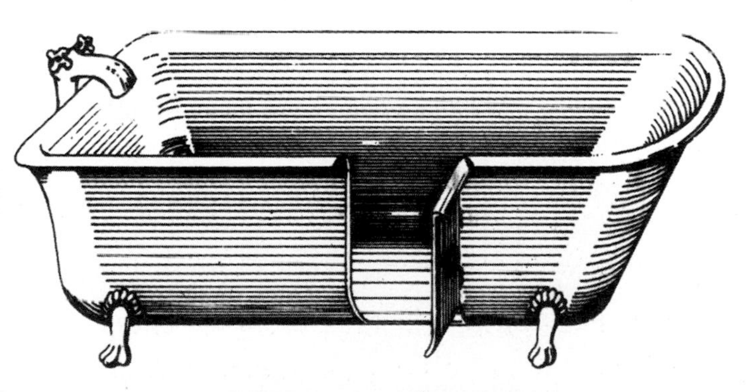

Baignoire à portière. Évite d'enjamber la baignoire pour y entrer. (Brevet G. de Pawlowski)

5

Le saviez-vous ?

Le yak du Tibet vit sans problèmes à 6 000 mètres d'altitude.

Quel est l'animal le plus fort du monde ?

Non, ce n'est pas l'éléphant, qui ne peut porter sur son dos que le quart de son propre poids. C'est un insecte, un scarabée qui vit sous les tropiques et qui peut supporter jusqu'à 850 fois son propre poids !

Naturellement vous savez que la baleine bleue est le plus grand mammifère du monde. Une baleine bleue peut atteindre 30 mètres de long. Le plus grand spécimen connu mesurait 33,50 mètres et pesait près de 200 tonnes.

Vous savez aussi que la girafe est le plus grand des herbivores : les plus grandes ont jusqu'à 6 mètres de haut.
Mais pouvez-vous dire quel est l'oiseau le plus rapide en vol, le carnivore le plus gros, le félin le plus long, l'animal qui vit le plus longtemps et celui qui vit le plus haut ?

On dit que certaines tortues peuvent vivre jusqu'à 200 ans.

Le félin le plus long est le tigre du Bengale qui peut mesurer 3 mètres de la gueule à la queue.

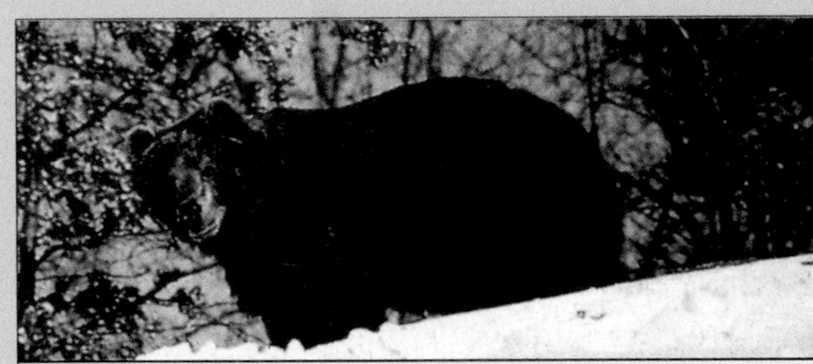

Le plus gros des carnivores est l'ours Kodiak. Il vit en Alaska, peut mesurer 2,40 mètres du museau à la queue et peser 530 kilos.

Un faucon pèlerin a atteint la vitesse de 350 kilomètres à l'heure en vol piqué.

L'escargot n'est peut-être pas l'animal qui avance le plus lentement, mais sa vitesse moyenne n'est que de 0,05 kilomètre à l'heure !

Comparez-la avec celle d'un guépard, qui peut faire près de 100 km/h pendant plusieurs kilomètres.

LE SUPERLATIF

Le plus / le moins + adjectif ou adverbe
Le faucon pèlerin est l'oiseau **le plus** rapide du monde.
La girafe est **la plus** grande des bêtes d'Afrique.
La tortue est un des animaux **les moins** rapides.
La tortue est **le moins** rapide des animaux.
La tortue est l'animal qui vit **le plus** longtemps.

⚠ Pour comparer deux personnes, deux animaux, deux objets, on peut employer le superlatif :
La tortue avance **moins** lentement **que** l'escargot.
Des deux, c'est la tortue qui est **la moins** lente.
Le guépard court plus vite que le lion. Le guépard est **le plus** rapide.

On appelle « superlatif absolu » un adjectif précédé d'un adverbe d'intensité qui indique un très haut degré d'une qualité.
Elle est **très / fort / extrêmement / supérieurement** intelligente.

6 Qui possède ces records ?

de lenteur —> C'est l'escargot qui avance le plus lentement.

1. de vitesse (oiseaux).
2. de longueur (félins).
3. de hauteur (animaux terrestres).
4. de grosseur (carnivores).
5. de grandeur (mammifères).
6. de vieillesse.

7 Dites-le autrement.

La baleine est plus grosse que l'éléphant. —> Des deux la baleine est la plus grosse.

1. Le faucon pèlerin est plus rapide que le faucon ordinaire.
2. L'escargot est plus lent que la tortue.
3. L'ours est plus gros que le lion.
4. Le tigre est plus long que le léopard.
5. Le buffle a des cornes plus longues que l'antilope.

8 Quelles sont leurs caractéristiques ?

Écoutez et prenez des notes.

1. certains canards : ......
2. la bécasse : ....
3. le poisson : ......
4. le guépard : ......
5. l'antilope : ......
6. l'éléphant d'Asie : ......

9 Comparez-les.

De tous les chefs d'État français du XXe siècle, le général de Gaulle est le plus grand.

Comparez de la même manière...
1. des gens que vous avez connus,
2. des livres que vous avez lus,
3. des films que vous avez vus,
4. des voitures que vous avez essayées,
5. des villes que vous avez visitées.

10 Que pouvez-vous dire de ces endroits du monde ?

température, Vostok dans l'Antarctique, – 89 °C —> Vostok est l'endroit le plus froid du monde. Il y a fait – 89 °C.

1.	continent	l'Australie	moins de 8 millions de kilomètres carrés (km^2)
2.	fleuve	le Nil	6 670 kilomètres de longueur
3.	montagne	l'Everest	8 848 mètres de hauteur
4.	désert	le Sahara	environ 8 400 000 km^2
5.	océan	le Pacifique	11 034 mètres de profondeur
6.	température	la Vallée de la Mort	49 °C pendant 43 jours
7.	sécheresse	le désert de l'Atacama	moyenne annuelle de pluie : 0 mm

À PRENDRE AVEC DES GANTS

5

❶ Qu'est-ce qui se passe ?

1. Regardez la bande dessinée et racontez l'histoire.
2. Combien y a-t-il de situations et de lieux différents ?
3. À quel milieu social correspond chaque situation ? Quels détails des dessins le montrent ?

❷ C'est dans le dialogue !

Trouvez :

1. une expression de regret ;
2. des demandes d'information ;
3. une menace ;
4. une moquerie ;
5. une offre d'aide ;
6. une façon d'affirmer son honnêteté.

❸ Qu'est-ce que ça veut dire dans la situation ?

1. Un certain Roger Frémont.
2. Les mairies, qu'est-ce que ça donne ?
3. On n'a que des prénoms.
4. Je ne connais que lui !
5. Il a gagné au loto.

❹ Chacun le sien.

Vous tenez à votre réputation. —> Moi, je tiens à la mienne.

1. Martinez a sa voiture. / Toi, Breton, ...
2. Nous avons nos amis. / Frémont...
3. Le garçon de café a ses habitudes. / Ses clients...
4. Lansky a ses combines. / Frémont...
5. Berthier a ses méthodes. / Ses inspecteurs...

LES PRONOMS POSSESSIFS			
Singulier	1re personne :	**le mien / la mienne**	**les miens / les miennes**
	2e personne :	**le tien / la tienne**	**les tiens / les tiennes**
	3e personne :	**le sien / la sienne**	**les siens / les siennes**
Pluriel	1re personne :	**le / la nôtre**	**les nôtres**
	2e personne :	**le / la vôtre**	**les vôtres**
	3e personne :	**le / la leur**	**les leurs**
	C'est ma chambre.	C'est la mienne.	Elle est à moi.
	C'est leur voiture.	C'est la leur.	Elle est à eux.
	Ce sont ses papiers.	Ce sont les siens.	Ils sont à lui.

PAS TRÈS HONNÊTE, CE FRÉMONT.

RUE DES PLÂTRIÈRES.

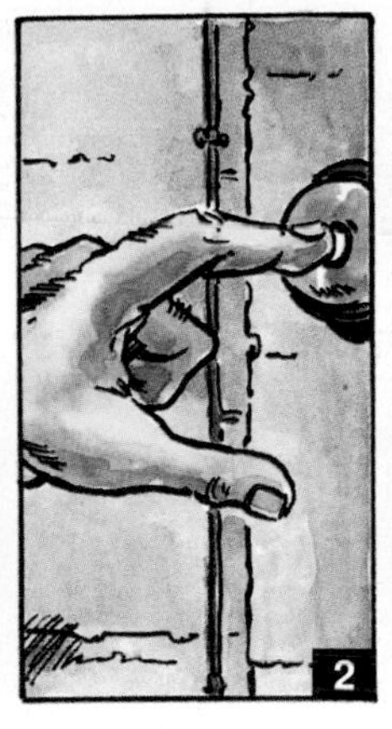

5

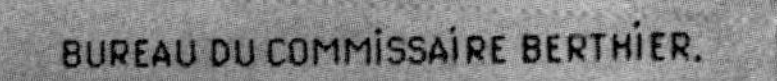

.../...

.../...

MONSIEUR LANSKY?
QU'EST-CE QUE VOUS LUI VOULEZ?
LUI PARLER. POLICE.

"UN JOUR, IL M'A APPORTÉ UNE VOITURE SUPERBE. UNE BM GRIS MÉTALLISÉ. AVEC DES ROUES À RAYONS. C'ÉTAIT UNE VOITURE VOLÉE, ÉVIDEMMENT."

5

5 Qu'est-ce qu'ils demandent ?

Vous le reconnaissez ? —> Ils lui demandent s'il le reconnaît. / Il leur répond qu'il ne l'a jamais vu.

1. Ça te dit quelque chose ?
2. Il est toujours là ?
3. Les mairies, qu'est-ce que ça donne ?
4. Qu'est-ce que vous lui voulez ?
5. Tu pensais que c'était la sienne ?
6. Il y a longtemps que vous l'avez vu ?
7. Qu'est-ce que tu veux ?

6 Qu'est-ce qu'on apprend dans cet épisode ?

1. Sur Frémont et sur les milieux qu'il fréquente.
2. Sur l'enquête.

7 Comment le disent-ils ?

Trouvez dans le dialogue des expressions équivalentes.

On n'a pas de chance ! —> C'est bien notre veine !

1. Il y a 25 ans que je vis ici.
2. Tu te souviens de lui ?
3. C'était pas des gens bien.
4. Je suis honnête, moi.

Pour vous aider à refuser poliment
Il faut que je réfléchisse. Je vais voir. Je veux d'abord en parler à ma femme / mon mari. Je n'en ai pas vraiment besoin. Ça peut attendre.

8 Jeu de rôle.

Un représentant de commerce sonne à votre porte. Il veut vous vendre une encyclopédie, la plus intéressante, la mieux faite, la moins chère, etc. Vous êtes timide et vous n'osez pas le mettre à la porte.

9 Lequel choisir ?

A. Écoutez le dialogue entre un client et un vendeur et choisissez la bonne réponse.

1. Le client veut acheter :
   - **a.** l'ordinateur le plus performant.
   - **b.** un portable.
2. Le vendeur lui conseille :
   - **a.** un ordinateur équipé pour le multimédia.
   - **b.** des éléments séparés.
3. Le prix :
   - **a.** aura une influence sur la décision de l'acheteur.
   - **b.** n'a pas d'importance.

B. Jeu de rôle : Vous voulez acheter un ordinateur. Vous expliquez à un vendeur quel usage vous voulez en faire. Il vous montre deux modèles qu'il compare en fonction de votre demande. Jouez la scène.

Les voyelles moyennes : [e, ɔ, o, ø, œ]

- Si la **syllabe finale** est **ouverte** (= pas suivie par un son de consonne), la **voyelle** est **fermée** :
  assez, boulot, milieu
  Si la **syllabe finale** est **fermée** (= suivie par un son de consonne), la **voyelle** est **ouverte** :
  honnête, roulotte, immeuble

la finale [z] ferme les voyelles **o** et **eu** : chose, pose [o], heureuse, chanteuse [ø]

❑ Prononcez les phrases suivantes en faisant attention à la prononciation des voyelles moyennes et aux enchaînements. Puis écoutez l'enregistrement pour vérifier votre prononciation.

1. Le commissaire a lancé une nouvelle enquête.
2. Il y a du boulot à faire au bureau.
3. C'est le troisième vol dans l'immeuble.
4. La vitesse de l'escargot n'est que de quelques mètres à l'heure.
5. L'immeuble a une hauteur de trente mètres.

ANTICIPEZ

1 De quoi s'agit-il ?

1. Qu'évoquent le titre et les illustrations ?
   Que présente cette page ?
2. Combien a-t-on sélectionné de restaurants ?
3. À qui sont destinées ces présentations ?
   D'où sont-elles tirées ?
4. Que vous attendez-vous à trouver dans une notice de présentation de restaurant ?

RECHERCHEZ LES FAITS

2 Lequel de ces restaurants choisirez-vous ?

1. pour goûter de la nouvelle cuisine ?
2. pour trouver de la bonne cuisine traditionnelle ?
3. pour trouver un bon menu pas trop cher ?
4. pour profiter d'une ambiance de luxe ?
5. pour profiter d'un paysage exceptionnel ?

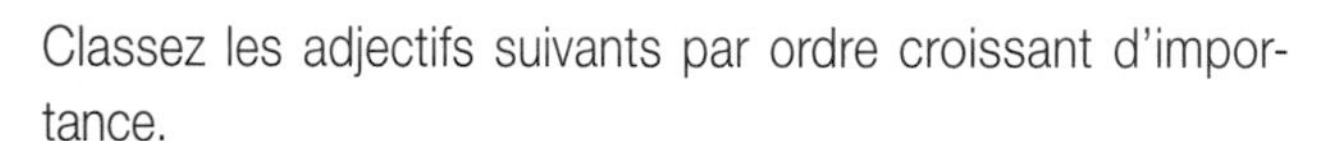

3 Quel est le meilleur ?

Classez les adjectifs suivants par ordre croissant d'importance.

1. (Un plat) savoureux, sympathique, parfait, bon, intéressant.
2. (Des prix) élevés, moyens, disproportionnés, raisonnables, bas.
3. (Un service) stylé, agréable, excellent, sympathique, médiocre.
4. (Une ambiance) délicieuse, accueillante, bonne, exceptionnelle, agréable.

4 C'est dans les textes !

1. Trouvez une restriction dans la notice du *Bistro de Paris*.
2. Quelle différence faites-vous entre « son service est le meilleur de la Côte » et « un des meilleurs de la Côte » ? Atténuez l'expression « le restaurant le plus luxueux de la ville ».
3. Trouvez trois manières différentes de recommander un restaurant.
4. Quel est le sujet des verbes au futur dans ces présentations ?
   Qu'implique l'utilisation du futur ?
   Quelle condition pourrait précéder chacun de ces futurs ?

LE COIN GOURMAND

Comme chaque semaine nous avons sélectionné quelques bonnes tables un peu partout en France.
Nos critères vont de la plus sympathique et la moins chère à la meilleure et la plus luxueuse. Il en faut pour tous les goûts... et toutes les bourses !

les symboles définissant la qualité de :

la table	*le décor*
la cave	*le service*

Le Bistro de Paris
67, rue du Val-de-Mayenne
53000 Laval

De loin la meilleure table de la ville. Son chef, le très jeune Guy Lemercier, sait marier avec bonheur nouvelle cuisine et tradition. Il vous régalera avec son saumon posé sur un hachis de légumes, son lapin farci aux poireaux frits et sa galette de fraises, devenue un classique. Ses vins ne sont peut-être pas les plus grands mais ils sont certainement parmi les plus sympathiques. Rapport qualité-prix excellent.

5 Quelles sont les caractéristiques des restaurants sélectionnés ?

Restaurants	Qualité	Décor / ambiance	Service	Prix
Le Bistro de Paris				
Auberge de l'Ill				
À la Grâce de Dieu				
Aux Charpentiers				
Le Château Eza				

À la Grâce de Dieu

78, boulevard Carnot
78110 Le Vésinet

L'un des restaurants les moins chers des environs de Paris dans une des banlieues les plus élégantes. Vous ne serez certes pas déçu par ce menu à 100 francs qui comblera les palais les plus exigeants.
Accueil aussi délicieux que la carte des vins.

Le Château Eza

06300 Eze-Village

Ne manquez pas de venir admirer le plus beau paysage de la Côte d'Azur. Vous y goûterez, en plus, l'une des meilleures cuisines de la région. Son jeune chef est l'un des plus doués de sa génération et il vous surprendra par des plats alliant sagesse et perfection. La carte des vins n'est pas la curiosité la moins intéressante de cette maison. Le service est un des meilleurs de la Côte et le menu, servi midi et soir, vaut, à lui seul, le déplacement.

Aux Charpentiers

10, rue Mabillon
75006 PARIS

Peut-être le restaurant le moins sophistiqué de Paris !
Il y a des années que les amoureux de Saint-Germain-des-Prés et de la bonne cuisine traditionnelle viennent s'y régaler. Ses plats du jour y sont des plus savoureux et ses vins sont les moins chers du quartier ! Et il y a toujours une bonne ambiance !

Auberge de l'Ill

Illhaeusern
68150 Ribeauvillé

Voici la plus belle auberge du monde ! Tout y est parfait. Son service, des plus stylés, son sommelier, un des meilleurs connaisseurs de vins, et sa carte, une des plus originales et des plus riches de France. Goûtez le médaillon de lotte et le filet de rouget au vin rouge, le canard au vinaigre, et vous serez conquis. Les prix sont des plus raisonnables et vous aurez en prime la gentillesse de Jean-Pierre et de Martine, les propriétaires de cette heureuse maison.

INTERPRÉTEZ

6 Comparez-les.

Comparez l'*Auberge de l'Ill* et *Le Château Eza*. Quel est, d'après vous, le meilleur de ces restaurants ? Sur quoi fondez-vous votre jugement ?

7 Lequel choisir ?

1. Qu'est-ce que vous recherchez dans un restaurant ? Classez vos critères dans l'ordre de vos préférences.
2. Quelle différence faites-vous entre « la carte » et « le menu » ?
3. Qu'est-ce qui vous permet de vous faire une première idée de la qualité du restaurant ? Que faut-il savoir pour utiliser les symboles ?
4. Que recherchez-vous dans les notices de présentation ?
5. Supposez que ces restaurants soient tous groupés dans la ville où vous êtes. Où iriez-vous dîner ? Pour quelles raisons ?

8 Ils ont besoin de le voir écrit !

Écrivez une notice pour un ou deux restaurants de votre ville que vous voulez recommander à des Français.
Donnez des précisions sur les restaurateurs, leurs spécialités culinaires et la qualité de leur accueil.

Décrivez un tableau.

5

1 Qu'est-ce que vous observez ?

1. Quels sont les thèmes de *La Nature morte aux grenades* ?
2. Quelles sont les couleurs dominantes ?
3. Les formes sont-elles : compliquées, simples, stylisées, torturées ?
4. Qu'est-ce qui donne de la profondeur au tableau : la perspective, la disposition des objets, la couleur ?
5. Comment est composé ce tableau ? Tracez les lignes qui séparent les parties et les thèmes.
6. Peut-on dire que ce tableau est : réaliste, cubiste, abstrait, figuratif ?
7. Quelle impression vous donne-t-il ?

Intérieur de la chapelle du Rosaire, à Vence, décorée par Henri Matisse (1950).

2 Corrigez ces affirmations.

1. Les couleurs sombres dominent dans les tableaux de Matisse.
2. Ses couleurs sont les couleurs naturelles des objets.
3. Ses thèmes sont nombreux et toujours différents.
4. C'est un expressionniste qui torture les formes. Lui-même doit être un homme tourmenté.
5. Ses portraits sont réalistes et visent à traduire la psychologie des personnages.

3 Qu'allez-vous écrire dans votre journal ?

1. Où avez-vous vu ce tableau ? À quelle occasion ?
2. Quelle a été votre première impression ?
3. Que représente le tableau ?
   (Choisissez un ordre de description : de bas en haut, de gauche à droite, ordre circulaire, le plus frappant d'abord, le plus significatif...)
4. Quels commentaires sur le tableau ou sur le peintre avez-vous envie de faire ?
5. Quelles impressions voulez-vous fixer ? (Plaisir, enthousiasme, déception, indifférence...)

Au-dessus de la porte d'entrée de la chapelle, céramique de Henri Matisse.

4 À vos textes !

En vous servant de vos réponses aux exercices précédents, écrivez votre texte.

5 Échangez.

Montrez-le à un(e) autre étudiant(e). Tenez compte des critiques et révisez-le.

6 Projet libre.

Travaillez en groupe : réunissez un dossier sur l'œuvre de Matisse, ou d'un autre peintre. Puis faites-en une synthèse pour présenter le peintre dans un catalogue d'exposition. (Vous avez droit à 25 lignes au plus.)

PEINTURE

5

« La Nature morte aux grenades » (1947), musée Matisse (Cimiez).

HENRI MATISSE (1869-1954)

Un peintre qui, influencé par Cézanne, Van Gogh et Gauguin, découvre le sud de la France, la lumière et les couleurs vives, et devient, en 1905, le chef de file des « fauves », les peintres aux couleurs éclatantes.

Une œuvre caractérisée par :

- quelques thèmes privilégiés : intérieur de pièces, fenêtres ouvertes, étoffes, fruits, fleurs, plantes, portraits ;
- la sobriété du dessin (formes linéaires) et la somptuosité des couleurs (grands à-plats) ;
- l'équilibre et la pureté qui donnent souvent une impression de calme, de repos, de joie.

RÉCAPITULATION

COMMUNICATION

- **Décrire des objets**
  Les verres de ces lunettes sont inclinables et s'adaptent à toutes les lumières.
  Ces fauteuils en cuir ont des accoudoirs et une tablette pour poser des verres.
  Cette enceinte comporte un haut-parleur sur chaque face.
  Ces pichets ont une double paroi. Ils coûtent environ 150 francs chacun.
- **Comparer**
  La baleine bleue est l'animal le plus gros.
  C'est l'escargot qui va le plus lentement.
  La tortue vit très longtemps.
  Le désert où il pleut le moins est celui d'Atacama.
- **Définir les dimensions**
  La baleine bleue peut atteindre 30 mètres de long.
  Le Nil mesure 6 670 kilomètres de long.
  Le Sahara fait environ 8 400 000 kilomètres carrés.
- **Repousser une réponse à plus tard**
  Il faut que je réfléchisse.
  Je vais voir.
- **Se moquer, ironiser**
  C'est ça, garde-la bien surtout !
  Tu croyais que c'était la sienne ?
  Il a gagné au loto !
- **Exprimer le regret**
  C'est bien notre veine.

GRAMMAIRE

■ Faire + infinitif

Le sujet du verbe ne fait pas l'action. Il en est la cause et non l'agent (celui qui fait l'action) :

Il a fait recouvrir ses fauteuils de cuir.
Ils feront installer une enceinte acoustique.

■ Les adjectifs formés avec le suffixe « -able »

On ajoute le suffixe **« -able »** à la forme de l'infinitif du verbe :
comparer —> comparable - jeter —> jetable
casser —> (in)cassable
Ces adjectifs ont, en général, le sens de « qui peut être + l'action exprimée par le verbe » :

un appareil **pliable** = **qu'on peut plier**.

■ Le superlatif des noms et des adverbes

- **le moins / le plus + adjectif ou adverbe (+ de ...) :**
  La baleine est **le plus** gros **des** animaux.
  Le **plus gros** animal est la baleine.
  L'escargot est l'animal **le moins** rapide, celui qui avance **le plus** lentement.
  Le yak est l'animal qui vit **le plus** haut.
- Le **superlatif « relatif »** indique qu'une quantité est à son niveau le plus haut ou le plus bas dans un ensemble :
  La baleine bleue est plus le plus grand des mammifères.
- Le **superlatif « absolu »** indique qu'une qualité est à son niveau le plus élevé sans qu'on compare son possesseur à d'autres ; on utilise un adverbe d'intensité pour modifier l'adjectif ou l'adverbe :
  La tortue vit très / extrêmement / fort vieille.
  Elle avance très / extrêmement / fort lentement.

■ Les pronoms possessifs

Ils remplacent un adjectif possessif et le nom qui le suit :

Vous préférez votre voiture. Nous préférons la nôtre.

- **Formation :** Chaque personne est différente. Les pronoms possessifs s'accordent en genre (masculin-féminin) et en nombre (singulier-pluriel) avec le nom qu'ils remplacent.

	singulier	
1re personne	le mien / la mienne	les miens / les miennes
2e personne	le tien / la tienne	les tiens / les tiennes
3e personne	le sien / la sienne	les siens / les siennes
	pluriel	
1re personne	le / la nôtre	les nôtres
2e personne	le / la vôtre	les vôtres
3e personne	le / la leur	les leurs

⚠ Attention à la prononciation :
N**o**tre maison [ɔ], mais la n**ô**tre [o].
V**o**tre appartement [ɔ], mais le v**ô**tre [o].

Remarquez l'accent circonflexe sur le « o » du pronom possessif.

Robert Desnos

Conte de fée

Il était un grand nombre de fois
Un homme qui aimait une femme.
Il était un grand nombre de fois
Une femme qui aimait un homme.
Il était un grand nombre de fois
Une femme et un homme
Qui n'aimaient pas celui et celle qui les aimaient.

Il était une seule fois
Une seule fois peut-être
Une femme et un homme qui s'aimaient.

Domaine public,
Éd. Gallimard, 1953.

Georges Perec

(Les deux héros des Choses *finissent par trouver une place dans une agence de publicité.)*

Ce ne sera pas vraiment la fortune. Ils ne seront pas présidents-directeurs généraux. Ils ne brasseront[1] jamais que les millions des autres. On leur en laissera quelques miettes[2], pour le standing[3], pour les chemises de soie, pour les gants de pécari fumé. Ils présenteront bien. Ils seront bien logés, bien nourris, bien vêtus. Il n'auront rien à regretter.

Ils auront leur divan Chesterfield, leurs fauteuils de cuir naturel souples et racés[4] comme des sièges d'automobile italienne, leurs tables rustiques, leurs lutrins[5], leurs moquettes, leurs tapis de soie, leurs bibliothèques[6] de chêne clair.

Ils auront les pièces immenses et vides, lumineuses, les dégagements[7] spacieux, les murs de verres, les vues imprenables. Ils auront les faïences[8], les couverts d'argent, les nappes[9] de dentelle[10], les riches reliures[11] de cuir rouge.

Ils n'auront pas trente ans. Ils auront la vie devant eux.

Les Choses. Une histoire des années soixante, Éd. Julliard, 1965.

1. *brasser de l'argent :* en avoir beaucoup et l'utiliser dans des entreprises financières.
2. *miettes :* petits morceaux qui tombent du pain quand on le coupe.
3. *standing :* situation sociale et économique d'une personne.
4. *racé :* qui a un style élégant, qui a de la classe.
5. *lutrin :* meuble d'église destiné à porter des livres.
6. *chêne :* arbre très résistant utilisé pour la construction et le mobilier.
7. *dégagement :* espace libre, passage.
8. *faïence :* objet en faïence, poterie de terre décorée.
9. *nappe :* tissu qui couvre une table où on prend un repas.
10. *dentelle :* tissu très travaillé formant des motifs décoratifs.
11. *reliure :* couverture de livre.

1. Qu'est-ce qui est le signe du « standing » social selon ce passage de Georges Perec (vêtements, meubles et objets, appartement) ?

2. Que veut dire, d'après vous : « Ils auront la vie devant eux » ?

3. Les deux héros veulent vendre leur appartement avec tout ce qu'il contient.

a. Imaginez l'annonce qu'ils peuvent faire publier dans un journal.

b. C'est vous qui voulez vendre ces biens. Décrivez-les à un acheteur éventuel.

Où l'avez-vous perdu ?

• ***Si vous avez perdu quelque chose,*** *adressez-vous aux « Objets trouvés » : 36, rue des Morillons, 75015 Paris, et aux commissariats de police si vous êtes en province.*

• ***Si on vous a volé quelque chose,*** *il faut faire une déclaration dans un commissariat de police. Un employé vous posera des questions ou vous fera remplir un imprimé.*

Vous

- Je voudrais faire une déclaration de perte.
- J'ai oublié mon appareil photo dans un taxi.
- On m'a volé mon portefeuille / mon sac à main / mon porte-monnaie / mes papiers d'identité / mon permis de conduire.
- Je m'en suis aperçu en faisant des achats / en ouvrant mon sac / en cherchant mon argent.

L'employé

- Quand vous en êtes-vous aperçu ?
- Vous l'avez perdu ou on vous l'a volé ?
- Vous êtes allé aux objets trouvés ?
- Qu'est-ce qu'il y avait dans votre portefeuille ?
- Comment était-il ? De quelle couleur ? En quoi était-il ? Quelle forme avait-il ?
- Il faut que vous fassiez une déclaration à votre consulat.
- Si vous aviez des cartes de crédit, faites opposition rapidement. Écrivez ou, mieux, téléphonez.
- Vous voulez porter plainte ?

• ***Si vous avez perdu un animal,*** *adressez-vous à la Société protectrice des animaux (SPA) : 39, boulevard Berthier, 75017 Paris, tél. : 43.80.40.66.*

L'employé

- Quel animal avez-vous perdu ?
- Où l'avez-vous perdu ?
- Comment est-il ?

Vous

- Un chien / un chat.
- Au Bois de Boulogne. / Dans la rue.

Brigitte Bardot et Alain Bougrain-Dubourg devant un panneau précisant les objectifs de la SPA.

Activités

1. Déclarez la perte de votre montre au commissariat. Un employé reçoit votre déclaration.
2. Vous allez à la SPA porter un chien que vous avez trouvé. Il n'y a pas d'indications sur son collier.

Vie Pratique

QUE FONT
CES PUBLICITÉS ?
P. 88

PARTONS
EN CAMPAGNE !
P. 90

COUP DE THÉÂTRE
P. 93

MON MATRA ET MOI...
P. 96

PUBLICITÉ
P. 98

DOSSIER 6

FAITES PASSER LE MESSAGE

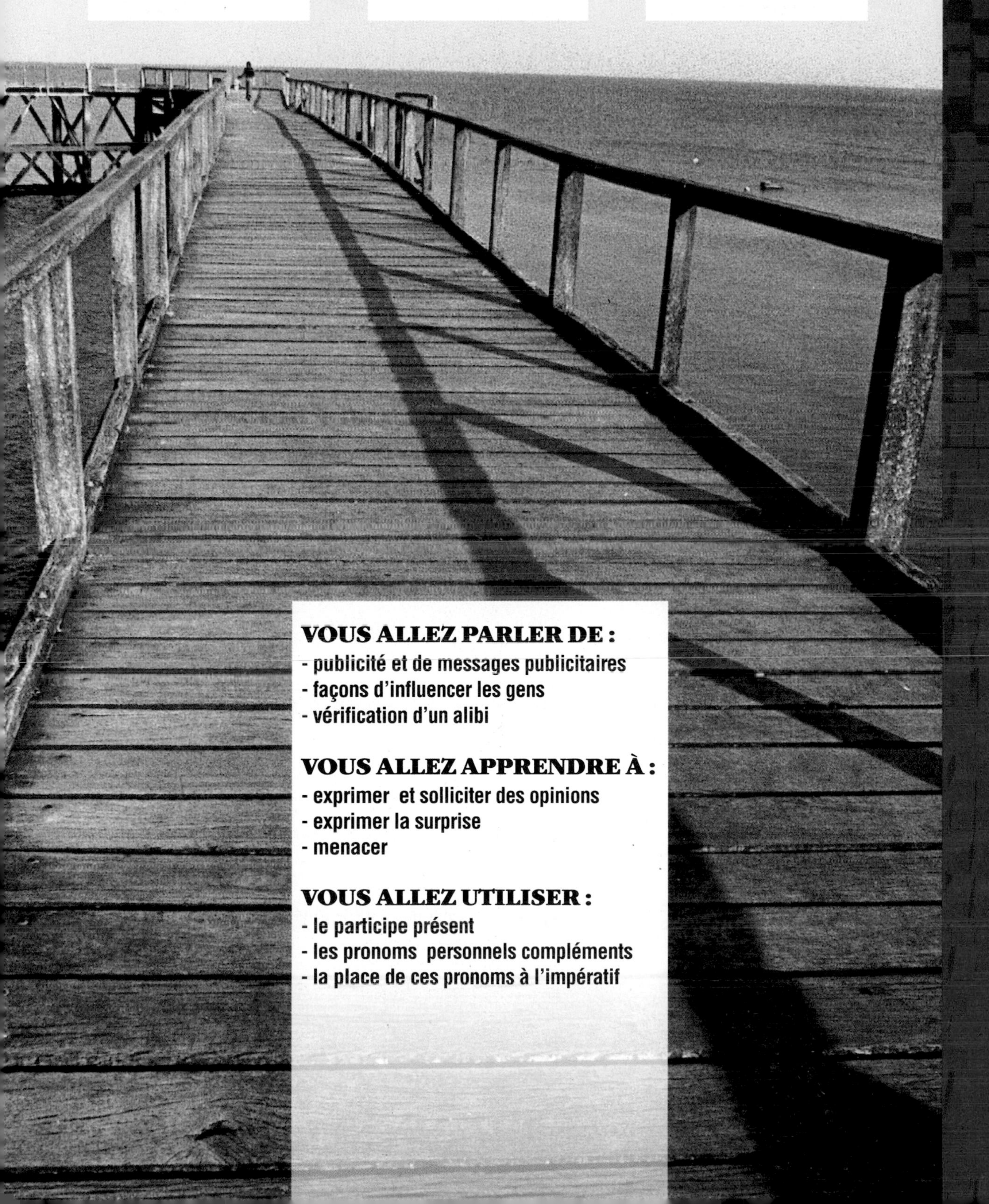

VOUS ALLEZ PARLER DE :
- publicité et de messages publicitaires
- façons d'influencer les gens
- vérification d'un alibi

VOUS ALLEZ APPRENDRE À :
- exprimer et solliciter des opinions
- exprimer la surprise
- menacer

VOUS ALLEZ UTILISER :
- le participe présent
- les pronoms personnels compléments
- la place de ces pronoms à l'impératif

QUE FONT CES PUBLICITÉS ?

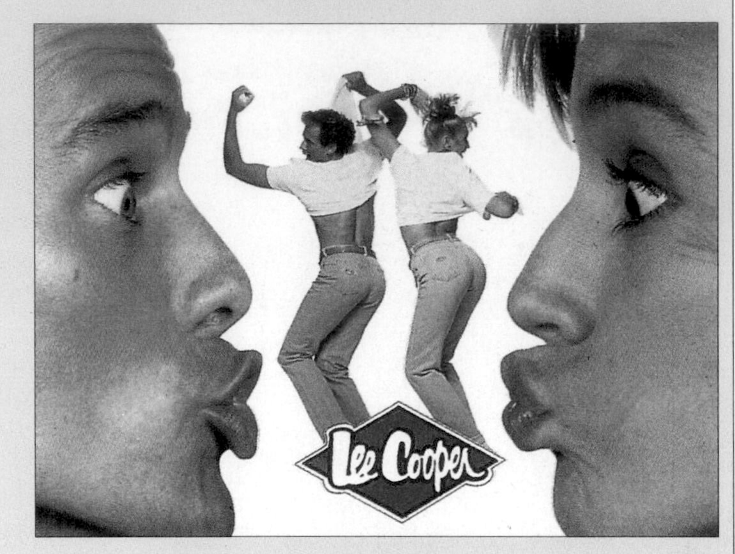

1 Observez cette affiche et décrivez-la.

Le produit annoncé

La marque

Les personnages

Les vêtements

Les attitudes

Les couleurs

Le texte

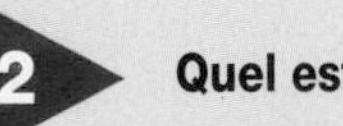

Quel est le message publicitaire ?

1. Quelle impression veut donner la première publicité ? Faites la liste des intentions (beauté, jeunesse...).
2. Est-ce que l'aspect utilitaire (prix, solidité...) est souligné ? Pourquoi ?
3. Qu'est-ce qui montre que le jean fait partie des personnages, qu'il est pour eux comme une seconde peau ?
4. Quelle est la couleur de la peau des personnages ? Quelle saison cela évoque-t-il ?
5. Pourquoi n'y a-t-il pas d'autre texte que la marque (Lee Cooper) ? Qu'est-ce qu'on associe directement à la marque ?
6. À quel type d'acheteurs est destinée cette annonce ?
7. Pouvez-vous résumer le message publicitaire ?

Observez la seconde publicité.

1. Que voyez-vous sur la photo ?
2. Que veut dire « La peau de votre peau » ? Comment est-ce représenté visuellement ?
3. Comment sont présentés les personnages ? Avec sérieux ? Avec humour ?
4. Qu'est-ce qui domine ici ? Le côté sexy, la séduction, ou le côté humoristique ?
5. Quels sont les éléments humoristiques ?
6. À qui est destinée cette publicité ?
7. Quel est, cette fois, le message publicitaire ?

Comparez les deux pubs.

1. Qu'est-ce qu'elles ont en commun sur le plan visuel ?
2. Est-ce qu'elles s'adressent au même public ?
3. Quelles sont les intentions dans les deux cas ?
4. En quoi ces deux pubs sont-elles complémentaires ?
5. Laquelle préférez-vous ? Pourquoi ?

5 Quels slogans pour quels produits ?

DES QUALITÉS EXCEPTIONNELLES
ET LE PRIX D'UNE 5 CV.

Si vous ne savez pas
quoi faire
de votre argent,
venez nous voir.

*On n'est pas belle
par hasard.*

6 Qu'est-ce qui caractérise les slogans précédents ?

Rappelle-toi, appelle-moi.

1. Quels sont ceux qui vantent les qualités du produit ?
2. Quels sont ceux qui s'adressent directement au consommateur ?
3. Quels sont ceux qui proposent un résultat que tout acheteur souhaite obtenir ?
4. Quels sont ceux qui attribuent au produit une capacité exceptionnelle ?
5. Quels sentiments et quels désirs des gens ces slogans éveillent-ils ?
6. Quels sont, à votre avis, les slogans les plus efficaces ?
7. Avez-vous d'autres exemples de slogans à citer ?

6

7 Pouvez-vous en créer ?

Imaginez des slogans publicitaires pour ces produits.

La calculette qui compte pour vous.

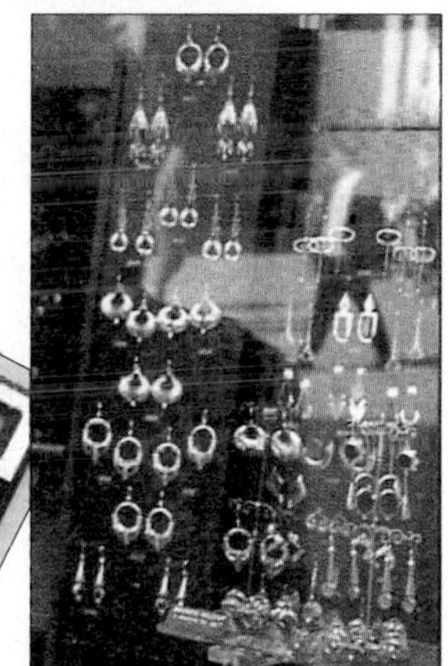

8 Qu'en pensez-vous ?

Discutez cette affirmation : « La pub, on ne peut plus s'en passer. »

9 Essayez !

Vous voulez montrer, par exemple, que le blouson fait partie de l'univers des jeunes...
Inventez un thème de campagne et des slogans publicitaires.
Imaginez des supports publicitaires (spots, clips, affiches, autocollants...)

Partons en campagne !

Tous les dimanches, un pauvre aveugle mendiait dans la rue. Il présentait aux passants une pancarte où était inscrit : « Ayez pitié d'un pauvre aveugle. » Malheureusement, personne ne semblait s'intéresser à lui. Un jour, un publicitaire, qui passait par là, lui a conseillé de remplacer son slogan par : « Je voudrais tellement voir le printemps ! »
À partir de ce moment-là l'aveugle est devenu riche...
Cette fable cruelle, on se la transmet dans toutes les agences de publicité. Elle en dit long sur le métier de publicitaire.

10 La réalité et l'imaginaire.

Comparez les deux dessins et lisez le récit.

1. Comment ces deux slogans s'adressent-ils aux passants ? Quel est le plus direct ? Quel est celui qui stimule l'imagination ?
2. Pourquoi le deuxième slogan est-il plus efficace ?
3. En quoi cette histoire est-elle une « fable cruelle » ? Est-ce que la condition du mendiant mérite plus de pitié dans le deuxième cas ?
4. Quelles conclusions en tirez-vous sur le monde de la pub ? Qu'est-ce qui est le plus important, la nature et la qualité du produit ou le message publicitaire ?
5. Quelle est votre propre attitude face à la publicité ?

11 Comment s'organise une campagne publicitaire ?

Écoutez l'interview d'un publicitaire célèbre. Notez quels sont les acteurs de la campagne et les étapes prévues (aidez-vous du tableau).

les acteurs de la campagne	1. ....
	2. ....
	3. ....
Les étapes de la campagne	1. Définir les objectifs de la campagne. Pour cela, il faut ....
	2. Trouver................................
	3. Vérifier l'efficacité du message
	4. Adapter................................
	5. ....

12 Retrouvez-le.

Écoutez de nouveau et reconstituez l'interview.

LE PARTICIPE PRÉSENT

Il est **invariable.** Il équivaut à une proposition relative :
des publicitaires **sachant** mener une campagne = **qui savent** mener une campagne

Il est **différent du gérondif** qui joue le rôle d'une proposition subordonnée de temps, de cause, de condition.

LA PLACE DES PRONOMS PERSONNELS

L'ordre des pronoms :

	1	2	3	4	5	
	me					
	te	le	lui			
sujet (ne)	se	la		y	en	verbe (pas)
	nous	l'	leur			
	vous	les				
	se					

COMBINAISONS POSSIBLES :

1-2 : Il (ne) me le dit (pas).
1-4 : Je vous y emmène.
1-5 : Il vous en apporte.
2-3 : Elle le lui explique.
2-4 : Je t'y accompagnerai.
2-5 : Il les en a empêchés.
3-5 : Tu lui en parleras.
4-5 : Il n'y en a plus.

Quelles sont les combinaisons impossibles ?

À l'impératif affirmatif

verbe	- le - la - les	- moi - lui - nous - leur	racontez-le-moi. donnez-les-leur. dites-le-nous.

verbe	- m' - lui - nous - leur	en	parlez-m'en. donne-lui-en. apportez–leur-en.

13 Participe présent ou gérondif ?

Utilisez l'expression entre parenthèses soit au gérondif soit sous forme de participe présent pour compléter la phrase.

Il a assuré le succès de la campagne. (donner de bons conseils)
—> Il a assuré le succès de la campagne, en donnant de bons conseils.

1. Il nous a écrit une lettre. (proposer une campagne de publicité)
2. Il n'a pas gagné beaucoup d'argent. (mendier)
3. Voici une annonce. (présenter le produit)
4. Ce qu'il nous faut, c'est une agence. (se charger de tout)
5. Vous prenez un gros risque. (organiser la campagne)

14 Qui fera quoi ?

Répondez aux questions en utilisant deux pronoms compléments dans la réponse.

L'annonceur expliquera ce qu'est le produit au publicitaire ?
—> Oui, il le lui expliquera.

1. L'annonceur proposera les objectifs de la campagne ?
2. L'agent de publicité présentera l'annonce aux consommateurs. – Oui, ...
3. Le publicitaire demandera les chiffres de vente à son client ? – Oui, ...
4. Le client communiquera au publicitaire les chiffres de l'augmentation des ventes ? – Non, ...

15 Dites-leur ce qu'ils doivent faire.

Il faut que l'annonceur décrive le produit au publicitaire. —> Décrivez-le lui.

1. Il faut qu'un membre de l'équipe choisisse les objectifs pour l'annonceur.
2. Il faut que l'équipe trouve un thème pour la campagne.
3. Il faut que les créatifs proposent une annonce au responsable du projet.
4. Il faut qu'ils la soumettent à l'annonceur.
5. Il faut communiquer les résultats au publicitaire.

16 Le mendiant a besoin de conseils !

Complétez ce texte avec des doubles pronoms.

Si votre slogan est trop connu des passants, ne .... montrez pas. Proposez-.....-..... un qui frappe leur imagination. Si vous n'en trouvez pas, un publicitaire pourra peut-être vous donner des conseils. Demandez-.....-......
Il .... donnera. Des slogans, il .... proposera plusieurs. Prenez-.....-..... un. Mais, surtout, ne dites rien aux autres. Cette fable, ne .... transmettez pas !

6

À PRENDRE AVEC DES GANTS

1 Qu'est-ce qui se passe ?

Regardez les dessins.

1. Où sont les inspecteurs au début de l'épisode ? Pourquoi ?
2. Où emmènent-ils Frémont ?
3. Pourquoi les inspecteurs sortent-ils dans le couloir ?

2 Vrai ou faux ?

Écoutez et rétablissez la vérité si nécessaire.

1. Frémont dit qu'il a passé la soirée chez des amis le 15 mai.
2. Le « Chien qui fume » n'est pas loin de l'endroit où se trouve sa roulotte.
3. On n'a pas trouvé la trace de Lescure à Bordeaux.
4. Les inspecteurs se comportent gentiment avec Frémont.
5. Frémont ne proteste pas.
6. Breton n'a pas l'air surpris du tout quand Martinez lui fait part de sa communication téléphonique.

6

3 Devinez.

Les inspecteurs les lui ont demandés ? —> les noms

1. Les inspecteurs lui en ont posé.
2. Frémont le leur a dit.
3. Frémont les y a retrouvés.
4. Frémont va les leur donner.
5. Le commissaire de Bordeaux le lui a communiqué.
6. Le nom la leur a rappelée.

4 C'est dans le dialogue !

Trouvez :

1. deux expressions de menace,
2. deux expressions de protestation,
3. une expression d'étonnement,
4. une expression de doute.

5 Qu'est-ce qu'ils disent ?

1. Reportez-vous à la BD si nécessaire pour retrouver ce qu'ils disent.
2. Que peuvent-ils dire d'autre ? Inventez une suite.

6 Comment s'est déroulé l'interrogatoire ?

Rapportez ce que les deux inspecteurs, Breton et Martinez, et leur suspect, Roger Frémont, ont dit.
Utilisez : répondre que, menacer de, protester en disant que, (re)demander où / avec qui, révéler que, se souvenir de.

L'inspecteur Breton a demandé à Frémont ce qu'il faisait dans la nuit du samedi 15 mai.

COUP DE THÉÂTRE

QUELQUE PART DANS LA BANLIEUE EST.

…/…

AH ÇA, JE VOUS FAIS CONFIANCE!

11

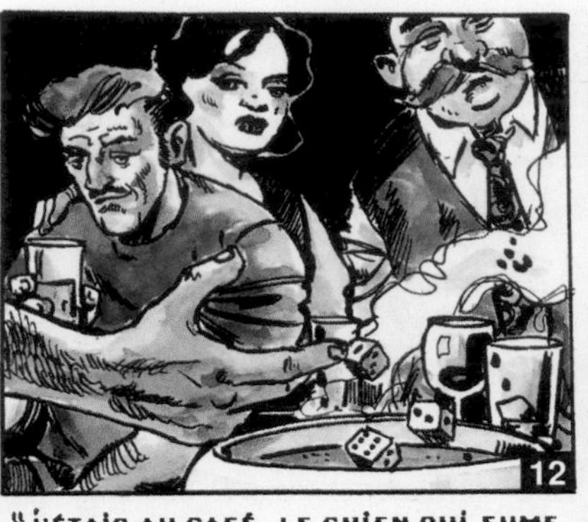

12

"J'ÉTAIS AU CAFÉ : LE CHIEN QUI FUME RUE DES LILAS."

6

7 Au téléphone.

Complétez la conversation de Martinez avec le commissaire, puis jouez la scène avec un(e) autre étudiant(e).

8 Qu'allez-vous faire ?

Vous êtes chargé(e) de l'enquête. Quelles décisions allez-vous prendre ? Quelles directives allez-vous donner à vos subordonnés ?

9 Jouez les détectives !

Le nom de Fabrice Beaulieu semble bien connu de la police.
Les inspecteurs parlent de l'affaire « Rêve 2000 ».
Travaillez en petits groupes pour essayer de deviner ce que faisait Fabrice Beaulieu, ce qui s'est passé, pourquoi il s'est caché, si sa mort a un rapport avec l'affaire, etc.
Donnez votre avis et sollicitez l'avis des autres.

Pour solliciter une opinion

– Et toi qu'est-ce que tu en penses ?
– À mon avis...
    – Tu es d'accord ?
    – Je crois / pense que...
– Tu crois que ça peut être ça ?
– Il me semble que...
    – Donne-nous ton opinion.
    – J'ai l'impression que...

10 Jeu de rôle.

1. Racontez l'aventure de Mme Leblanc.
2. Jouez la scène avec le directeur du supermarché.

Mme Leblanc explique le motif de sa visite et se plaint
Le directeur dit qu'il n'est pas responsable.
Mme Leblanc hausse le ton et menace de prévenir une société de défense des consommateurs...
Le directeur essaie de calmer Mme Leblanc...

Intonation : la menace ; les semi-voyelles [j, ɥ, w]

« Ne joue pas au petit malin ! »
(= Ne te crois pas plus fort que moi !)

❏ Prononcez les phrases suivantes sur un ton de menace, puis écoutez l'enregistrement pour comparer avec ce que vous avez dit.

1. Vous me le paierez !
2. Je te préviens !
3. Fais attention à ce que tu vas dire !
4. Tu veux qu'on te rafraîchisse la mémoire ?
5. Tu préfères qu'on t'emmène au commissariat ?

■ **les semi-voyelles [j, ɥ, w]**

Les semi-voyelles ne forment qu'une seule syllabe avec la voyelle qui les suit :

Je me souv**iens** b**ien** de la prem**iè**re quest**ion**.
Je s**ui**s dans la n**ui**t, il est min**ui**t et il n'y a aucun br**ui**t
Oui, pour arriver à cet endr**oi**t, allez tout dr**oi**t, puis prenez à dr**oi**te.

LECTURES

ANTICIPEZ

1 Qu'est-ce qui vous frappe ?

Examinez la publicité et choisissez une ou plusieurs réponses.

1. Cette page est une publicité pour :
  a. un club de vacances **c.** un film d'amour
  b. des cassettes vidéo **d.** un téléphone

2. La scène se passe :
  a. sur un bateau **c.** dans un hôtel de luxe
  b. sur une île déserte **d.** devant la mer

3. La jeune femme paraît :
  a. triste **c.** ennuyée
  b. heureuse **d.** détendue

4. Remplacez « mon Matra » dans le slogan du haut de la page par celle des expressions suivantes qui vous paraît possible :
  a. ma robe **c.** mon mari
  b. mon bateau **d.** ma maison

RECHERCHEZ LES FAITS

2 Regardons de plus près.

1. Faites la liste des caractéristiques associées au Nautila.
2. Quelles informations devrez-vous avoir avant d'acheter un téléphone sans fil (durée d'autonomie, prix,..) ?
3. Ces caractéristiques sont-elles données ?
À votre avis, pourquoi ?
4. Quelle partie de la publicité est plus directement commerciale et destinée à attirer l'acheteur éventuel et à le convaincre ?
5. Où se trouve le logo de l'entreprise qui fabrique et vend le Nautila ?

3 Quelles sont les intentions ?

Lisez le texte et répondez aux questions.

1. Relevez les mots qui évoquent :
  a. la mer **b.** la beauté et la douceur

2. La « nouvelle vague » a révolutionné un art. Lequel ?
  a. la peinture **c.** la musique
  b. le cinéma **d.** la littérature
  Qu'implique l'expression « mon sans-fil nouvelle vague » ?

3. Sur la photo, le bleu du ciel et de la mer se rejoignent. Donnez une signification à cette fusion.

INTERPRÉTEZ

4 Qu'en pensez-vous ?

1. À quel genre d'acheteurs est-ce que cette publicité s'adresse ?
2. Ces acheteurs seront-ils davantage motivés par l'offre de vidéocassettes ?
3. Seriez-vous tenté(e) d'acheter ce téléphone en voyant cette publicité ? Pourquoi ?

5 Qu'allez-vous lui demander ?

Vous allez interviewer le créateur de cette pub. Préparez une série de questions avec votre voisin(e), puis jouez l'interview.

6 Devenez créateur / créatrice !

Imaginez une publicité pour :

1. un traducteur.
2. une télévision portative de poche.

Dans ces deux cas, trouvez un nom pour l'objet, un slogan et un court texte de présentation.

369F

TEXAS INSTRUMENTS

PS 5400
Traducteur portable : 5 langues: anglais, allemand, français, italien et espagnol. 5000 mots et 1000 phrases dans chacune des langues. Hôtels, Restaurants, Transports, Shopping, Tourisme, et Loisirs. Horloge internationale pour 23 fuseaux horaires associé à 23 grandes villes. Alarme. Calculatrice 10 chiffres. **REF.78604**

6

PUBLICITÉ

Devenez publicitaire !

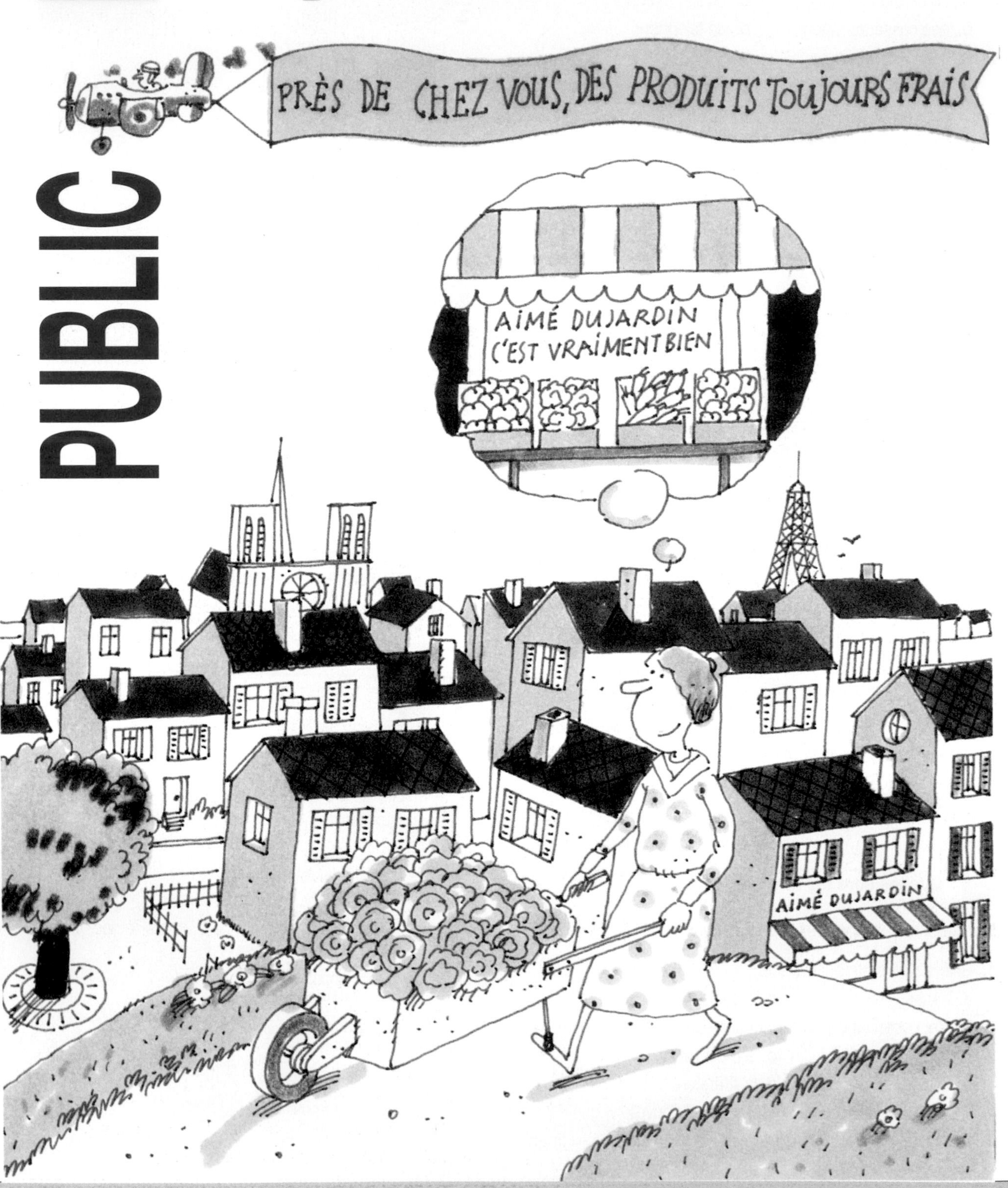

1 Qu'est-ce que vous observez ?

1. Sur cette publicité un bâtiment porte l'indication « Aimé Dujardin ». Qu'est-ce qu'on y vend ?
2. S'agit-il d'une grande surface ou d'un petit magasin ?
   S'agit-il d'un petit magasin isolé ou d'une chaîne ?
3. Que représente ce dessin ?
   Quels bâtiments reconnaissez-vous ?
4. Malgré la présence de la tour Eiffel et de Notre-Dame, a-t-on l'impression d'être à Paris ? Pourquoi ?
5. À quoi fait penser le style de ce dessin ?
   ❏ art réaliste ❏ naïf
   ❏ abstrait ❏ humoristique
6. Quelle impression donne ce dessin ?
   ❏ détente ❏ stress de la vie moderne
   ❏ retour à la tradition
7. Que porte la femme dans sa brouette ?
   Est-ce qu'on peut faire de longs trajets avec une brouette ?
   D'où viennent les légumes ?

2 Quel est le message publicitaire ?

1. Quels sont les mots chargés de sens pour le consommateur dans le slogan : « Près de chez vous, des produits toujours frais » ?
   Quels sont les avantages offerts aux gens des grandes villes par les petits magasins ?
2. On ne nomme pas les grandes surfaces (les supermarchés), mais on ne peut pas s'empêcher d'y penser. Qu'est-ce qu'elles ne peuvent pas offrir aux consommateurs ?
3. À quoi fait allusion le slogan : « Aimé Dujardin, c'est vraiment bien » ? Pourquoi est-ce qu'on s'y sent bien ?
4. « Aimé Dujardin » est un nom propre, probablement celui du fondateur de la chaîne de magasins. En quoi le nom d'un individu peut-il donner au consommateur plus de confiance qu'un nom anonyme (comme Intermarché, Carrefour...) ?
5. Quels sont les points faibles que cette publicité passe sous silence ?
6. À quoi fait-on appel : à l'intelligence ou à l'affectivité des consommateurs ?

3 Devenez publicitaire.

Une grande surface vient de s'installer près d'une petite ville de province qui n'avait jusque-là que des petits magasins et qui tient à ses traditions. On vous demande d'imaginer une publicité qui doit paraître dans la presse locale.

1. Vous devez faire réaliser un dessin. Écrivez les indications pour le dessinateur. Donnez toutes les précisions possibles sur le thème, le style, l'intention, etc.
   - Quels avantages des grandes surfaces pouvez-vous mettre en valeur visuellement : la variété des produits, les possibilités de choix, les prix pratiqués, la facilité d'accès, etc. ?
   - Quel style de dessin allez-vous choisir : traditionnel, baroque, moderne... ?
   - Quels personnages allez-vous inclure dans le dessin :
     • des acheteurs(euses) ou des vendeurs(euses) ?
     • jeunes et enthousiastes ?
     • d'un certain âge et réfléchi(e)s ?
     • prêt(e)s à rendre service ?...
2. Vous devez écrire un texte d'accompagnement. Trouvez des arguments pour essayer de changer les habitudes actuelles de ces consommateurs. Le texte doit être court donc sélectif.
   - Que peut offrir la grande surface à des consommateurs habitués à faire leurs courses souvent, qui ont des relations amicales avec les petits commerçants, qui connaissent l'origine des produits, etc. :
     • moins de perte de temps ?
     • la qualité garantie des produits et la fraîcheur assurée par des arrivages plus fréquents (renouvellement rapide du stock) ?
     • la facilité d'accès ?
3. Qu'évoquent pour vous les noms choisis par quelques chaînes de supermarchés en France ?
   Par exemple : Carrefour, Intermarché, Auchan, Euromarché, Continent, Mammouth.
   - Inventez un nom pour la grande surface qui vient s'installer dans la ville et expliquez ce qu'il évoque.

4 Mise au point et synthèse.

Montrez vos textes à un(e) autre étudiant(e) et révisez-les en tenant compte des critiques.
Demandez-vous si :
- le texte tient vraiment compte de la mentalité des gens qu'il veut convaincre ;
- les arguments sont bien choisis ;
- les arguments ne sont pas trop nombreux ;
- chaque publicité présente une argumentation différente ;
- les slogans lus à haute voix ont un bon rythme, sont faciles à retenir.

Faites la synthèse. Comparez les publicités réalisées. Discutez de leur qualité et de leur efficacité.

RÉCAPITULATION

COMMUNICATION

- **Menacer**
  Ne joue pas au petit malin !
  Fais attention à ce que tu vas dire !
  Tu veux qu'on te rafraîchisse la mémoire ?
- **Exprimer la surprise**
  Sans blague !
- **Relancer la conversation**
  Et alors ?
- **Exprimer une opinion personnelle**
  À mon avis...
  Il me semble que...
  J'ai l'impression que...

GRAMMAIRE

Le participe présent

Il est invariable. Il se forme sur le radical de la première personne du pluriel du présent suivi de la terminaison **-ant** :

nous finissons —> finissant
nous changeons —> changeant
nous écrivons —> écrivant

Exceptions **:** avoir / **ayant** ; être / **étant** ; savoir / **sachant**

Le **participe présent** est l'équivalent d'une proposition relative introduite par « **qui** » :

Il faut des annonceurs ayant des idées. (= qui ont des idées)

Ne pas confondre avec le **gérondif** (= en + participe présent) qui est l'équivalent d'une proposition subordonnée de temps, de cause, de condition :

En influençant les acheteurs, les annonceurs font vendre leurs produits.
En faisant de la publicité, vous vendrez mieux vos produits.

Les doubles pronoms compléments

Vous **me les** apporterez. – Ils l**a lui** donneront.
Je **te l'**envoie. – Tu **le leur raconteras.**

- **À l'impératif affirmatif** :
  Envoie-**la-moi**. – Répète-**le-lui**.

Dans tous les cas, les pronoms ci-dessus précèdent « en » :

Je **t'en** enverrai.
Parle-**m'en**. Ne **leur en** donne pas.

⚠ La combinaison « y en » n'existe qu'avec le verbe avoir : **Il y en a, il y en a plus.**
Le pronom « y » ne s'emploie pas avec le futur du verbe aller : « **J'y vais** » mais « **J'irai** ».

1 Compréhension orale.

Devinez quels sont ces objets ?

2 Production orale.

Quels restaurants choisir ?
Des amis vous demandent où ils peuvent aller déjeuner. Vous leur conseillez ces trois restaurants en disant chaque fois ce que chacun a de mieux et de moins bien que les autres.

	la qualité des plats	le prix	Le cadre
Le Bistrot	••	•	•
L'Étape	•	•••	•••
L'Auberge	•••	••	••

3 Production écrite.

DELF

Décrivez cette publicité et dites :
- à qui elle s'adresse.
- quel est le message publicitaire.

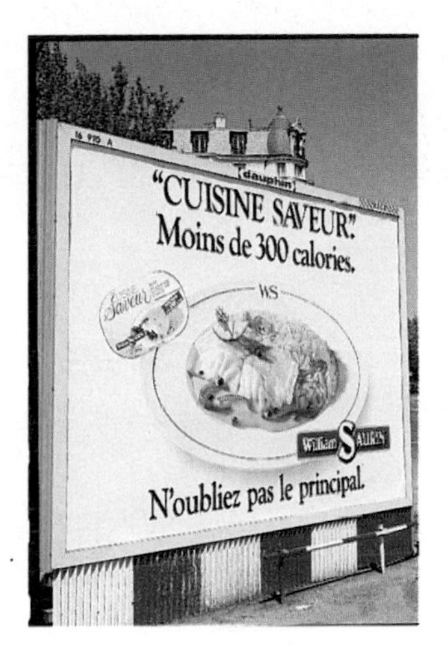

DES MOTS ET DES FORMES

4 Chacun les siens.

DELF

Complétez avec des pronoms possessifs.

1. Vous avez vos idées, moi j'ai...
2. Vous aimez vos vêtements. Nous, nous aimons...
3. Vous avez des ennuis. Chacun a...
4. Ces produits ont leurs acheteurs. Ceux-là ont...
5. Vos fauteuils sont beaux, mais je préfère...

5 Combien ça mesure ?

Donnez les dimensions approximatives (longueur, largeur, hauteur) :

1. de la salle de classe,
2. de votre livre de français.

6 Savez-vous utiliser les doubles pronoms ?

Attention à l'accord du participe passé avec le complément d'objet direct !

1. Vous avez envoyé les photos à Jean ? – Oui,...
2. Vous avez rappelé le rendez-vous au patron ? – Non,...
3. Ils ont donné des chaussures à leur fille ? – Oui,...
4. Tu as montré la nouvelle publicité à l'agence ? – Oui,...

7 Que peuvent-ils faire faire ?

Dites à l'impératif ce qu'il faut faire faire.

Ma télévision ne marche plus. —> Faites-la réparer !

1. Mes fauteuils sont usés.
2. Je n'ai pas d'enceinte acoustique.
3. Le toit de notre maison est en mauvais état.
4. Les verres de mes lunettes ne sont pas adaptés à ma vue.

Je peux vous aider ?

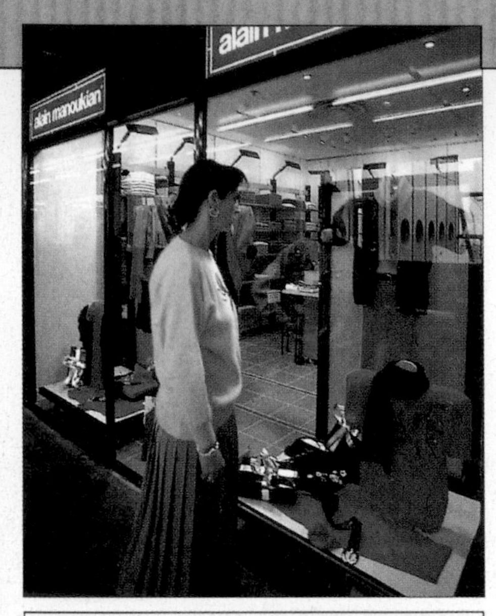

Une boutique dans une galerie marchande.

Le vendeur / la vendeuse...

propose de l'aide :
– Je peux vous aider ?
– Vous avez vu un modèle qui vous plaît ?

Un marché aux puces : on peut y acheter des affaires neuves ou d'occasion.

L'acheteur / l'acheteuse...

refuse :
– Non, merci. Je regarde.

s'informe :
– Vous avez... / Je voudrais... / Je cherche...
– J'ai vu un modèle dans la vitrine...
– Vous n'avez pas plus petit / grand ?
– Vous avez d'autres coloris ?
– Vous faites les retouches ?

hésite :
– Vous croyez ?
– C'est un peu cher.
– Je n'aime pas beaucoup...

se décide :
– D'accord, je le prends.

termine l'échange :
– Je vais réfléchir...
– Vous fermez à quelle heure ?

donne des renseignements :
– Mais oui, nous avons...
– Je vais voir...
– Cette robe n'existe pas en...
– Nous pouvons la raccourcir / rallonger / reprendre à la taille...

essaie de convaincre :
– Vous serez très content(e).
– Vous en serez satisfait(e).
– Vous le mettrez souvent...

insiste :
– N'attendez pas trop longtemps.
– C'est notre dernière taille dans ce coloris.
– Nous n'en aurons plus cette saison.

DOSSIER 7

VOUS DEVRIEZ FAIRE ATTENTION...

VOUS ALLEZ PARLER DE :
- problèmes de santé
- scandales immobiliers
- sports et détente

VOUS ALLEZ APPRENDRE À :
- interpeller quelqu'un poliment
- donner des ordres poliment
- exprimer des probabilités
- faciliter le contact avec les autres

VOUS ALLEZ UTILISER :
- le conditionnel
- *si* + imparfait - conditionnel

7

Si vous étiez...

Si vous étiez... contrôleur aérien, vous passeriez des heures devant un écran radar pour surveiller le trafic et vous communiqueriez avec les pilo-tes. Vous auriez constamment peur de ne pas remarquer une petite tache sur l'écran indiquant la présence d'un avion dans le ciel et de provoquer une catastrophe. Quelle victime du stress vous seriez !

Si vous étiez ingénieur et si vous sentiez votre position menacée dans votre entreprise, vous vous diriez que le progrès va trop vite pour vous, que vous n'êtes plus à la hauteur, que vous n'êtes plus capable d'assumer vos responsabilités. Quel mauvais sang vous vous feriez !

Si vous étiez standardiste, vous prendriez chaque jour des appels téléphoniques pendant huit heures. Vous subiriez les réclamations et la mauvaise humeur des correspondants. Vous rentreriez chez vous le soir en répétant mécaniquement : « Allô, j'écoute ! » chaque fois qu'on vous adresserait la parole...

1 De quoi ont-ils l'air ?

1. Regardez les dessins et décrivez la physionomie, l'attitude et le comportement des personnages.
2. Imaginez ce que demandent les correspondants à la standardiste ? Sont-ils tous aimables et de bonne humeur ?
3. À quoi pense l'ingénieur le soir chez lui ? Quels rêves fait-il ?
4. Quelles sont les responsabilités d'un contrôleur aérien ? Est-ce que vous voudriez faire ce métier ? Pourquoi ?
5. Pourquoi le portier regarde-t-il le monsieur avec curiosité ?

2 Que feraient-ils si.. ?

Que feriez-vous si vous étiez ingénieur ? —> Je ferais des plans, je construirais des routes...

1. Que feriez-vous si vous étiez contrôleur aérien ?
2. Que ferait un ingénieur s'il n'était plus capable d'assumer ses responsabilités ?
3. Que feriez-vous si vous voyiez entrer quelqu'un dans son bureau une poubelle à la main ?
4. Que feriez-vous si vous étiez stressé ?
5. Que ferions-nous si tout le monde était stressé ?

3 Qu'est-ce qui se passerait ?

1. ... si les contrôleurs aériens refusaient de travailler ?
2. ... si le téléphone ne fonctionnait plus ?
3. ... s'il n'y avait plus d'essence ?

Imaginez d'autres cas.

Vous n'êtes ni standardiste, ni ingénieur, ni contrôleur aérien et pourtant ! Ce matin, comme chaque jour, vous avez descendu votre poubelle avant de prendre l'autobus pour aller au bureau. Le portier de votre entreprise vous a regardé curieusement quand vous êtes entré et... que vous avez posé la poubelle sur votre bureau !

Il serait temps que vous alliez voir un spécialiste du stress. Mais, rassurez-vous, votre cas n'est pas unique. C'est celui de ceux qui travaillent de nuit, de ceux qui travaillent trop, des mères de famille qui travaillent hors de chez elles, de ceux qui ne travaillent pas et qui sont au chômage...

Alors restons calmes. Détendons-nous.
De toutes les manières, quand tout le monde sera « stressé »
– et c'est pour bientôt, dit-on –,
ça ne se remarquera plus !

7

LE CONDITIONNEL

Formation : radical du futur + terminaisons de l'imparfait

Je **manger**ais	Nous **voudr**ions
Tu **aur**ais	Vous **ser**iez
Elle **fer**ait	Ils **ir**aient

Emploi : Le conditionnel est le mode de l'hypothétique.

1. Il **atténue** la force des énoncés. Un énoncé au conditionnel présent est en général :
   a. **plus poli :** Pourriez-vous m'indiquer comment aller au Louvre ? (marque de politesse)
   b. **moins direct :** Vous devriez faire du sport. (permet de conseiller)
   c. **moins affirmatif :** Ça risquerait d'aggraver votre mal. (permet d'atténuer)
2. Il s'emploie également pour indiquer la **conséquence possible** d'une condition imaginée, introduite par si + imparfait.
   Si vous étiez contrôleur aérien, vous passeriez des heures devant un écran radar.

Radio-Santé

LE DOCTEUR JOLLIET RÉPOND AUX AUDITEURS.

Comme tous les mardis à 18 heures, le docteur Jolliet se fait un plaisir de répondre aux questions de nos auditeurs. Ils sont déjà nombreux sur nos lignes téléphoniques... Commençons par Mlle Suzanne Béjart de Manosque.

J'aimerais beaucoup faire du cheval mais j'ai souvent mal au dos et on me le déconseille.

Et on a raison ! L'équitation ne vous aiderait pas à guérir vos douleurs de dos, bien au contraire ! Il faut que vous évitiez le cheval, mais aussi tous les sports brutaux comme judo ou basket qui risqueraient d'aggraver votre mal. Au contraire, vous pourriez pratiquer des sports comme le vélo, le ski ou la natation où le poids du corps n'entre pas en jeu.

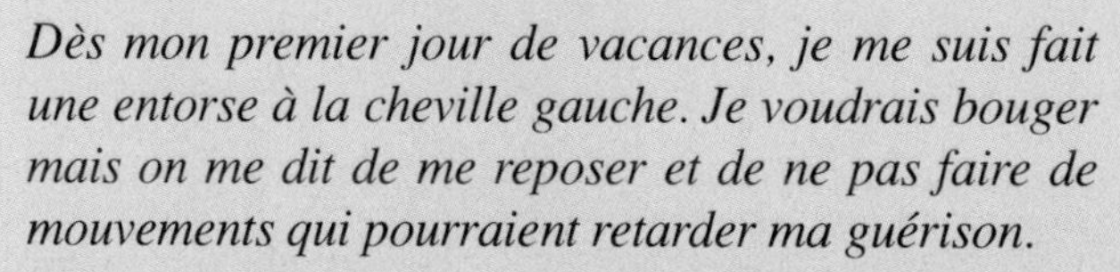

Dès mon premier jour de vacances, je me suis fait une entorse à la cheville gauche. Je voudrais bouger mais on me dit de me reposer et de ne pas faire de mouvements qui pourraient retarder ma guérison.

Je ne suis pas du tout d'accord avec le conseil qu'on vous a donné. Il faudrait que vous bougiez ! Le repos absolu est déconseillé en cas d'entorse. Ne restez pas trop longtemps immobile, votre état général et votre moral en souffriraient. Vous devriez avoir des activités qui n'exigent aucun effort de votre cheville. Pourquoi n'iriez-vous pas nager ?

J'ai tendance à grossir et je fais un régime pour combattre l'obésité. Est-ce que je devrais faire du sport ?

Certainement. Le sport, associé à un régime conseillé par votre médecin, vous aiderait à maigrir. Quand on ne fait pas de sport, la perte de poids porte sur la graisse et sur les muscles. Avec le sport, seules les graisses disparaîtront. De plus, en faisant du sport, vous supporterez mieux les restrictions alimentaires que vous vous imposerez.

J'ai 61 ans. Je suis à la retraite et je ne fais pas de sport depuis des années. Je voudrais recommencer à faire du vélo. Qu'est-ce que vous me conseillez ?

Si vous êtes en bonne santé et si vous vous sentez en condition, vous pourrez faire du vélo, mais en prenant quelques précautions. En reprenant trop brutalement, vous risqueriez un accident. Votre organisme aura besoin de s'adapter progressivement. Mais sachez que les premiers kilomètres seront difficiles et qu'il vous faudra plusieurs semaines peut-être avant de vous sentir tout à fait à l'aise. Cela dit, le vélo sera excellent pour votre forme et votre moral.

4 Quel est leur problème ?

Regardez les dessins. D'après la physionomie et l'attitude des personnages dites ce qui ne va pas et essayez de trouver des raisons.

5 Quelle est cette émission ?

Écoutez en prenant quelques notes pour répondre à ces questions.

1. Quelle est la spécialité du docteur Jolliet ?
2. Que conseille-t-il à la personne qui a mal au dos ?
3. Que devrait faire la personne qui a une entorse ?
4. Comment est-ce que le sport peut aider quelqu'un à maigrir ?
5. Quel risque court-on si on reprend intensivement un sport longtemps interrompu ?

6 Regroupez-les.

Regroupez en réseau des mots du texte et d'autres que vous connaissez autour du mot « corps ».

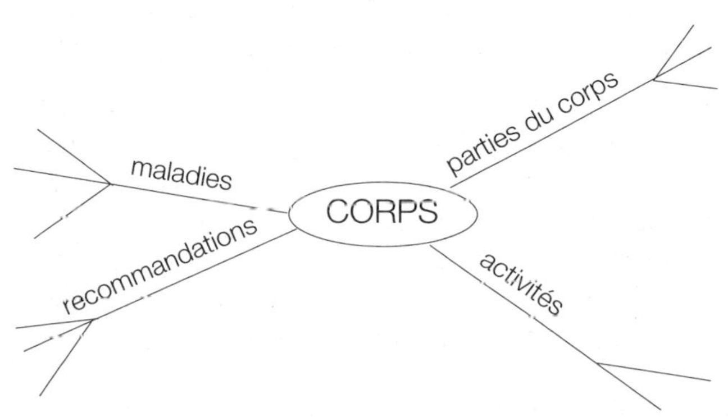

7 Donnez-leur des conseils.

Dites-leur quels sont les risques.

1. Un de vos amis a mal au dos. Il voudrait faire de la moto.
2. Une de vos amies s'est fait une entorse et ne veut pas bouger.
3. Un de vos amis a tendance à grossir.
4. Une de vos amies qui n'a jamais fait de sport veut faire du cheval.
5. Une de vos amies qui est très mince veut faire un régime amaigrissant.
6. Une de vos amies veut faire de la danse mais elle s'est fait opérer d'un genou.

8 Qu'est-ce qui ne va pas ?

Un(e) étudiant(e) vous expose son problème. Vous lui posez des questions, puis vous essayez de lui donner des conseils.

- *Je voudrais faire du judo.*
- *Tu n'as pas mal au dos au moins ?*
- *Non, mais je me fais quelquefois des entorses...*

À PRENDRE AVEC DES GANTS

1 Qu'est-ce qui se passe ?

Regardez les dessins.

1. À votre avis, quelle est la personne qui parle au commissaire Berthier ?
2. Regardez les titres des journaux. Qu'est-ce que vous en déduisez ?
3. Qu'est-ce qui se passe dans cet épisode ? Imaginez.

2 Que faut-il faire ?

Complétez les phrases.

1. Berthier doit s'occuper de cette affaire parce que...
2. Fabrice Beaulieu a été impliqué dans...
3. Berthier va interroger des personnes qui...
4. L'affaire doit rester secrète. Si les journalistes l'apprenaient...
5. Berthier demande à ses inspecteurs de...
6. Il ne sera pas facile de vérifier les emplois du temps parce que...
7. Les deux personnes en prison ont pu...
8. Marie-Anne De Latour est...

7

3 C'est dans le dialogue !

Trouvez des formes du conditionnel exprimant :

1. le souhait (J'aimerais...) ;
2. la suggestion (Vous pourriez...) ;
3. la conséquence imaginée (Si on travaillait, on aurait de l'argent.).

4 Comment l'expriment-ils ?

Trouvez :

1. une expression pour attirer l'attention de quelqu'un ;
2. deux façons d'exprimer des ordres ;
3. deux expressions marquant la protestation ;
4. deux conseils ;
5. une expression ironique.

5 Quelles expressions du texte évoquent ces phrases et ces définitions ?

1. Cette affaire peut devenir très dangereuse.
2. Soyez discret.
3. Une peine de prison qu'on doit faire.
4. Ils sont toujours en prison.
5. Rencontrer des gens qui peuvent vous être utiles.

6 Que voudraient-ils ?

Dites ce que voudrait chaque personnage.

Le directeur de la police : Il voudrait que Berthier agisse en douceur / s'occupe personnellement de l'affaire.

De la même manière, exprimez les désirs :

1. de Berthier ;
2. de Frémont ;
3. des journalistes.

7 Qu'en pensez-vous ?

Choisissez **a** ou **b**.

1. Fabrice Beaulieu a disparu au moment de l'affaire parce que :
   a. il était coupable.
   b. il craignait pour sa vie.
2. Quelqu'un pouvait vouloir tuer Fabrice Beaulieu parce que :
   a. il savait trop de choses sur des gens importants.
   b. il voulait garder tout l'argent pour lui.
3. Le commissaire Berthier fait recommencer l'enquête pour :
   a. donner du travail à ses inspecteurs.
   b. tenir compte de ce qu'il vient d'apprendre.
4. Les inspecteurs n'ont pas envie de recommencer l'enquête parce que :
   a. on sait déjà qui est le coupable.
   b. ça va leur donner un travail considérable.
5. Le commissaire Berthier va à Bordeaux :
   a. pour prendre le thé.
   b. parce qu'il espère ainsi faire avancer son enquête.

ÇA SE COMPLIQUE.

7

.../...

.../...

EH BIEN, RECOMMENCEZ !

NE NÉGLIGEZ AUCUN DÉTAIL. TOUT PEUT ÊTRE IMPORTANT ! IL FAUDRAIT AUSSI QUE VOUS VÉRIFIIEZ L'EMPLOI DU TEMPS DU DERNIER MOIS DE TOUTES LES PERSONNES IMPLIQUÉES DANS CETTE AFFAIRE.

IL Y EN A AU MOINS DEUX POUR QUI CE NE SERA PAS LONG.

"ILS ONT ÉTÉ CONDAMNÉS À 12 ANS FERMES AU PROCÈS ET ILS SONT TOUJOURS SOUS LES VERROUS."

7

8 Qu'est-ce qui arriverait ?

Complétez les phrases suivantes.

1. Si les journalistes s'emparaient de tous les scandales, ...
2. S'il n'y avait pas de lois, ...
3. Si tous les jeunes faisaient des études universitaires, ...
4. Si personne ne voulait travailler, ...
5. Si tous les hommes politiques étaient honnêtes, ...

Soyons polis.

Deux hommes sont assis dans un compartiment de train. L'un d'eux vient de poser son journal qu'il a probablement terminé de lire.
Écoutez les quatre échanges suivants et classez-les du moins poli au plus poli.
Justifiez votre classement.

Pour faciliter le contact avec les autres
Excusez-moi de vous poser cette question. Je ne voudrais pas vous déranger. Non, ce n'est pas exactement ce que je voulais dire. Je comprends très bien votre discrétion. Je ne mets pas votre parole en doute mais...

10 Jeu de rôle.

Vous êtes inspecteur de police et vous allez interroger un personnage important impliqué dans un scandale. Vous devez l'interroger en ménageant sa susceptibilité. Préparez le dialogue avec votre voisin(e) et jouez la scène.

11 Jeu de rôle.

Vous vous êtes cassé la jambe et vous n'êtes pas complètement guéri(e) mais vous adorez le sport et vous voulez reprendre toutes les activités sportives que vous faisiez avant. Un(e) de vos ami(e)s vous conseille de faire attention, de commencer par des activités plus calmes, etc. Vous faites des objections à tout ce qu'il / elle vous dit.

7

Intonation : autoritaire ou aimable

■ L'intonation et l'accent d'insistance peuvent, eux aussi, renforcer ou atténuer la force d'un énoncé.

❑ **Donnez plus de force aux ordres suivants.**
Utilisez un verbe principal au présent, un accent d'insistance sur ce verbe et une intonation fortement descendante.

Je voudrais que vous vous en occupiez.
Je veux que vous vous en occupiez.

❑ **Transformez vos ordres en conseils aimables.**
Utilisez un verbe principal au conditionnel sans accent d'insistance et ne laissez pas descendre votre intonation.

Il faut que vous arrêtiez de faire du cheval.
Il faudrait que vous arrêtiez de faire du cheval.

ANTICIPEZ

1 Qu'attendez-vous du texte ?

Regardez les illustrations qui accompagnent le texte.

1. Que font ces gens ?
2. Voyez-vous une différence entre ces trois types d'exercices ? Quel est le plus violent des trois ?
3. Qu'est-ce que vous pensez des exercices physiques en général ? Faut-il en faire ? Pourquoi ? Lesquels ?

METTEZ EN ORDRE

2 De quoi traite le texte ?

Lisez le texte et attribuez une des phrases ci-dessous à chacun des quatre paragraphes.

1. Il existe d'autres gymnastiques « douces ».
2. Le stretching est à la mode.
3. Les bonnes vieilles méthodes ne sont pas si mal.
4. L'aérobic ne fait plus souffrir les Français.

3 Quel en est le contenu ?

Analysez le contenu de chacun des paragraphes.

Premier paragraphe :

- *Le stretching.*
- *Ses effets.*
- *En quoi il consiste.*
- *Un phénomène de mode.*

RECHERCHEZ LES FAITS

4 Quelle est la situation de communication ?

1. Quel est le type du texte (lettre, rapport, mode d'emploi, article...) ?
2. À qui s'adresse ce texte ?
3. Quel en est le thème ?
4. Quelle en est l'intention (ou le message) ?

5 Qu'est-ce qu'on pourrait faire ?

1. Pour faire travailler la respiration ?
2. Pour faire fondre les graisses ?
3. Pour modeler les muscles ?
4. Pour débloquer les nerfs contractés ?
5. Pour perdre 100 à 200 calories ?
6. Pour sculpter sa silhouette ?

« Grâce au "stretching", vous pourriez agir sur vos muscles et les allonger. Ça débloquerait également vos petits nerfs contractés et ça vous ferait travailler votre respiration. Ça vous détendrait vraiment... » C'est pour cela que Mireille Hermant, 31 ans, essaie d'atteindre, avec les mains devant elle, ses

LA GYMNASTIQUE

talons collés au sol. Elle y arrivera sans doute, mais pas aujourd'hui. Elle n'en est qu'à son premier cours de « stretching », une technique corporelle qui est à la mode actuellement.

Il y a quelques années, tous les dimanches matin à dix heures, toute la France sautait sur place, levait les bras avec force, lançait les jambes en l'air, se pliait en avant, en arrière, sur le côté, en soufflant et en transpirant, avec l'émission « Gym Tonic » à la télévision. Qui s'intéresserait à l'aérobic de nos jours ? Les temps ont changé. La mode n'est plus à la souffrance. C'est la gymnastique douce qui est maintenant à l'honneur, celle qui peut sculpter votre silhouette et faire fondre vos graisses en douceur. Si on en croit ses adeptes, le « stretching » posséderait toutes les vertus !

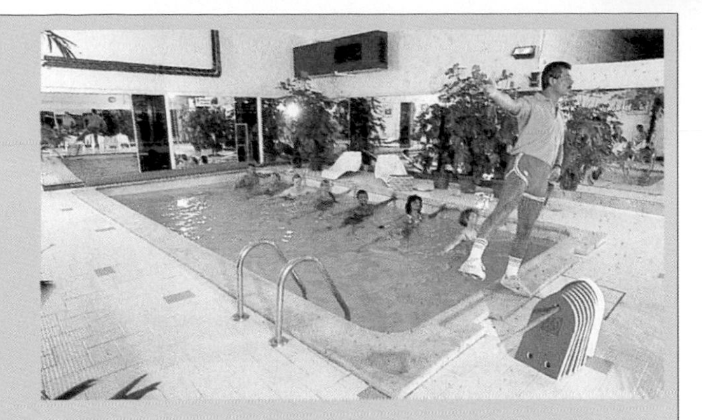

EN DOUCEUR

S'il vous paraît trop monotone et si le taï-chi-chuan, la méditation chinoise rythmée qui consiste en séries de mouvements continus, vous semble beaucoup trop lent, vous pourriez essayer l'« aqua-building », ou « modelage du corps dans l'eau » : « La méthode permet de modeler cinq ou six muscles à la fois. » Elle est à base de mouvements des jambes, de sauts, de mouvements divers. L'eau vous muscle, vous masse et vous rend souple. « Et tout ça à votre rythme : l'eau est un ordinateur qui règle le mouvement. » Le tout est d'y croire. Et ils sont nombreux ceux qui y croient !

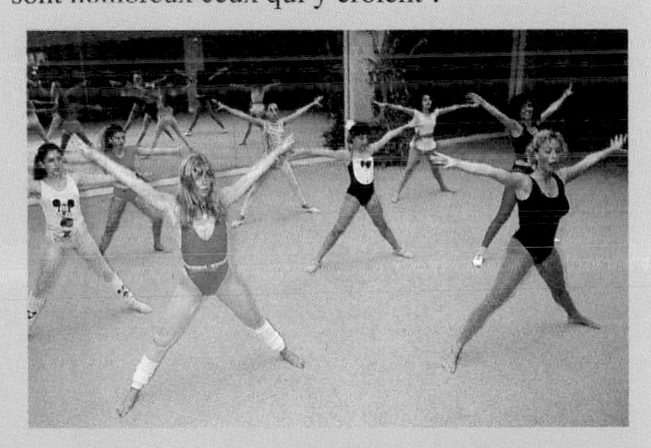

Cependant, à ces pratiques douces, vous pourriez fort bien préférer les bonnes vieilles méthodes, les traditionnelles balades à vélo ou à pied. Une heure passée à courir sans forcer vous ferait perdre de 100 à 200 calories. Mais est-ce bien important après tout ? Un récent sondage révèle que, si 25 % des Français pratiquent le sport pour se maintenir en forme, 65 % d'entre eux s'activeraient d'abord pour le seul plaisir de le faire.

D'après « L'Express ».

6 Comment l'auteur s'adresse-t-il à ses lecteurs ?

1. Qui est le « vous » du texte ?
2. Le premier paragraphe contient une illustration, un conseil et un commentaire de l'auteur. Dans quel ordre ?
3. Le deuxième paragraphe est construit sur une opposition. Quels mots l'indiquent ?
4. Le troisième paragraphe donne un choix. Lequel ?
5. Le quatrième paragraphe s'oppose au reste du texte. Comment est marquée cette opposition ?

7 C'est exprimé au conditionnel !

Quelle est la valeur de chacun des conditionnels dans ce texte (recommandation / conseil – possibilité / éventualité – politesse – hypothèse – souhait) ?

INTERPRÉTEZ

8 Qu'en pensez-vous ?

1. Quelles modes se sont succédé en gymnastique depuis quinze ans ?
2. Que pense l'auteur de l'article de ces modes passagères (voir la fin du troisième paragraphe) ?
3. À quoi s'opposent ces gymnastiques à la mode ?
4. Ces modes ont-elles eu du succès dans votre pays ? Quelles classes sociales sont concernées ?

9 Exercez vos talents de publicitaire.

Rédigez une publicité présentant un club de sport ou une nouvelle salle de gymnastique.

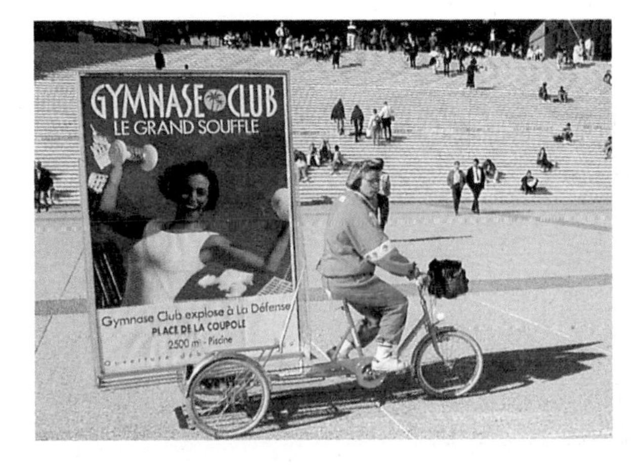

Paris, le 3 mai

Cher Juan,

Enfin c'est sûr, tu viens en juin prochain ! C'est un des mois les plus agréables à Paris. Tes questions m'ont un peu amusé, mais je comprends tes inquiétudes. Tu as envie que ton premier voyage en France soit réussi. Sois tranquille, il le sera !
Les contacts avec les gens ne devraient pas te poser de problèmes. Les Français sont moins distants qu'on le dit et ils sont souvent très accueillants.

Ne prends pas trop de vêtements. Cela ne te servirait à rien. En général, il fait chaud en cette saison et, s'il te manquait quelque chose, tu pourrais toujours l'acheter ici. Tu peux quand même emporter quelques vêtements élégants au cas où tu voudrais aller dans des endroits chic...

Je ne pourrai malheureusement pas te loger au mois de juin et il faudrait que tu réserves une chambre d'hôtel dès maintenant. Cependant, j'ai une autre solution à te proposer. J'ai parlé de ta visite à un ami

Préparez un voyage.

qui habite près de chez moi. Il serait
rès heureux de t'accueillir. Je pense que
e serait une bonne solution. Tu n'aurais
as d'argent à dépenser pour te loger et
ça te permettrait de parler français.
Est-ce que cette solution te conviendrait ?

Je ne serai pas souvent libre en juin
ais si je peux prendre quelques jours vers
la fin du mois, je t'emmènerai chez mes
arents, en Bretagne. Tu as raison de vouloir
sortir un peu de Paris. Avant de partir, tu
evrais acheter un guide. Ça te serait très
tile pour t'orienter et choisir les coins
où tu veux aller.

J'aurais encore beaucoup à te dire
mais il faut qu'il te reste des choses à
découvrir !

A bientôt, donc. Précise la date et
l'heure de ton arrivée afin que je puisse
aller t'accueillir.

Amitiés,

Bertrand

1 De quoi s'agit-il ?

1. À qui la lettre de Bertrand est-elle adressée ?
2. Dans quelle intention Bertrand l'a-t-il écrite ?
3. Quel genre de rapports y a-t-il entre Bertrand et Juan ?
4. Qu'est-ce qui montre qu'il s'agit d'une lettre amicale ?

2 Que fait Bertrand dans sa lettre ?

Illustrez chacun des actes de parole ci-dessous par un extrait de la lettre.

1. Exprimer sa satisfaction.
2. Rassurer.
3. Conseiller, recommander quelque chose.
4. S'excuser.
5. Offrir de l'aide.
6. Justifier.
7. Faire une promesse sous condition.
8. Exciter la curiosité.
9. Demander de l'information.
10. Saluer.

3 Que contenait la lettre de Juan ?

1. Quelle nouvelle a été annoncée à Bertrand ?
2. Pourquoi Juan était-il inquiet ?
3. Quelles seraient vos propres inquiétudes si vous alliez dans un pays étranger pour la première fois ?
4. Quelles questions a-t-il posées à Bertrand ?
(Contacts avec les Français ; temps qu'il fera et vêtements à prendre ; logement, prix d'une chambre d'hôtel ; que voir à Paris et en dehors...)

4 **Écrivez la lettre** que Juan a envoyée à Bertrand.

5 **Faites-la lire** à un(e) autre étudiant(e) et révisez-la en tenant compte des critiques.

6 **Vous êtes Juan.** Vous écrivez une nouvelle fois à Bertrand pour le remercier de sa lettre, de son offre, de ses conseils et lui préciser la date et l'heure de votre arrivée.

7 Un(e) ami(e) français(e) doit venir dans votre pays. Il / elle vous pose à peu près les mêmes questions que celles que Juan a posées à Bertrand. Répondez-lui.

RÉCAPITULATION

COMMUNICATION

- **Interpeller poliment**
  Permettez-moi de...
  Je ne voudrais pas vous déranger, mais...
  Je comprends bien votre point de vue, mais...
  Je ne mets pas votre parole en doute, mais...
- **Donner des ordres**
  - **de façon autoritaire :**
    Ne négligez aucun détail.
  - **aimablement, en ménageant l'autre :**
    Je voudrais que vous vous occupiez de cette affaire.
    Vous pourriez... Il faudrait que...
    Il vous serait possible de...
- **Exprimer l'hypothèse, l'éventualité**
  (Si les journaux l'apprenaient), nous aurions des problèmes.

GRAMMAIRE

7 / 3

■ Le conditionnel

C'est le mode de l'hypothétique.

- **Formation :** Il se forme avec le radical du futur et les terminaisons de l'imparfait.
  chanter : je **chanterai**, je **chanterais**.
  Il comporte les mêmes irrégularités que le futur.
  faire : je **ferai**, je **ferais** ; vouloir : tu **voudras**, tu **voudrais** ; pouvoir : il **pourra**, il **pourrait** ; avoir : nous **aurons**, nous **aurions** ; être : vous **serez**, vous **seriez** ; aller : ils **iront**, ils **iraient**.
- **Emploi**

1. **Pour atténuer la force d'une affirmation, d'un ordre, d'un conseil :**
   a. demander poliment :
   Je voudrais... Pourriez-vous...
   b. conseiller de façon aimable :
   Vous pourriez faire du vélo.
   Tu devrais travailler moins.
   c. présenter une information comme une simple éventualité :
   Il serait question de diminuer les impôts.
   Selon des sources bien informées, un accord serait proche.
2. **Pour exprimer la conséquence possible d'une condition imaginée** :
   Si vous étiez contrôleur aérien, vous passeriez des heures devant un écran radar.
   En reprenant le vélo trop brutalement, vous risqueriez un accident.

Henri Matisse

à loisir : en toute liberté.
mouillés : entourés de vapeur d'eau, après une forte pluie par exemple.
brouillés : des nuages cachent le bleu du ciel.
traître : à qui on ne peut pas faire confiance, trompeur.
luire : briller.
polis par les ans : rendus lisses et doux au toucher.
senteur : odeur agréable.
ambre : matière parfumée.
vaisseau : navire, grand bateau.
vagabonder : aller au hasard, pour son plaisir.
assouvir : satisfaire.
revêtir : habiller.
hyacinthe : 1) pierre précieuse jaune rougeâtre,
2) étoffe précieuse de la même couleur.

La beauté

1. Quels mots ou quels vers vous font penser :
   a. au luxe ? b. au calme ? c. à la volupté ?
2. Est-ce que les cinq sens (la vue, l'ouïe, l'odorat, le goût, le toucher) sont sollicités dans le paradis décrit par le poète ? Donnez des exemples. Deux sens ne sont pas sollicités. Lesquels ?

L'ordre

Comparez les trois strophes du poème. Comptez les pieds (syllabes) de chaque vers, observez les rimes (syllabes finales des vers) : ces vers vous semblent-ils bien réguliers et bien ordonnés ?

Le voyage

1. Vers quel pays Baudelaire nous entraîne-t-il ?
2. Ce pays est-il réel ou est-il imaginaire ?
3. Qu'est-ce qui attire le poète vers ce pays imaginaire et vers « la femme » qui lui ressemble ?

Charles Baudelaire

L'invitation au voyage

Mon enfant, ma sœur,
Songe à la douceur
D'aller là-bas vivre ensemble !
Aimer à loisir,
Aimer et mourir
Au pays qui te ressemble !
Les soleils mouillés
De ces ciels brouillés
Pour mon esprit ont les charmes
Si mystérieux
De tes traîtres yeux,
Brillant à travers leurs larmes.

Là, tout n'est qu'ordre et beauté,
Luxe, calme et volupté.

Des meubles luisants,
Polis par les ans,
Décoreraient notre chambre ;
Les plus rares fleurs
Mêlant leurs odeurs
Aux vagues senteurs de l'ambre,
Les riches plafonds,
Les miroirs profonds,
La splendeur orientale,
Tout y parlerait
À l'âme en secret
Sa douce langue natale.

Là, tout n'est qu'ordre et beauté,
Luxe, calme et volupté.

Vois sur ces canaux
Dormir ces vaisseaux
Dont l'humeur est vagabonde ;
C'est pour assouvir
Ton moindre désir
Qu'ils viennent du bout du monde.
Les soleils couchants
Revêtent les champs,
Les canaux, la ville entière,
D'hyacinthe et d'or ;
Le monde s'endort
Dans une chaude lumière.

Là, tout n'est qu'ordre et beauté,
Luxe, calme et volupté.

Poème extrait du recueil
les Fleurs du mal.

Où avez-vous mal ?

Le malade

entre en contact :

- Pouvez-vous me donner un rendez-vous ?
- Vous ne pouvez pas me prendre plus tôt ?
- Quelles sont les heures de consultation ?
- Est-ce que vous pouvez m'envoyer un médecin / une ambulance ?

explique :

- J'ai très mal à la gorge.
- J'ai de la fièvre.
- J'ai mal / une douleur ici.
- Je suis diabétique / cardiaque.
- J'ai un abcès. / Je me suis cassé une dent.

montre son inquiétude :

- Ça va être long ?
- Vous croyez que je vais pouvoir rentrer chez moi ?
- Combien est-ce que ça va coûter ?
- Vous savez si je peux me faire rembourser ?

Le médecin

s'informe :

- Qu'est-ce qui vous arrive ?
- Vous avez très mal ?
- Vous ne pouvez pas vous déplacer ?
- Où avez-vous mal ? / Depuis quand ?
- Respirez fort.
- Toussez, s'il vous plaît.
- Étendez-vous ici.
- Quels médicaments prenez-vous ? / Quel traitement suivez-vous ?

rassure :

- Dans huit jours vous serez sur pied.
- Vous pouvez conduire, mais ne vous fatiguez pas trop.
- Ce n'est pas grave.
- Je vous fais une ordonnance.

Les assurés membres de la Communauté économique européenne (CEE) peuvent se faire rembourser les frais médicaux. (Se renseigner.)

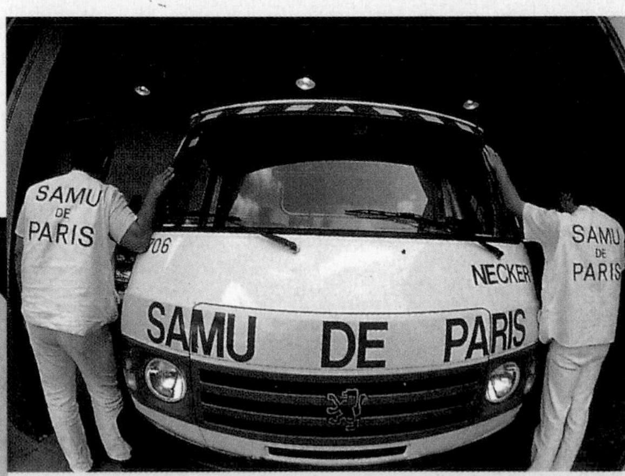

Le Service d'aide médicale urgente (SAMU) est rattaché à l'hôpital et fonctionne 24 heures sur 24.

DOSSIER 8 C'EST DU PASSÉ !

VOUS ALLEZ PARLER DES :
- inventions de la fin du XVIIIe siècle
- événements marquants des années 50 en France
- milieux français
- faits divers des journaux

VOUS ALLEZ APPRENDRE À :
- rapporter des événements passés
- rapporter des circonstances passées
- vous montrer aimable dans la conversation

VOUS ALLEZ UTILISER :
- le passé simple

Les années 50

Parler maintenant de la décennie 1950-1960, c'est faire entrer la nostalgie dans le cœur des Français, surtout de ceux qui l'ont connue. Après de dures années de guerre et d'occupation, ce fut une période de renouveau, de liberté, d'épanouissement, de grandeur même. Et ce fut aussi le début de la société de consommation en France !

Les Français commencèrent à s'équiper en appareils électro-ménagers. Le Salon des arts ménagers devint une attraction annuelle.

La 2CV Citroën, la voiture pour tous, venait de sortir en 1948.

8

C'était l'époque de la Vespa, des autobus à plate-forme et des débuts du bikini.

L'information prit de plus en plus d'importance, se répandit et se modernisa surtout grâce à la télévision. Les écrivains les plus connus, comme Jean-Paul Sartre et Albert Camus, signèrent des articles de presse et dirigèrent des publications. Ils étaient « engagés ».

En 1955, les téléspectateurs purent voir, pour la première fois, un match de football sur leurs petits écrans. C'était le match Lille-Bordeaux (5 à 0). La même année fut créée une nouvelle radio, Europe n° 1, d'un style plus jeune et plus direct.

La DS 19, la voiture de prestige, une merveille technique à l'époque.

LE PASSÉ SIMPLE

Formes :

Majorité des verbes en -IR		Finir :	Il / elle finit	Ils / elles finirent	
	mais	Tenir, venir et leurs composés :	Il / elle tint	Ils / elle vinrent	
		Courir :	Il / elle courut	Ils / elles coururent	
Verbe en -RE		Conduire, dire :	Il / elle conduisit	Il / elle dit	
		Suivre, prendre :	Il / elle suivit	Il / elle prit	
	mais	Vivre, paraître, croire :	Il / elle vécut	Il / elle parut	Il / elle crut
		Boire, lire, mourir :	Il / elle but	Il / elle lut	Il / elle mourut
Verbe en -OIR		Avoir, vouloir, devoir :	Il / elle eut	Il / elle voulut	Il / elle dut
		Savoir, falloir, pleuvoir :	Il / elle sut	Il fallut	Il plut
	mais	Voir, s'asseoir :	Il / elle vit	Il / elle s'assit	

En 1951, Jean Vilar créa le TNP (Théâtre national populaire) où on put bientôt applaudir Gérard Philipe.

Édith Piaf, l'idole de la chanson, lança Yves Montand.

Christian Dior et sa collection « new-look » de 1947 continuaient de dominer la haute couture.

Ce fut la décennie de l'art et des artistes.

Sartre, Camus, Simone de Beauvoir, d'autres « existentialistes » et la jeune Françoise Sagan se retrouvaient à Saint-Germain-des-Prés.

Matisse, Braque et Picasso dominaient la peinture.

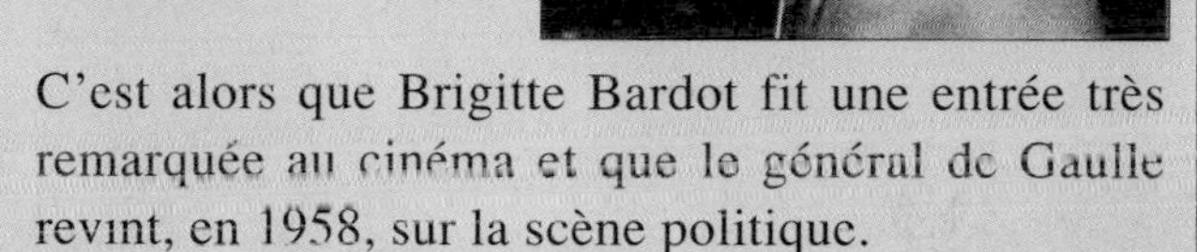

C'est alors que Brigitte Bardot fit une entrée très remarquée au cinéma et que le général de Gaulle revint, en 1958, sur la scène politique.
Mais il ne faut pas oublier que ce fut aussi l'époque du désastre en Indochine et du début de la guerre d'Algérie !

Est-ce que vous les avez déjà vus ?

1. Qu'évoquent pour vous les photos ci-dessus ?
2. Qu'est-ce qui se passait dans les années 50 dans votre pays ?

Quels furent les événements marquants des années 50 en France ?

1. Quelle fut la voiture de prestige de l'après-guerre ? Qu'est-ce qu'elle avait de particulier ?
2. Comment l'information se répandit-elle ? Quels étaient les grands noms dans la presse de l'époque ?
3. Quand fut retransmis le premier match de football à la télévision ? Quelles équipes jouaient ?
4. Quand fut créée Europe n°1 ? Quelles nouveautés cette station apportait-elle en matière de radio ?
5. Quel nom donna-t-on au courant philosophique et littéraire créé par Jean-Paul Sartre ?
6. Dans quelles guerres la France était-elle engagée ? Comment se termina l'expédition d'Indochine ?
7. Quel grand événement politique eut lieu en 1958 ?

Faites un rapide bilan des années 50.

(Vie sociale, économique, artistique, politique.)

Comparez les années 50 à l'époque actuelle.

À l'époque il y avait peu de voitures dans les rues et elles roulaient moins vite que maintenant.

À PRENDRE AVEC DES GANTS

8

1 Qu'est-ce qui se passe ?

Regardez les dessins.

1. Où se trouve le commissaire Berthier ? Qui le fait entrer ?
2. À quel milieu social appartient cette femme ? Relevez tous les détails qui vous permettent de répondre.

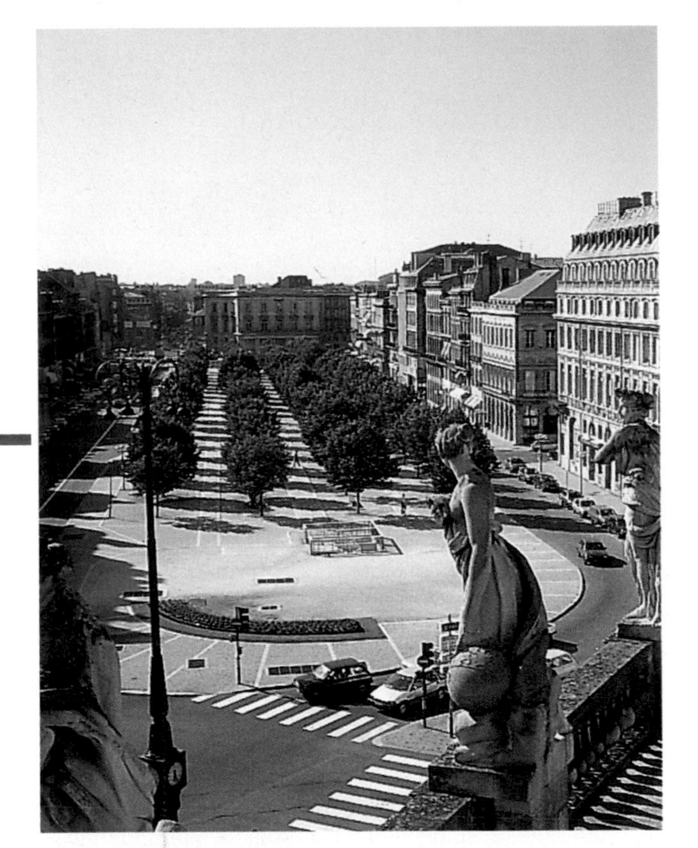

Allées de Tourny (Bordeaux).

 Vrai ou faux ?

Rétablissez la vérité si nécessaire.

1. Mme Beaulieu reçoit le commissaire dans le hall d'entrée.
2. Norbert travaille chez Mme Beaulieu depuis quelques mois.
3. Au moment de l'affaire, Fabrice Beaulieu était architecte.
4. Les gens qui voulaient acheter les terrains n'étaient pas des gens bien.
5. Ils voulaient acheter ces terrains pour y vivre.
6. Beaulieu est parti parce qu'il a touché de l'argent.
7. La police cherchait toujours Beaulieu au moment de sa mort.
8. Mme Beaulieu va hériter de son mari grâce au testament.

3 Il y va en douceur !

Le patron du commissaire Berthier lui a conseillé de faire son enquête « en douceur ». Relevez trois phrases qui montrent que le commissaire obéit à son chef.

 Dites-le autrement.

Trouvez dans le texte des expressions d'un niveau de langue soutenu équivalentes à ces expressions plus familières.

1. Je vais dire que vous êtes là.
2. Je suis un peu en retard. Excusez-moi.
3. C'étaient des gens bien.
4. Elle n'y a jamais pensé.
5. Je crois que non.

 Changez de peau !  

1. Écoutez les dialogues ci-dessous. Quel est le plus familier ? Citez des phrases de sens proche mais dont le niveau de langue diffère (ton familier ≠ ton plus mondain, plus formel).
   - Ah, chère amie, quel plaisir de vous voir !
   - Je suis désolée de vous déranger, je faisais quelques courses dans votre quartier. Je voudrais bien saluer votre femme.
   - C'est très aimable à vous. Vous permettez, je vais la prévenir de votre visite...
   - Tiens, bonjour Sophie, ça fait plaisir de te voir.
   - Excuse-moi, mais je passais dans le quartier. Je suis montée dire bonjour à Nicole.
   - C'est sympa. Bouge pas, je vais lui dire que tu es là.
2. Écoutez l'échange entre M. Mouret et la secrétaire de M. Lambert. Puis jouez une scène semblable en changeant la situation. Quelqu'un (frère, amie) vous annonce l'arrivée d'un(e) ami(e). Vous ne pouvez pas le / la voir tout de suite (vous êtes au téléphone par exemple) et vous faites attendre...

C'ÉTAIT DES GENS BIEN INFORMÉS.

ALLÉES DE TOURNY, BORDEAUX.

"IL A PRÊTÉ DE GROSSES SOMMES D'ARGENT À UN GROUPE DE PROMOTEURS POUR L'ACHAT DE TERRAINS."

.../...

.../...

"C'EST ALORS QU'IL A PRIS PEUR. LES INTÉRÊTS EN JEU ÉTAIENT TRÈS GROS ET LES RESPONSABLES HAUT PLACÉS!"

8

6 Qu'est-ce que vous avez appris ?

1. Sur Fabrice Beaulieu.
2. Sur la famille.
3. Sur l'affaire « Rêve 2000 ».

Prenez sa place !

Comment continueriez-vous l'enquête si vous étiez à la place du commissaire Berthier ?

J'irais voir les personnes qui travaillent à la banque. Je leur demanderais...

Il sera bientôt sur pied ! 

Écoutez le dialogue et relevez les énoncés qui permettent d'atténuer le choc causé par une mauvaise nouvelle.

Annoncer une mauvaise nouvelle avec précaution
J'ai quelque chose à te dire. Ne t'inquiète pas, ce n'est pas grave. Il y a eu plus de peur que de mal. C'est une affaire de quelques jours. Il sera vite sur pied.

Jeu de rôle. 

Un de vos amis a eu un accident de voiture. Il est blessé. Vous devez l'annoncer à sa femme. Vous le lui dites avec précaution. Elle veut savoir comment ça s'est passé, où il est, ce qu'il a, ce qu'ont dit les médecins, etc.

Interview. 

Vous êtes enquêteur pour un institut de sondage et vous interviewez des jeunes pour savoir ce qu'ils pensent de la vie de leurs parents quand ils avaient leur âge. Vous leur demandez ce qui a changé en mieux, en pire, ce qu'ils aimaient de cette époque, s'ils en parlent avec leurs parents et ce qu'ils en pensent. Préparez l'interview avec un(e) autre étudiant(e) et jouez la scène.

INTONATION : ARTICULATION MONTANTE-DESCENDANTE

■ **L'articulation montante-descendante** se situe souvent entre le groupe sujet et le groupe verbe :

Les années 50 // furent la décennie de l'art et des artistes.
Les existentialistes // se retrouvaient à Saint-Germain-des-Prés.

Mais elle sert souvent :
1. à diviser la phrase entre ce qui est déjà connu et ce qu'on veut présenter comme l'information nouvelle ;
2. à mettre en valeur cette information dans l'énoncé :
Les années 50 furent la décennie // de l'art et des artistes.
Les existentialistes se retrouvaient // à Saint-Germain-des-Prés.

❑ Prononcez les phrases suivantes en mettant en valeur la deuxième partie de la phrase, puis écoutez l'enregistrement.

1. Les téléspectateurs purent voir un match de football // sur leurs petits écrans.
2. Jean Vilar créa le Théâtre national populaire // en 1951.
3. La même année // fut créée une nouvelle station de radio.
4. En 1958, // le général de Gaulle revint au pouvoir.
5. Ce fut le début // de la société de consommation.

Le tragique épilogue du Cessna

Nice, le 13 mai. Le mystère entourant la disparition, depuis cinquante-sept jours, du Cessna 210 parti le 17 mars en début d'après-midi de l'aéroport de Fréjus avec cinq personnes à son bord, s'est dissipé hier matin avec la découverte sur la face nord de la montagne de Lure (Alpes-de-Haute-Provence), à 1 500 mètres d'altitude, de l'épave de l'appareil et des corps de ses occupants.

Au moment du dernier contact radio, une demi-heure après son décollage, le monomoteur survolait la Haute-Provence dans des conditions météorologiques très défavorables. Pendant une semaine les recherches mobilisèrent quatre hélicoptères et plus d'une centaine de gendarmes qui fouillèrent le terrain. Mais, le 24 mars, restées sans résultat, elles durent être abandonnées. Par la suite, les enquêteurs menèrent leurs investigations de façon sporadique en fonction des renseignements qui leur étaient communiqués.

Mais, jeudi, en début de soirée, un promeneur découvrit, dans une forêt de pins près du col de la Graille, un débris de fuselage. Il en informa les gendarmes qui envoyèrent aussitôt une patrouille sur place. À 21 h 15, l'information fut confirmée et les autorités aussitôt alertées.

En perdition dans le brouillard

À Digne toutes les dispositions furent prises pour mettre en place, dès le lendemain, un plan opérationnel de recherches. À 7 h 30, l'hélicoptère de la gendarmerie de Briançon décolla et, trois quarts d'heure plus tard, l'épave du Cessna fut repérée.

Selon les premiers éléments de l'enquête, le pilote de l'avion qui, apparemment, se trouvait en perdition dans le brouillard et la neige, voulut entreprendre un virage afin de rallier l'aérodrome de Saint-Auban à moins de 15 kilomètres à vol d'oiseau. Hélas ! et sans qu'il soit possible d'en déterminer les causes – erreur de pilotage, instruments de navigation défaillants ou perte brutale d'altitude – l'appareil heurta de l'aile le sommet d'un arbre avant de s'écraser au sol. Trois des occupants furent éjectés et sans doute tués sur le coup, alors que les deux autres passagers trouvèrent la mort dans le cockpit en flammes.

Hier, en milieu d'après-midi, cinq ambulances réquisitionnées par les gendarmes ont pris en charge les corps des victimes, qui ont été transportés à Marseille.

D'après « Nice-Matin ».

Photo d'archives : une catastrophe aérienne.

LECTURES

ANTICIPEZ

1 De quoi s'agit-il ?

Regardez les photos, le titre et le « chapeau » de l'article (le texte en caractères gras).

1. Qu'est-ce qui s'est passé ?
2. Qu'est-ce qu'un Cessna ?
3. Où a eu lieu l'accident ?
4. Y a-t-il des survivants ?
5. Depuis combien de temps le Cessna a-t-il disparu ?

METTEZ EN ORDRE

2 Distinguez les faits.

Lisez l'article du journal et remplissez le tableau ci-dessous.

Événements	Qui ?	Quoi ?	Quand ?	Où ?	Comment ?
du 17 mars					
du 12 mai					

3 Qu'est-ce qu'ils mentionnent ?

Attribuez un de ces titres à chacun des six paragraphes.

1. L'épave retrouvée
2. Premiers résultats de l'enquête
3. La gendarmerie sur les lieux
4. Des recherches infructueuses
5. Le mystère de la disparition du Cessna résolu
6. Le transport des corps à Marseille

RECHERCHEZ LES FAITS

4 Comment les distinguer ?

1. De quelle manière sont différenciés les événements du 17 mars, ceux des 11 et 12 mai, et les événements intermédiaires ? Relevez les expressions qui marquent la chronologie.
2. Comment (dans le 5e paragraphe) sont distingués les faits (qu'on peut décrire avec certitude) des suppositions ?

5 Qu'est-ce qui est arrivé ?

1. Quand a eu lieu l'accident ?
2. D'où était parti l'avion ?
3. Combien y avait-il de personnes à bord ?
4. Quand a-t-on découvert l'épave de l'appareil ?
5. Comment a-t-elle été découverte ?
6. Qu'ont fait les gendarmes ?
7. Quelle a été la cause de l'accident ?
8. Pourquoi l'avion s'est-il écrasé ?

6 Pourquoi le journaliste a-t-il utilisé ces temps ?

1. Le mystère s'est dissipé hier matin.
2. Une demi-heure après son décollage, le monomoteur survolait la Haute-Provence.
3. Les recherches mobilisèrent quatre hélicoptères.

INTERPRÉTEZ

7 Quelle est l'information essentielle ?

Écrivez un résumé de l'article.

1. Éliminez tout ce qui n'est pas essentiel. (Reportez-vous à vos réponses à l'exercice 1.)
2. Modifiez les éléments restants pour composer un texte suivi.

8 Passez à la radio !

Vous devez annoncer la nouvelle à la radio. Vous n'avez droit qu'à trente secondes du bulletin d'information. Écrivez un court texte à partir de votre résumé.

Attention ! Il s'agit d'un texte destiné à être lu aux auditeurs, portant sur des informations récentes. Quel temps allez-vous employer ?

9 Pourquoi ne l'a-t-on pas retrouvé plus tôt ?

Écoutez la déclaration du chef du groupe de gendarmerie qui a mené les recherches et dites :

1. pourquoi l'avion est resté invisible ;
2. quelles conditions étaient nécessaires pour que l'avion puisse être repéré plus tôt ;
3. quels temps utilise le chef du groupe de gendarmes pour parler des faits.

8 FAITS DIVERS

Faites vos débuts de journaliste.

Un hold-up a été commis à la grande bijouterie Alex, rue du Général-Leclerc. Les journalistes sont aussitôt sur les lieux. Voici ce qu'ils ont pu recueillir de la bouche des témoins.

Mme Gilles habite en face de la bijouterie.

« J'étais en train d'arroser mes plantes à la fenêtre. J'écoutais "le jeu des 1 000 francs" sur France-Inter. Il était une heure moins le quart. J'ai vu un homme sur le trottoir d'en face, près de la porte de la bijouterie. D'abord je n'y ai pas prêté attention. Vous savez, à cette heure-là, il y a du monde dans les rues ! Et puis une femme a voulu entrer dans la bijouterie. L'homme lui a dit quelque chose et elle est repartie. Aussitôt après une voiture s'est garée en double file devant la bijouterie.
– Vous avez reconnu la voiture ?
– Ah, ça oui. Mon fils a la même. C'était une R25 noire. Ensuite, tout s'est passé très vite. Un homme et une femme sont sortis en courant de la bijouterie. Ils portaient deux sacs. Ils sont montés dans la voiture avec celui qui faisait le guet. La voiture est partie à toute allure. C'est à ce moment que l'alarme s'est déclenchée. Cinq minutes après, la police était là. »

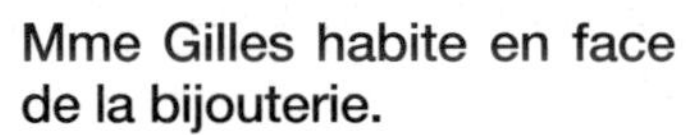

Notre deuxième témoin, Mme Lefèvre, est la personne qui a essayé d'entrer dans la bijouterie au moment du cambriolage.

« Je venais chercher une montre que j'avais donnée à réparer. Lorsque j'ai voulu entrer, un homme, très aimable, m'a dit que la bijouterie était fermée exceptionnellement pour cause d'inventaire. Cela m'a étonnée parce qu'on m'avait dit que je pouvais passer aujourd'hui, mais je n'ai pas insisté.
– Vous pourriez décrire cet homme ?
– Bien sûr. Il était assez grand, les cheveux bruns, des lunettes et une grosse moustache.
– Vous n'avez pas pensé que ça pouvait être un déguisement ?
– Sur le moment non, mais maintenant... »

Mlle Olivieri et M. Alex sont les principaux témoins de cette affaire puisque ce sont eux qui se trouvaient dans le magasin. Voici leur version des faits.

Mlle Olivieri **:** « Nous ne sommes que deux entre 12 h 30 et 14 heures. La porte est fermée, bien sûr. J'étais seule dans le magasin, M. Alex était dans son bureau. J'ai ouvert à cette femme parce qu'elle était déjà venue et qu'elle semblait être intéressée par une bague. Un homme est entré avec elle. Il m'a menacée avec un revolver. Je n'ai pas eu le temps de faire un geste. La femme m'a ligotée et baillonnée. Ensuite elle a appelé M. Alex par interphone et lui a demandé de venir. »

M. Alex : « L'homme m'attendait derrière la porte. Il m'a menacé avec son revolver et m'a demandé de le conduire aux coffres. J'ai débranché tout le système d'alarme et je lui ai ouvert les coffres. En moins de dix minutes ils ont volé pour plus de 5 millions de francs de bijoux.
– Pourriez-vous les décrire ?
– La femme est blonde, des cheveux longs jusqu'aux épaules. Pas très grande, très élégante. L'homme est brun, plutôt grand. Mais en fait, aucun signe distinctif. »

1 Rassemblez les faits et les idées.

Lisez les déclarations des témoins et prenez des notes. Avez-vous assez d'informations pour répondre aux questions suivantes : qui ? quoi ? où ? quand ? pourquoi ? comment ? Faites une grille et remplissez-la.

2 Écrivez le « chapeau ».

Si vous pouvez répondre aux six questions ci-dessus, écrivez le chapeau (l'introduction) de votre article en donnant l'essentiel de l'information.
Pourquoi certains lecteurs ne lisent-ils que le chapeau ? À quoi sert le reste de l'article ?

3 Rédigez l'article.

Continuez d'écrire votre article en traitant chacun des points suivants.

1. Donnez des détails sur les malfaiteurs.
2. Précisez l'importance de la bijouterie et la qualité des bijoux vendus.
3. Précisez le lieu et l'heure.
4. Surtout, racontez et expliquez la stratégie utilisée par les cambrioleurs. (Pourquoi ils ont choisi cette heure-là. Comment ils s'étaient organisés...)
   Quels indices aura la police pour les retrouver ?...

4 Quel temps allez-vous employer ?

1. Pour le récit.
2. Pour les circonstances.

5 Échangez vos textes entre étudiants et discutez-en.

6 Révisez vos textes en fonction des critiques et recopiez-les en vérifiant l'orthographe, la ponctuation, le découpage en paragraphes...

7 Projet libre.

Imaginez un fait divers à partir de la photo ci-dessous et du titre du journal.

ATROCE DÉCOUVERTE

RÉCAPITULATION

COMMUNICATION

- **Rapporter des événements passés**
  L'école publique obligatoire fut créée en 1793.
  Les années 50 marquèrent le début de la société de consommation en France.
- **Rapporter des circonstances passées**
  Les soldats de la Révolution avaient besoin de chaussures.
  Les gens s'éclairaient avec des lampes à huile.
- **S'excuser et se montrer aimable avec son interlocuteur**
  Navré(e) / Désolé(e) de vous avoir fait attendre.
  Je ne voudrais pas remuer de vieux souvenirs, mais...
  Je ne voudrais pas vous paraître trop brutal, mais...

GRAMMAIRE

8

8

■ Le passé simple

C'est un temps de la langue écrite, utilisé dans les œuvres littéraires, les livres d'histoire et les faits divers des journaux, presque uniquement à la troisième personne.

- **Formes régulières :**

chanter	Il / Elle **chanta**	Ils / Elles **chantèrent**
choisir	Il / Elle **choisit**	Ils / Elles **choisirent**

- **Formes irrégulières fréquentes :**
  être : Il **fut** / ils **furent** ; avoir : Il **eut** / ils **eurent** ;
  faire : Il **fit** / ils **firent** ; mettre : Il **mit** / ils **mirent** ;
  prendre : Il **prit** / ils **prirent** ; pouvoir : Il **put** / ils **purent** ;
  venir : Il **vint** / ils **vinrent** ; vouloir : il **voulut** / ils **voulurent**.

- **Emploi :**

Le passé simple n'est pratiquement jamais employé oralement. Comme le passé composé, le **passé simple** permet de rapporter des **événements passés**, mais il donne l'impression que ces événements sont vus **avec distance et objectivité**. C'est le temps généralement utilisé par les historiens :

Conté inventa la mine de crayon. (Information objective sur un fait survenu au XVIIIe siècle.)

Le **passé composé** au contraire **rapproche les événements du présent** soit dans le temps, soit par l'importance qu'ils peuvent avoir au moment où on parle :

Conté a inventé le crayon à papier. (Cette invention garde toute son importance aujourd'hui.)

1 Compréhention orale.

Écoutez l'interview suivante, puis répondez aux questions.

1. Que ferait l'homme qui est interviewé, s'il avait le choix ?
2. Quel genre de chercheur voudrait-il être ?
3. Pourquoi est-ce qu'il ne peut pas réaliser son ambition ?
4. Qu'est-ce qu'il souhaite pour ses enfants ?

2 Production orale.

Demandez à votre voisin(e) ce qu'il / elle ferait s'il / elle était contrôleur aérien, architecte, ingénieur... Changez de rôles. Puis décidez ensemble de la note de production orale que vous vous attribuez.

3 Production écrite.

Le texte ci-dessous est dans le désordre. Récrivez-le dans l'ordre.
La première phrase est le n° 3, la dernière, le numéro 4.

De la photo au cinéma.

1. Quelques années plus tard, Georges Méliès introduisit le merveilleux et le fantastique.
2. Les deux frères, Auguste et Louis, fabriquèrent le premier cinématographe en une nuit.
3. Deux Français, Niepce et Daguerre, inventèrent la photo en 1833.
4. et qui lança le cinéma à la conquête du rêve et de la poésie.
5. Mais il fallut encore attendre soixante ans avant que l'image fixe se transforme en image animée.
6. C'est lui qui créa les premiers décors et les premiers effets spéciaux
7. Puis Louis Lumière filma des scènes de la vie de tous les jours.
8. C'est en 1895 que les frères Lumière mirent au point un système d'entraînement de la pellicule.
9. Les premières photographies s'appelèrent les daguerréo types, du nom de l'un des deux inventeurs.
10. Ce fut le début du courant réaliste.

DES MOTS ET DES FORMES

4 Composez un réseau autour du mot « stress ».

Associez des mots à la notion de stress et organisez-les en réseau.

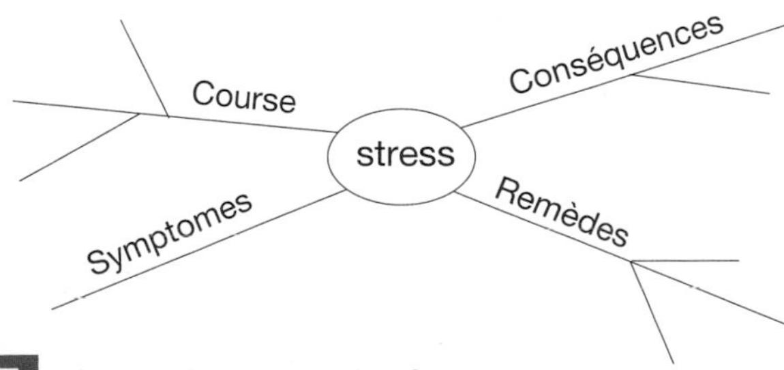

5 Que feriez-vous faire ?

Vous venez de prendre possession d'une vieille maison en très mauvais état.
Qu'est-ce que vous feriez faire avant de l'habiter ? Pensez à réparer, remplacer, reconstruire, nettoyer, aménager, peindre...

6 Conseillez-les.

Utilisez le conditionnel.

1. Jean fume 20 cigarettes par jour. —> Vous...
2. Annie ne travaille pas assez. —> tu...
3. Charles dépense trop. —> tu...
4. Nathalie ne pense qu'à elle. —> Vous...

7 Qu'est-ce qui se passerait si...

...vous travailliez trop ? —> je serais stressé(e).

1. ... vous mangiez trop ?
2. ... vous aviez beaucoup de fièvre ?
3. ... vous perdiez totalement la mémoire ?
4. ... vous décidiez de partir pour un long voyage ?

Vous savez vous en servir ?

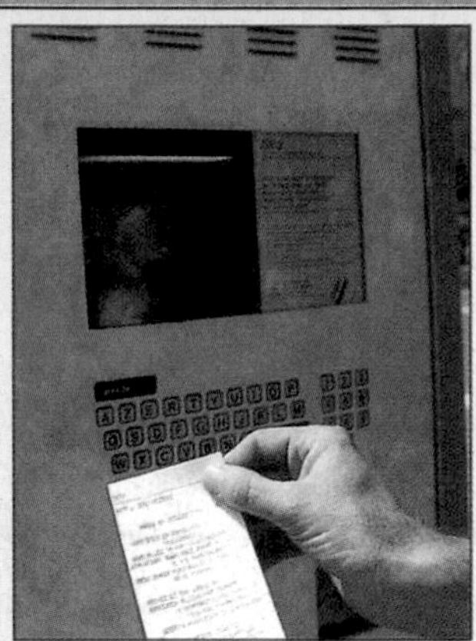

SITU RATP

VOUS UTILISEZ LE NOUVEAU SITU
PARIS-BANLIEUE.

VOUS ETES 109 BOULEVARD VOLTAIRE,
PARIS 11EME
VOUS ALLEZ STATION BASTILLE
VOUS AVEZ ECRIT :
BASTILLE
VOTRE CHOIX POUR PRENDRE LE BUS
SEULEMENT

PRENEZ LE BUS LIGNE 69
DIRECTION CHAMP DE MARS-SUFFREN
A VOLTAIRE-LEON BLUM
(FACE AU 136 RUE DE LA
ROQUETTE)
JUSQU'A BASTILLE-RUE ST ANTOINE

VOUS METTREZ ENVIRON DIX MINUTES.

AU DOS DU SITU, LE PLAN DU QUARTIER
ET SUR MINITEL, 3616 SITU.
A BIENTOT.

Itinéraire Situ

Trouvez facilement votre chemin dans Paris. Interrogez les postes Situ.

La télécarte

Utilisez-la
pour téléphoner.
Achetez-la
dans les postes
et les bureaux de tabac.

Un panneau d'information

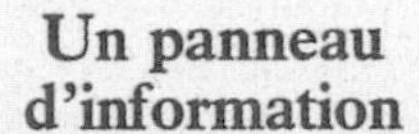

Informez-vous en lisant les panneaux.

mairie de paris
informations

FESTIVAL CHOPIN
A BAGATELLE
BOIS DE BOULOGNE
TOUS LES JOURS
A 12H30
SAM.ET DIM. A 15H

Le Minitel

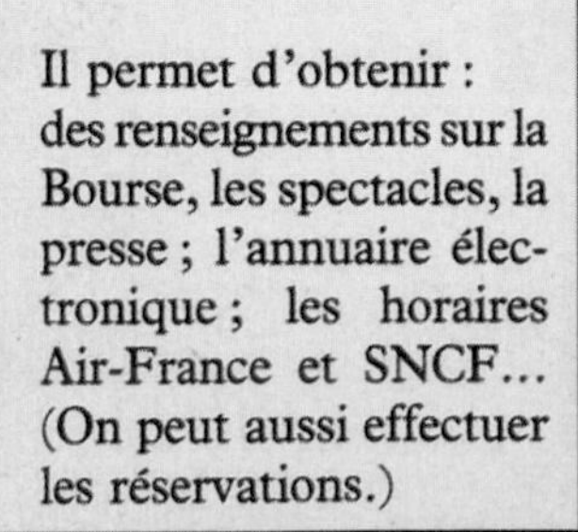

Il permet d'obtenir : des renseignements sur la Bourse, les spectacles, la presse ; l'annuaire électronique ; les horaires Air-France et SNCF... (On peut aussi effectuer les réservations.)

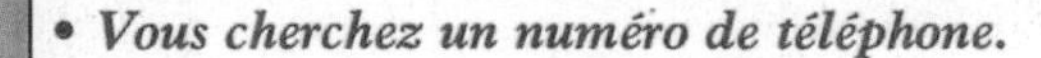

- ***Vous cherchez un numéro de téléphone.***

– Vous pouvez consulter l'Annuaire dans les postes ou les cafés.

– Composez le 12, vous demandez le renseignement à l'opérateur / l'opératrice des Télécom.

– Interrogez le Minitel en composant le 11.

- ***Vous voulez faire une réclamation téléphonique.***

Composez le 13 et expliquez votre problème à l'opérateur / l'opératrice.

- ***Vous pouvez vous faire appeler de l'étranger.***

Donnez le numéro d'appel d'une cabine située près de chez vous ou dans une poste.

- ***Vous voulez appeler hors de France.***

– *Je voudrais un numéro en Floride.*
– *Oui, dans quelle ville ?*
– *Orlando.*
– *Quel numéro ?*
– *Le 345-3780.*
– *Vous connaissez le code ?*
– *Oui. C'est le 407.*
[En cas de PCV :*
– *Quel est le nom de votre correspondant ?*
– *Monsieur Robert Richards.*
– *C'est de la part de qui ?*
– *De monsieur Delcour.]*
– *Bien. Attendez un instant. Je compose votre numéro... Voilà. Vous pouvez parler. Votre correspondant est en ligne.*

* La communication est payée par la personne que l'on appelle.

Souvenez-vous :

Paris-province : 16 + 8 chiffres
Province-Paris : 16 + 1 + 8 chiffres
Province-province : 8 chiffres
International : 19 + indicatif du pays
+ indicatif de la ville
+ numéro du correspondant

DOSSIER 9

ON N'ARRÊTE PAS LE PROGRÈS.

VOUS ALLEZ PARLER DE :

- l'Eurotunnel, son histoire et sa construction
- Mermoz et l'Aéropostale
- dépêches d'agence et d'articles de journaux

VOUS ALLEZ APPRENDRE À :

- demander et donner des informations
- exprimer l'étonnement
- faire des hypothèses à propos de faits passés
- faire des reproches

VOUS ALLEZ UTILISER :

- le plus-que-parfait et le futur antérieur
- le conditionnel passé

Changer d'espace.

En avion

Le passager s'informe :

– Vous pouvez m'indiquer les horaires ?
– Combien coûte le billet aller / aller-retour pour...
– Il y a des tarifs spéciaux ?
– Je voudrais réserver une place pour le vol...
– À quelle heure faut-il arriver à l'aéroport ?

L'employé(e) répond :

– Il n'y a plus de place sur le vol...
– Je peux vous proposer une autre compagnie.
– Il n'y a pas de tarifs spéciaux sur ce parcours.

Pour vous y rendre : prenez un bus... ou le métro. C'est souvent plus rapide !

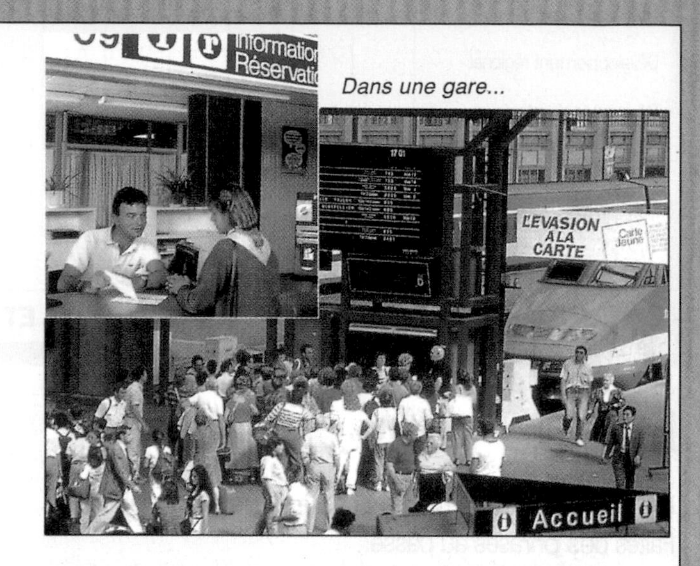

Dans une gare...

En train

Le passager :

– À quelle heure est le prochain train pour Marseille ?
– À quelle heure est-ce qu'il arrive à Lyon ?
– Est-ce qu'il faut réserver sa place ?
– Est-ce qu'il y a un supplément à payer ?
– Je voudrais réserver deux couchettes pour le 22.
– Est-ce qu'il existe des réductions sur ce parcours ?
– Est-ce qu'il y a un wagon-restaurant / une voiture bar ?
– Sur quel quai se trouve le train pour... ?
– Est-ce que le train est à l'heure ? en retard ?
– Je n'ai pas pu utiliser ce billet. Est-ce qu'on peut me le rembourser ? Où faut-il s'adresser ?

L'employé(e) :

– Le train pour Lyon part à 7 h 34 et arrive à 9 h 25.
– La réservation n'est pas obligatoire, sauf pour le TGV.
– Quelle place désirez-vous ? Fumeur, non fumeur, coin fenêtre, coin couloir, dans le sens de la marche ?

Activités

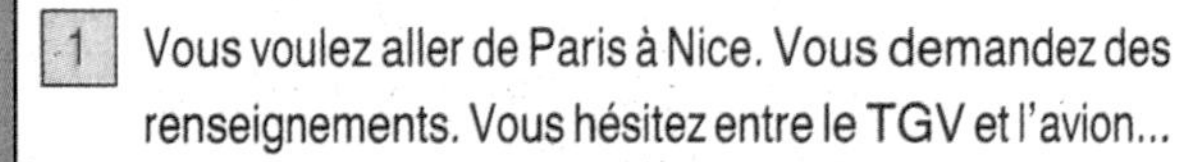

1. Vous voulez aller de Paris à Nice. Vous demandez des renseignements. Vous hésitez entre le TGV et l'avion...
2. Vous avez acheté un billet de train et réservé votre place mais vous ne pouvez pas prendre le train prévu. Vous demandez qu'on vous change le billet ou qu'on vous le rembourse. L'employé(e) fait quelques difficultés.

DOSSIER 11

DE QUOI DEMAIN SERA-T-IL FAIT ?

VOUS ALLEZ PARLER DE :
- futurologie
- problèmes de société
- l'innovation technologique
- la déclaration des droits de l'homme

VOUS ALLEZ APPRENDRE À :
- exprimer la conséquence
- faire des hypothèses
- dégager votre responsabilité
- protester

VOUS ALLEZ UTILISER :
- les doubles comparatifs
- des propositions subordonnées de conséquence
- des modalisations

Un monde sans travail

Une chaîne de montage dans l'industrie automobile.

« Metropolis », film de Fritz Lang (1926).

11

Une conséquence du développement rapide des technologies de l'information apparaît dès maintenant certaine. Les nouvelles technologies, systèmes informatisés et robotique, vont, peu à peu, remplacer l'homme, si bien que nous nous dirigeons vers une forme de société où le travail humain aura de moins en moins de place. Il faut nous y préparer car cet horizon n'est pas aussi calme qu'on pourrait le supposer. Pour stimuler la réflexion sur les innombrables problèmes qui vont se poser, voici trois scénarios imaginés par le professeur David Macarov pour la période de transition.

1 Reconnaître le caractère inévitable de la disparition progressive du travail humain n'ira pas sans peine car il faudra changer bien des attitudes. En particulier, la valeur morale du travail, qui est actuellement un des fondements de nos sociétés, devra être remise en question. Cependant, des politiques sociales pourront être mises en œuvre pour y faire face :

• porter les allocations de chômage à un niveau tel que ceux qui aiment véritablement le travail seraient les seuls à travailler ;

• prêter de l'argent aux travailleurs pour qu'ils achètent les machines qui les remplaceraient ;

• former des groupements communautaires où les ressources seraient également partagées entre tous les membres...

2 À l'autre extrême, il est possible qu'au lieu de changer, les attitudes des gens se durcissent et qu'ils résistent de toutes leurs forces à l'évolution nécessaire.

• Les emplois devenant de plus en plus rares, les gens lutteront de plus en plus durement pour en obtenir, si bien qu'ils seraient capables d'aller jusqu'à la révolte.

• Les emplois se diviseront en deux catégories très différentes. D'un côté les emplois de haut niveau, de grande responsabilité, très bien payés, et de l'autre les emplois non qualifiés, sans intérêt et très peu payés, de telle sorte que les oppositions et les antagonismes entre chômeurs, ouvriers non qualifiés et personnel de haut niveau deviendront inévitables.

3 C'est la variante romantique : on essaierait de réaliser harmonieusement le passage à la société sans travail. On pourrait encourager, par exemple, chaque travailleur à mettre au point la machine qui pourrait le remplacer.

Les valeurs morales attachées au travail ne seraient plus valorisées. Par contre, on encouragerait les gens à être de bons citoyens, à se consacrer à des œuvres humanitaires et à des activités culturelles désintéressées, à mieux connaître la nature... Pourquoi pas ?

Dans tous les cas il y a matière à réflexion !

D'après David Macarov,
« Un monde quasiment sans travail : comment s'y préparer »,
Revue internationale du travail, n° 6, vol. 124.

1 De quoi s'agit-il ?

Lisez le titre et la référence du texte.

1. D'où est tiré ce texte ? La référence vous paraît-elle sérieuse ?
2. Est-ce qu'il s'agit d'une description de la réalité sociale actuelle ? Pourquoi l'auteur emploie-t-il le mot « scénario » ?

2 Quel scénario ?

Lisez le texte. Dites à quel scénario correspondent les trois adjectifs suivants : romantique, pessimiste, optimiste.

LES DOUBLES COMPARATIFS

Trouver un emploi va devenir **de plus en plus** difficile.
Il y aura **de moins en moins** de travail.

3 Que va-t-il se passer ?

Complétez avec « de plus en plus » ou « de moins en moins ».

1. Le travail va devenir .... rare.
2. Cela va entraîner .... de problèmes.
3. La valeur morale du travail sera .... remise en question.
4. L'informatique et la robotique prendront .... de place.
5. On assistera à des oppositions ...... violentes.

4 Comment les regrouper ?

Mettez ensemble le mot et son équivalent.

1. Stimuler	*a)* Conflit, lutte
2. Ne pas aller sans peine	*b)* Presque
3. Fondement	*c)* Appliquer
4. Mettre en œuvre	*d)* Poser des problèmes
5. Antagonisme	*e)* Encourager
6. Quasiment	*f)* Base

5 Comment le texte est-il construit ?

Relisez le texte et complétez en notant les idées principales.

Le travail va se faire de plus en plus rare.
....
....
....

1 Raisonnable
....
....
Trois propositions
....
....

2 Catastrophique
....
....
Deux conséquences
....

3 Romantique
....
....
Deux possibilités
....

....

6 Quelles en seraient les conséquences ?

Complétez les phrases.

1. Dans le scénario optimiste, les allocations de chômage seront portées à un tel niveau que...
2. On prêterait de l'argent aux travailleurs de telle sorte que...
3. Dans le scénario pessimiste, le travail deviendrait si rare que...
4. Ceux qui travailleraient devraient donner une proportion si grande de leur salaire pour aider les autres que...
5. Il y aurait si peu d'emplois de haut niveau que...
6. Dans le scénario romantique, les gens auraient tellement d'occupations plus intéressantes que...

7 Qu'en pensez-vous ?

1. Par quoi pourrait-on remplacer la valeur morale du travail ?
2. Les solutions proposées dans le premier scénario vous paraissent-elles raisonnables et efficaces ?
3. Que pensez-vous des propositions romantiques ?
4. Que pensez-vous de la possibilité de disparition du travail humain ? Est-ce, à votre avis, une hypothèse raisonnable ?

EXPRIMER LA CONSÉQUENCE

La cause est exprimée dans la principale et l'effet (ou la conséquence) dans la proposition subordonnée.
La conséquence est le plus souvent exprimée à l'indicatif.

a. si / tellement + adjectif / nom + que + proposition :
Le travail sera **si** rare **que** les gens se battront pour en avoir.

b. conjonction de conséquence + proposition
Les nouvelles technologie remplaceront l'homme
si bien que / **à tel point que** } le travail humain disparaîtra.

« Ici le commandant Chartier, qui, au nom de l'équipage du Sartrair, *vous souhaite la bienvenue à bord du vol 2001 d'Air Espace à destination de la galaxie du Bélier. Notre vitesse de croisière est de 1 350 nœuds spatiaux et nous comptons atteindre notre destination dans trois années-lumière. Nous survolons en ce moment Mars et nous allons quitter le système solaire dans quelques minutes. »*

Colonisez une nouvelle planète.

Votre groupe part coloniser une planète inconnue, Éclar. Vous disposez de moyens technologiques et financiers sans limites. Vous emportez même un transformateur de matière !
On sait seulement qu'Éclar a trois continents : Primatus, Luxus, et Perfectus.

Primatus est habité par des grands singes qu'on peut facilement faire travailler mais son climat est difficile à supporter.

Luxus a un climat tempéré, une végétation abondante, et on y trouve des animaux dangereux. Il est inhabité.

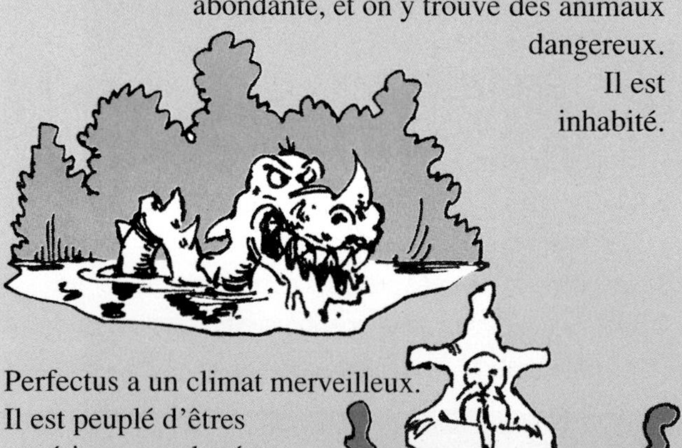

Perfectus a un climat merveilleux. Il est peuplé d'êtres supérieurs, surdoués mais insensibles, qui ont créé une société parfaitement organisée.

Sur quel continent désirez-vous débarquer ?

Avant de vous décider, vous serez donc obligés de faire un premier choix de société en considérant les avantages et les inconvénients présentés par chacun des trois continents.

Si vous avez choisi Luxus ou Primatus, l'heure des grandes décisions est arrivée. Quel type de société allez-vous édifier ? Sera-t-elle axée sur le développement technique, la transformation des ressources de la planète et la productivité, ou sur le loisir, la création et les relations interpersonnelles.

Entre ces deux extrêmes, de nombreuses solutions intermédiaires sont possibles. Mais vous aurez ensuite à résoudre tous les problèmes sociaux, économiques et politiques créés par votre choix initial. Qui gouvernera ? Qui planifiera l'économie ? Quel système d'éducation y aura-t-il ?

Par exemple, si vous avez opté pour « une société d'abondance où tout le monde recevrait selon ses besoins après avoir donné selon ses moyens », vous serez amenés à vous demander ce qu'on fera des parasites, comment on décidera des besoins de chacun, ce qu'on fera faire aux uns et aux autres en échange... Vous aurez à discuter de démocratie, d'égalité des salaires, d'accès gratuit à la santé et à la justice, de dialogue et de communication...

Ces réflexions vous feront peut-être tirer la conclusion que, quand on oppose l'imaginaire et la réalité, les possibilités d'innovation des concepteurs et des constructeurs sont assez réduites, surtout quand on essaie d'obtenir l'accord de tous !

Inspiré de *Cap sur l'avenir*, publié par l'Office franco-québécois pour la jeunesse.

8 De quoi s'agit-il ? 

1. Regardez les illustrations et le titre. Puis écoutez le commandant Chartier et lisez le reste du texte en prenant des notes.
2. Le texte est :
   - ❏ un reportage,
   - ❏ un jeu de créativité,
   - ❏ un article critique,
   - ❏ un texte de prospective.
3. Le but du jeu est de :
   - ❏ préparer un véritable départ dans l'espace,
   - ❏ discuter de concepts fondamentaux dans toute société.
4. À quelle époque se situe cette aventure ?

9 Comment les regrouper ?

Mettez ensemble le mot et son équivalent.

1. Galaxie
2. Nœud
3. Année-lumière
4. Surdoué
5. Intermédiaire
6. Tirer la conclusion
7. Réduit

a) Qui a des qualités intellectuelles supérieures
b) Limité
c) Situe entre deux points de référence
d) Conclure, déduire
e) Unité de vitesse
f) Distance parcourue par la lumière en une année
g) Immense ensemble d'astres et d'étoiles

10 C'est si difficile qu'on n'y arrivera pas !

Complétez les phrases en imaginant une conséquence.

Les singes de Primatus sont ...... gentils ......
Les singes de Primatus sont si / tellement gentils qu'on pourra les faire facilement travailler.

1. L e climat de Primatus est ...... dur ......
2. Les animaux qui vivent sur Luxus sont ...... dangereux ......
3. Les habitants de Perfectus sont ...... supérieurs ......
4. Le choix d'une société est ...... complexe ......
5. Les possibilités d'innovation sont ...... réduites ......

11 Sur quel continent atterrir ?

Quels sont les avantages et les inconvénients présentés par les trois continents d'Eclar ?

Sur Primatus on pourrait avoir une main-d'œuvre abondante mais...

12 Qu'est-ce qui les caractérise ?

Attribuez les caractéristiques suivantes à un de ces trois types de société : d'abondance, de loisirs, égalitaire.

1. Elle est orientée vers la production de biens.
2. Elle est orientée vers la recherche du bonheur et du plaisir.
3. Les richesses sont également réparties.
4. On fait faire le travail par d'autres, humains ou machines.
5. Tout le monde doit consommer.
6. La justice sociale est l'objectif principal.

13 Pour ou contre ? 

Donnez vos arguments pour ou contre :

La démocratie directe :
pour : ce serait l'idéal ;
contre : malheureusement, elle ne peut fonctionner que dans des petites communautés.

1. l'égalité des salaires ;
2. la justice gratuite et égale pour tous ;
3. la carte magnétique individuelle pour remplacer l'argent ;
4. la société de consommation ;
5. la société de loisirs.

14 Quelle conclusion tirez-vous de ces discussions ?

1. Quel type de société pourrait-on construire sur chacun des trois continents d'Éclar ?
2. Est-ce qu'il est facile d'innover en matière de société ? Pourquoi ?
3. Est-ce que l'égalité entre les hommes serait facile à réaliser ? Pourquoi ?
4. Est-il facile d'aboutir à l'accord de tous ? Pourquoi ?
5. Accepteriez-vous de repartir à zéro ? À quelles conditions ?

À PRENDRE AVEC DES GANTS

1 De quoi s'agit-il ?

Regardez les dessins et essayez de deviner ce qui se passe.

1. De qui peuvent parler les policiers sur les premiers dessins ?
2. Qui le commissaire Berthier va-t-il interroger ? Pourquoi ?
3. Comment imaginez-vous Xavier Imbert d'après son physique et son comportement ?
4. À qui téléphone-t-il après le départ du commissaire ?

2 Où est la vérité ?

Écoutez les conversations et rétablissez la vérité.

1. Xavier Imbert ne connaissait pas Fabrice Beaulieu.
2. Mme Beaulieu n'a pas parlé du retour de son mari à Xavier Imbert.
3. Xavier Imbert a perdu sa place après le scandale.
4. Fabrice Beaulieu s'est caché en France pendant dix ans.
5. Il ne s'est rien passé dans la nuit du 15 mai.
6. Xavier Imbert était chez des amis cette nuit-là.

3 Qu'est-ce qu'ils peuvent penser à ce moment-là ?

1. Xavier Imbert :
   – « Mais il n'y a aucune raison pour... »
   – « Je ne vous permets pas... »
   – « C'est elle qui vous a dit ça ? »
2. Le commissaire :
   – « Le vôtre, entre autres ? »
   – « Elle est libre... et riche. »
   – « Oui. Entre 10 heures et 11 heures.»

4 Le commissaire Berthier est brusque.

1. Relevez les expressions qui prouvent que le commissaire Berthier ne prend pas de gants avec Xavier Imbert.
2. Quelle remarque d'Imbert lui en donne la possibilité ?
3. Le commissaire Berthier fait deux insinuations assez directes. Lesquelles ?
4. Quelle est l'attitude de Xavier Imbert au début de l'entretien ? À la fin ?

5 C'est dans le texte.

Cherchez les équivalents en langue plus soignée des expressions suivantes :

1. Je suis pressé.
2. Tourner autour du pot.
3. Il avait eu peur qu'on le descende.
4. Il connaissait trop de gens mouillés dans l'affaire.
5. Il vivait sous un faux nom.

6 Xavier Imbert pourrait-il être le coupable ?

Quelles raisons vous feraient envisager la culpabilité de Xavier Imbert ?
Appliquez le schéma : « Oui, parce que... / Non, parce que... / Oui, mais... / Non, mais... »

Oui, parce qu'il ne dit pas la vérité sur ses relations avec Mme Beaulieu.

7 Jeu de rôle. Quel est le coupable ?

Un(e) étudiant(e) soupçonne Xavier Imbert, un(e) autre Marie-Anne Beaulieu. Ils échangent leurs points de vue. Donnez un argument à la fois.

– Je t'assure que ça ne peut être que lui. il voulait épouser Marie-Anne Beaulieu.
– Mais non. Ce n'est pas le genre d'homme à assassiner quelqu'un. Moi, je te dis que c'est elle...

Dégagez votre responsabilité
Il semblerait que... Il se pourrait que... Il a pu... Il a dû... Il a peut-être... Il aurait pu... Il est possible qu'il ait... Il ne serait pas impossible qu'il ait...

ILS ÉTAIENT TRÈS LIÉS.

BAR "LE PEPLUM" : ANNEXE DU COMMISSARIAT.

11

.../...

…/…

"ENFIN, C'EST CE QU'IL LUI A DIT. IL A PRIS UNE FAUSSE IDENTITÉ. PUIS IL A PENSÉ QUE L'AFFAIRE ÉTAIT OUBLIÉE ET IL AVAIT ENVIE DE REVOIR SA FILLE."

11

8 Il se pourrait qu'il soit parti ! 

Écoutez le dialogue, puis :

1. relevez des formules exprimant des hypothèses ;
2. donnez deux raisons qui auraient poussé Duval à partir.

9 Jeu de rôle. 

Imaginez la conversation téléphonique entre Xavier Imbert et Marie-Anne Beaulieu : il lui raconte son entrevue avec Berthier, elle est inquiète, elle veut savoir ce qu'il va faire, chacun soupçonne l'autre d'avoir tué ou fait tuer Fabrice, ils se défendent, il / elle donne des conseils à l'autre, etc. Jouez la scène.

10 jeu de rôle. 

Vous êtes architecte dans une grande entreprise. Votre patron vous demande de faire un projet pour la construction d'une ville nouvelle idéale.
Vous discutez avec lui des idées que vous avez.
Vous lui parlez des écoles, des moyens de transport, des parcs de loisir pour les jeunes et les personnes âgées...
Il n'est pas toujours d'accord avec vous...

INTONATION : L'IMPLICATION 

■ Dans l'implication, l'intonation de la phrase reste en suspens, indiquant que le sens de l'énoncé n'est pas terminé. C'est à l'interlocuteur de deviner ce qui n'est pas dit :

Le vôtre, entre autres !

L'intonation implique (fait comprendre) qu'Imbert faisait partie des gens qui menaçaient Fabrice Beaulieu.

❑ Prononcez les phrases suivantes, puis écoutez l'enregistrement et corrigez-vous si nécessaire.

1. Vous vous en souvenez avec précision. Félicitations !
2. S'ils apprenaient qu'on soupçonne Mme Beaulieu ...
3. Tu dois être soulagée ...
4. Nous étions deux à savoir que Fabrice était là ...
5. Puisqu'on nous offre une subvention ...

ANTICIPEZ

1 Avez-vous réfléchi à la notion de progrès technique ?

1. Pouvez-vous citer des innovations techniques importantes ?
2. Comment ont-elles été réalisées ? Par qui ?
3. D'où viennent les idées des inventeurs ?

2 Quels sont les mots clés ?

Lisez le texte et relevez les dix mots qui vous paraissent les plus importants.

L'innovation et les techniques dites nouvelles sont des mots qui évoquent, pour la plupart des gens, des laboratoires remplis de chercheurs. La recherche fondamentale permet de mieux comprendre les lois de la nature : les connaissances scientifiques ainsi obtenues sont ensuite exploitées par d'autres chercheurs et des ingénieurs pour mettre au point des techniques, des produits nouveaux.

Parfois, cela se passe ainsi. Souvent, il en va tout autrement. Car le hasard, l'intuition et l'empirisme, c'est-à-dire une connaissance concrète bâtie sur l'observation, jouent un rôle déterminant. Il y a deux siècles, les premières machines à vapeur fonctionnaient et faisaient progresser la technique, bien avant qu'on sache expliquer scientifiquement leur principe : la science correspondante, la thermodynamique, ne se développera qu'ensuite...

Louis Pasteur lors d'une expérience.

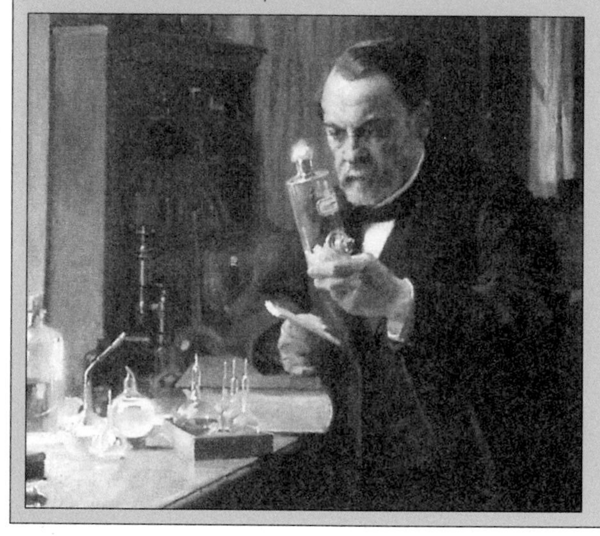

METTEZ EN ORDRE

3 Quelle est l'idée centrale du texte ?

1. Sur quelle opposition l'auteur articule-t-il son texte ?
   a) innovation / connaissance scientifique ;
   b) recherche fondamentale / empirisme ;
   c) progrès technique / perfectionnement ?
2. Dans quels paragraphes cette idée est-elle exprimée et développée ?
3. Quelle idée domine le texte ?
   a) La recherche fondamentale est à la base de toute innovation.
   b) Il faut être spécialiste dans un domaine pour le faire progresser.
   c) L'empirisme a un rôle très important à jouer dans la mise au point de techniques et de produits nouveaux.

4 Comment s'articule le texte ?

Retrouvez les idées principales et complétez le texte suivant.

La plupart des gens pensent que... C'est en partie vrai, mais... Donc le progrès technique est dû à ...

RECHERCHEZ LES FAITS

5 Vrai ou faux ?

Rétablissez la vérité si nécessaire.

1. Seule la recherche fondamentale permet l'innovation.
2. Une innovation technique précède souvent les explications théoriques.
3. Peu de grandes innovations ont été réalisées en dehors des laboratoires de recherche.
4. De bons résultats pratiques valent mieux que des explications.
5. Seuls les spécialistes d'un domaine innovent efficacement.
6. Tout le monde peut faire progresser les applications pratiques.

6 C'est dans le texte !

Trouvez : une explication, une affirmation renforcée, une simple hypothèse.

L'aventure de l'innovation technologique

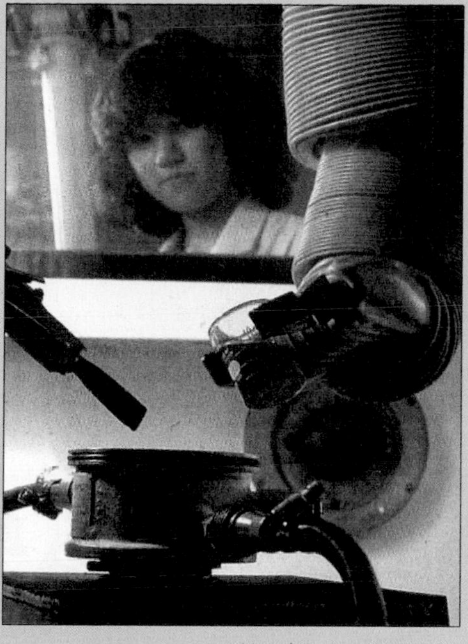

Un robot dans l'industrie.

En technique, ce qui compte, ce sont les résultats, pas les moyens, et encore moins les explications... Il faut réaffirmer avec force l'importance de l'empirisme. C'est lui qui a permis à l'ouvrier belge Zénobe Gramme (1826-1901) d'inventer au siècle dernier le moteur électrique, sans se laisser intimider par les conclusions des scientifiques de l'époque : une commission de savants s'était spécialement réunie pour démontrer que le moteur électrique ne pouvait pas fonctionner pour des raisons théoriques...

Les exemples d'innovations qui ne sont pas nées dans de grands laboratoires de recherche sont en fait très nombreux. Il est important de constater que leurs auteurs n'appartiennent très souvent pas au métier qu'ils vont bouleverser : il semble qu'il faille ne pas être spécialiste dans un domaine pour oser imaginer des solutions vraiment nouvelles... Ainsi, Louis Pasteur (1822-1895), le père de la microbiologie, qui a tant fait pour la santé, n'était ni médecin, ni biologiste de formation, mais chimiste et physicien. Plus près de nous, l'inventeur de la carte à mémoire n'est pas un électronicien, mais un journaliste français sans formation scientifique, mais passionné d'électronique : Roland Moreno. Il a eu l'idée, en 1972, d'introduire dans une carte de crédit un microprocesseur qui garde dans sa mémoire le souvenir de tous les achats réalisés et peut donc indiquer combien d'argent reste disponible sur le compte en banque.

Il a fallu plus de dix ans pour passer de l'idée au lancement massif des cartes à mémoire, monnaie électronique, avec la commande par les postes françaises, les télécommunications et les banques de 16 millions de cartes...

L'expression « progrès technique » recouvre deux réalités différentes. Il y a le perfectionnement d'une technique, obtenu en général grâce à l'effort des chercheurs : on fait des circuits électroniques de plus en plus puissants, des centrales nucléaires de plus en plus grandes, des avions, des trains de plus en plus aérodynamiques. Et puis, il y a la progression des applications pratiques, et c'est là que l'imagination de tous devient très importante.

Extrait de *Vivre la révolution de l'Intelligence*, André-Yves Portnoff, Éd. Sciences & Techniques et ministère des Affaires étrangères.

11

INTERPRÉTEZ

7 Comment l'auteur essaie-t-il de convaincre ses lecteurs ?

1. De quelle idée généralement admise part-il ?
2. Qu'est-ce qui montre, dès la deuxième ligne qu'il n'est pas d'accord avec cette idée ?
3. Quelle est l'idée centrale de chacun des paragraphes 3 et 4 ?
4. Quel genre de preuves l'auteur donne-t-il pour justifier ses affirmations ?

8 Peut-on l'affirmer ?

Les affirmations suivantes sont-elles en accord avec le texte ? Sinon, corrigez-les.

1. L'innovation peut être une aventure.
2. L'empirisme, la « connaissance concrète bâtie sur l'observation », a été le seul facteur de progrès de l'humanité.
3. Le raisonnement de l'auteur du texte appartient plus au passé qu'à l'avenir.
4. La recherche pure est inutile dans le domaine technologique.
5. Il vaut mieux ne pas être spécialiste d'un domaine pour innover dans ce domaine.

DÉCLARATION DES DROITS DE L'HOMME & DU CITOYEN

Les représentants du peuple français, constitués en ASSEMBLÉE NATIONALE, *considérant que l'ignorance, l'oubli ou le mépris des droits de l'homme sont les seules causes des malheurs publics et de la corruption des gouvernements, ont résolu d'exposer, dans une déclaration solennelle, les droits naturels, inaliénables et sacrés de l'homme, afin que cette déclaration, constamment présente à tous les membres du corps social, leur rappelle sans cesse leurs droits et leurs devoirs : afin que les actes du pouvoir législatif, et ceux du pouvoir exécutif, pouvant être à chaque instant comparés avec le but de toute institution politique, en soient plus respectés ; afin que les réclamations des citoyens, fondées désormais sur des principes simples et incontestables, tournent toujours au maintien de la Constitution et au bonheur de tous. En conséquence, l'Assemblée nationale reconnaît et déclare, en présence et sous les auspices de l'Être suprême, les droits suivants de l'homme et du citoyen.*

I. Les hommes naissent et demeurent libres et égaux en droits. Les distinctions sociales ne peuvent être fondées que sur l'utilité commune.

II. Le but de toute association politique est la conservation des droits naturels et imprescriptibles de l'homme. Ces droits sont la liberté, la propriété, la sûreté et la résistance à l'oppression.

III. Le principe de toute souveraineté réside essentiellement dans la nation. Nul corps, nul individu ne peut exercer d'autorité qui n'en émane expressément.

IV. La liberté consiste à pouvoir faire tout ce qui ne nuit pas à autrui ; ainsi l'exercice des droits naturels de chaque homme n'a de bornes que celles qui assurent aux autres membres de la société la jouissance de ces mêmes droits. Ces bornes ne peuvent être déterminées que par la loi.

V. La loi n'a le droit de défendre que les actions nuisibles à la société. Tout ce qui n'est pas défendu par la loi ne peut être empêché, et nul ne peut être contraint à faire ce qu'elle n'ordonne pas.

VI. La loi est l'expression de la volonté générale. Tous les citoyens ont droit de concourir personnellement, ou par leurs représentants, à sa formation. Elle doit être la même pour tous, soit qu'elle protège, soit qu'elle punisse. Tous les citoyens étant égaux à ses yeux sont également admissibles à toutes dignités, places et emplois publics, selon leur capacité, sans autre distinction que celle de leurs vertus et de leurs talents.

VII. Nul homme ne peut être accusé, arrêté, ni détenu que dans les cas déterminés par la loi, et selon les formes qu'elle a prescrites. Ceux qui sollicitent, expédient, exécutent ou font exécuter des ordres arbitraires, doivent être punis : mais tout citoyen appelé ou saisi en vertu de la loi doit obéir à l'instant ; il se rend coupable par la résistance.

VIII. La loi ne doit établir que des peines strictement et évidemment nécessaires, et nul ne peut être puni qu'en vertu d'une loi établie et promulguée antérieurement au délit et légalement appliquée.

Extrait de la *Déclaration des droits de l'homme et du citoyen,* d'après un document imprimé au Moulin-Richard-de-Bas (Ambert).

Pour une société nouvelle

1 Que contient la « Déclaration des droits de l'homme et du citoyen » ?

Lisez ces huit premiers articles de la « Déclaration des droits de l'homme et du citoyen ».

1. Quel est le point traité dans chaque article ?
2. Quel est l'esprit du texte ?
   - ❑ Il impose.
   - ❑ Il propose.
   - ❑ Il recommande.
   - ❑ Il traite de vérités générales.
3. Le texte est-il assez précis, d'après vous ?
4. Le texte couvre-t-il tous les cas importants ?
5. Le texte est-il applicable partout ?

Nouvelles déclarations des droits de l'homme, de la femme et de l'enfant.

Les choses ont bien changé depuis deux siècles. Les conditions de vie et les mentalités ont partout évolué. La « Déclaration des droits de l'homme », qui continue à servir de référence, peut vous paraître dépassée...

Imaginez que vous soyez le rédacteur d'une commission chargée par une organisation internationale de proposer des modifications à la déclaration originale ou de rédiger des déclarations séparées pour les droits de la femme et ceux de l'enfant.

2 Définissez votre tâche .

1. Quel aspect des droits et des devoirs intéresse le groupe ? Ceux de l'homme, de la femme, de l'enfant ? Une définition globale ?
2. À qui le texte est-il destiné ?
3. Sous quelle forme va-t-il être présenté ?
4. Quelle longueur devra-t-il avoir ?

3 Rassemblez des idées.

1. Utilisez des techniques de recherche d'idées :
   a) Faites, par exemple, une liste nouvelle des droits et des devoirs du citoyen, ou modifiez la liste de la déclaration originale.
   b) Faites des listes ou des réseaux à propos de concepts comme :
   - la liberté (de religion, d'expression, de choix de vie...),
   - les devoirs envers les autres (respect des croyances, des modes de vie...),
   - l'égalité des hommes et des femmes...

   c) Organisez un débat.
   - Des notions comme le droit à l'amour et à la tendresse, le droit de gérer son temps et son argent... peuvent-elles être incluses ?
   Les droits des enfants et ceux des adultes sont-ils compatibles ?...
2. Discutez ensuite de ces concepts par groupes de deux et rédigez un article sur chacun des cinq points que vous jugerez essentiels.
3. Les étudiants par quatre (deux groupes de deux) mettent leurs idées en commun, choisissent les cinq concepts les plus importants et se mettent d'accord sur un texte.

4 On compare alors les textes proposés par les différents groupes. On les commente collectivement et on propose des modifications.

5 Chaque groupe d'étudiants réécrit son propre texte.

RÉCAPITULATION

COMMUNICATION

- **Exprimer la conséquence**
  Les emplois seront tellement rares que la lutte sera dure.
  Les nouvelles technologies vont remplacer l'homme, si bien que notre conception du travail va en être totalement transformée.
- **Faire des hypothèses, exprimer des possibilités**
  Il se pourrait qu'il ait touché de l'argent.
  Il est possible qu'il soit resté chez lui le 15 mai.
- **Faire une implication, une insinuation**
  Votre nom, entre autres ?
  J'espère que je ne vous ai pas fait perdre trop de temps.
- **Protester**
  Je ne vous permets pas !

GRAMMAIRE

11

Les doubles comparatifs

de plus en plus / de moins en moins + adjectif

Il y aura **de plus en plus** de problèmes à résoudre.
Ça va devenir **de moins en moins** facile.

Les propositions subordonnées de conséquence

- Si / tellement + adjectif + que...
  L'accord de tous est **tellement** difficile à obtenir **que** les possibilités d'innovation en sont considérablement réduites.
- On emploie si bien que, de sorte que, de telle sorte que, à tel point que + proposition à l'indicatif pour marquer le résultat, la conséquence.
  La différence entre les salaires sera très grande **de telle sorte que** les antagonismes seront inévitables.
  Les machines vont de plus en plus remplacer les hommes **à tel point que** le travail humain sera dévalorisé.

La modalisation

On atténue la force d'une affirmation (qu'on transforme en hypothèse) grâce à l'emploi :

– d'**adverbes** comme « peut-être, sans doute, probablement » :
Il a peut-être touché de l'argent.
– du **conditionnel** :
Il aurait touché de l'argent.
– d'**expressions** comme « il semble que ... » :
Il semble qu'il ait touché de l'argent.

ou **en combinant** plusieurs des moyens ci-dessus :
Il semblerait qu'il ait touché de l'argent.

J. -M. G. Le Clézio

Il y a tellement de mots partout !

Les Maîtres du langage ont la science et la puissance. Ils savent les mots qu'il faut prononcer pour envahir[1] l'âme[2]. Ils savent les mots qui détruisent, ils savent les mots qu'il faut pour séduire les femmes, pour attirer les enfants, pour conquérir les affamés[3], pour réduire[4] les malades, les humiliés, les avides.
Ils font simplement résonner leurs syllabes délectables[5], dans le silence du cerveau, et il n'y a plus qu'eux de vivant sur terre. Les mots sont pleins de hâte[6] ; ils n'attendent pas les rêves. Quand quelqu'un, un jour, est plein de tristesse, ou de colère, les mots arrivent à toute allure, et ils remplacent la pensée. Il y a tellement de beauté, qui ne vient pas du hasard ! Elle a été créée au fond des laboratoires pour vaincre les foules. Il y a les mots ESPACE, SOLEIL, MER, les mots PUISSANCE, JEUNESSE, BEAUTÉ, AMOUR, les mots ACTION, ÉTERNITÉ, JOUISSANCE, CRÉATION, INTELLIGENCE, PASSION.
Pour ceux qui ont faim il y a PAIN, FRUITS, DÉLICES, AVENIR. Pour ceux qui meurent d'obésité[7] il y a le mot MAIGRIR, pour ceux qui meurent de solitude il y a le mot AMOUR, pour ceux qui meurent de désir il y a le mot JEUNESSE, pour ceux qui rêvent d'être des hommes il y a IMPALA, PUISSANCE, BALAFRE[8], TABAC, pour ceux qui rêvent d'être femmes, il y a GALBE[9], SÉDUIRE, ÉTERNITÉ, BEAUTÉ, pour ceux qui rêvent d'être intelligents il y a TOTUS[10], pour ceux qui rêvent de muscles il y a BODYBUILD, pour ceux qui rêvent de soleil il y a MAROC, INDE, MEXIQUE, pour ceux qui voudraient bien appeler au secours il y a S.O.S. S.O.S. S.O.S. Il y a tellement de mots partout ! Des milliers, des millions de mots. Il y a un mot pour chaque seconde de la vie, un mot pour chaque geste, pour chaque frisson[11]. Quand donc s'arrêtera ce tumulte[12] . Les Maîtres du langage enfermés dans leurs usines bouillonnantes[13] fabriquent sans cesse les mots nouveaux qui parcourent les allées du monde. Dès que les mots s'usent, dès qu'ils faiblissent[14], il y en a d'autres qui arrivent, prêts au combat.

Les Géants, éd. Gallimard, 1973.

1. *envahir :* occuper complètement.
2. *âme :* principe d'existence et de pensée, siège des sentiments et des passions.
3. *affamés :* souffrant de la faim.
4. *réduire (quelqu'un) :* conquérir, soumettre.
5. *délectable :* délicieux.
6. *hâte :* grande rapidité à faire quelque chose, précipitation.
7. *obésité :* caractéristique d'une personne anormalement grosse.
8. *balafre :* marque laissée par une coupure au visage.
9. *galbe :* ligne gracieuse d'une partie du corps humain, du membre d'un animal, d'une partie d'un meuble.
10. *Totus :* marque d'un produit qui aide la mémoire.
11. *frisson :* petit tremblement causé en général par le froid ou la peur.
12. *tumulte :* mouvement et bruit de foule.
13. *bouillonner :* en activité intense, comme de l'eau qui bout à 100°C.
14. *faiblir :* perdre de sa force.

— 1. Lisez le texte et relevez les termes exprimant la violence et le combat.

— 2. Quels sont, d'après vous, les « Maîtres du langage » ? Pourquoi Le Clézio écrit-il le mot « Maîtres » avec une majuscule ?

— 3. Dans quel but « les maîtres du langage » utilisent-ils les mots ?

— 4. Quelles faiblesses ou quels manques est-ce que certains d'entre eux exploitent ?

— 5. Qu'évoquent les mots cités par Le Clézio ?

Et si vous aviez une panne ?

Une borne d'appel sur une autoroute française.

Au téléphone sur une autoroute

L'automobiliste :

– Allô, la gendarmerie ?
– Je suis tombé en panne. / Nous avons eu un accident.
– Pouvez-vous m'envoyer une dépanneuse / des secours ?
– Dans combien de temps arriverez-vous / arriveront-ils ?

Le gendarme :

– Qu'est-ce qui vous est arrivé ?
– Près de quelle sortie êtes-vous ?
– Quelle est la marque et le numéro de votre voiture ?
– Où êtes-vous arrêté ? Sur le bas-côté ?
– Est-ce qu'il y a des blessés ?

Activités

1. Vous vous arrêtez à une station-service sur l'autoroute :
   – Vous faites le plein. / – Vous faites réparer un pneu crevé.
2. Vous avez un accident sur l'autoroute :
   – Vous téléphonez à la gendarmerie. / – Vous arrêtez un automobiliste pour demander de l'aide.

Au garage

L'automobiliste :

– Je voudrais de l'essence / du super.
– J'ai un pneu crevé.
– J'ai une panne de moteur / de freins / d'allumage...
– C'est grave ? Ça va prendre combien de temps ? Quand est-ce qu'elle sera prête ?
– Vous avez les pièces ?

Le garagiste :

– J'en mets combien ?
– Je vérifie l'huile ? / la pression des pneus ?
– Il faut compter trois heures pour la réparation.
– Je ne peux pas vous le faire aujourd'hui. Je n'ai pas les pièces.

À une station-service

– Je voudrais 20 litres / le plein de super / d'ordinaire / de gas-oil.
– Vous pouvez vérifier l'huile / l'eau / la pression des pneus ?
– Vous pouvez nettoyer mon pare-brise ?

Vie Pratique

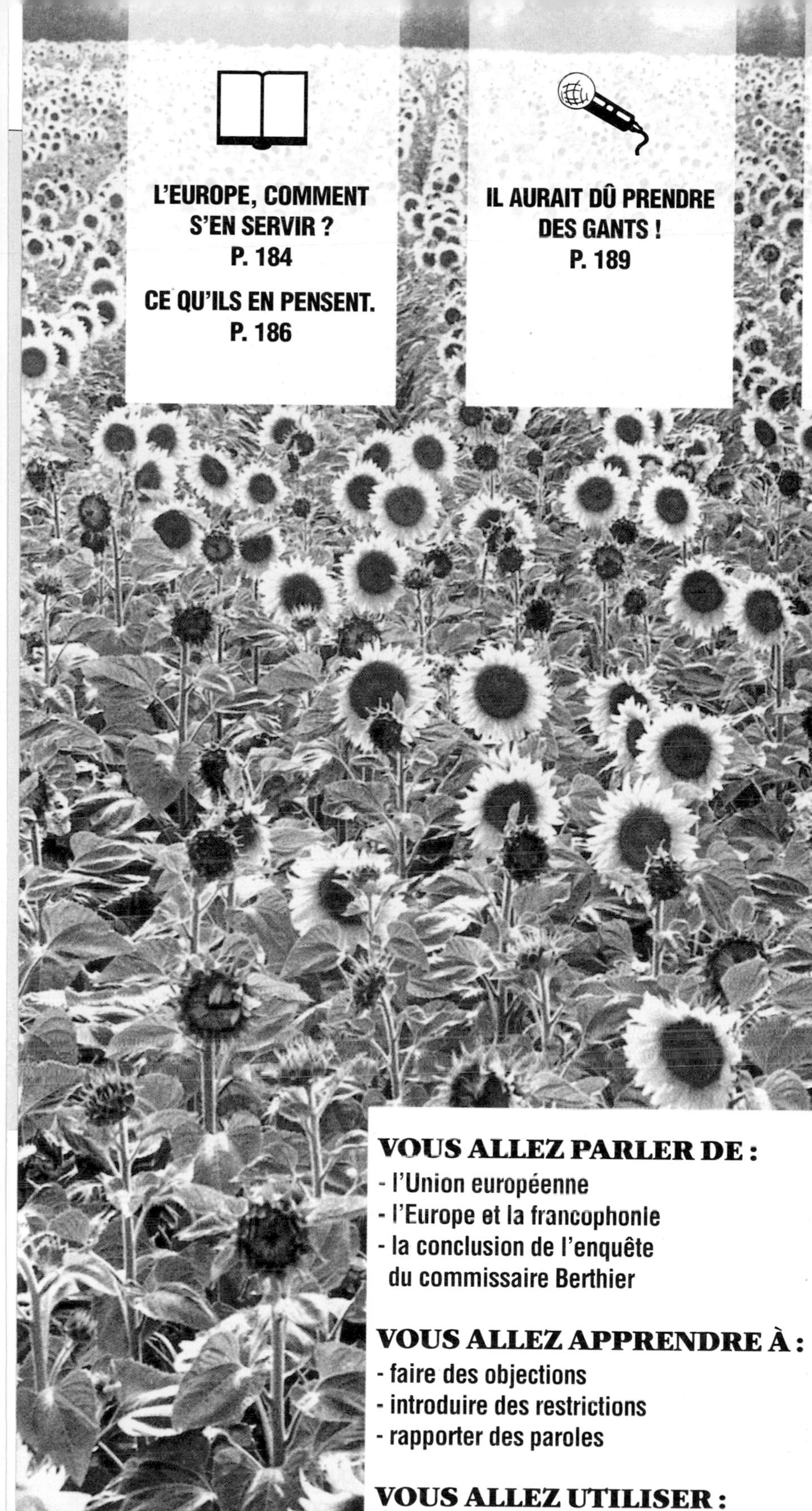

DOSSIER 12

L'EUROPE : QUELS ESPOIRS ?

VOUS ALLEZ PARLER DE :
- l'Union européenne
- l'Europe et la francophonie
- la conclusion de l'enquête du commissaire Berthier

VOUS ALLEZ APPRENDRE À :
- faire des objections
- introduire des restrictions
- rapporter des paroles

VOUS ALLEZ UTILISER :
- des infinitifs
- des conjonctions suivies du subjonctif
- le conditionnel comme futur du passé

À PRENDRE AVEC DES GANTS

12

1 Qu'est-ce qui se passe ?

1. Que fait le commissaire sur la 16e vignette de la BD ?
2. Regardez le dessin et dites ce que vous comprenez.
3. Que se passe-t-il dans cet épisode ?

2 Qu'est-ce qu'il voudrait savoir ? 

Écoutez la conversation chez Marie-Anne Beaulieu et dites ce que le commissaire Berthier voudrait savoir au sujet :

1. du coup de téléphone de Fabrice Beaulieu à sa femme ;
2. du testament ;
3. de l'alibi de Marie-Anne Beaulieu ;
4. de l'homme de confiance.

3 Qu'est-ce que vous en pensez ?

Choisissez **a** ou **b**, ou bien trouvez une meilleure raison.

1. Marie-Anne Beaulieu n'a pas dit à la police qu'elle savait que son mari était de retour
   a. pour ne pas attirer les soupçons sur elle.
   b. parce qu'on ne le lui a pas demandé.
2. Fabrice a téléphoné à Marie-Anne après des années d'absence
   a. pour revoir sa fille.
   b. pour reprendre sa vie d'avant.
3. Marie-Anne Beaulieu et Norbert se souviennent bien de la nuit du 15 mai
   a. parce que c'était l'anniversaire d'un ami de Sophie.
   b. parce que c'était la nuit du crime.
4. Le commissaire prend la petite cuillère
   a. parce qu'il en fait collection.
   b. parce qu'elle porte les empreintes de Norbert.

LE DISCOURS RAPPORTÉ : LE FUTUR DANS LE PASSÉ

Il dit	qu'	elle en **parlera**. (futur)
Il demande	si	elle **viendra**.
Il a dit	qu'	elle en **parlerait.** (conditionnel)
Il a demandé	si	elle **viendrait.**

Qu'est-ce qu'ils croyaient ?

Transposez dans le passé.

Marie-Anne Beaulieu pense que Berthier croira à son alibi. —>
Marie-Anne Beaulieu pensait que Berthier croirait à son alibi.

1. M. A. Beaulieu pense que Berthier soupçonnera Xavier Imbert.
2. M. A. Beaulieu croit qu'il ne peut rien lui arriver.
3. Norbert sait qu'on interrogera Mme Beaulieu.
4. Norbert pense qu'il lui a fourni un bon alibi.
5. Berthier sait que Norbert finira par laisser ses empreintes.
6. Berthier sait que les empreintes sont servir de preuve.

À vous d'expliquer !

Essayez de décrire ou d'expliquer :

1. l'emploi du temps de Norbert le 15 mai.
2. les preuves qui vont permettre d'accuser Norbert d'assassinat.
3. les mobiles de Norbert.
4. le titre de la BD, « À prendre avec des gants ».

L'ACCORD + LA RESTRICTION
LE DÉSACCORD + L'OBJECTION

Vous avez peut-être raison, mais ça n'explique pas tout.
Oui, les choses se sont peut-être passées comme ça, mais...
Oui, je vois, mais...

Je ne vois pas les choses tout à fait comme ça parce que...
Ce n'est pas tout à fait exact. Je crois que...

Comment a-t-il trouvé ? 

Écoutez de nouveau la conversation entre le directeur de la police et le commissaire Berthier.

1. À quoi a servi la petite cuillère ?
2. Pourquoi Norbert ne portait-il pas de gants le soir du 15 mai ?
3. Qu'est-ce qui a permis au commissaire de découvrir la vérité ?
4. Qui avait menti au sujet de l'alibi de Mme Beaulieu ?
5. Norbert est-il le seul coupable ?
6. Pourquoi le commissaire Berthier a-t-il soupçonné Norbert ?

IL AURAIT DÛ PRENDRE DES GANTS !

ALLÉES DE TOURNY, BORDEAUX.

12

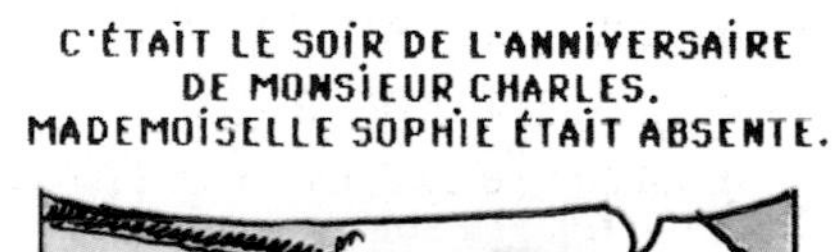

.../...

.../...

OUI... JE M'EN SOUVIENS. MERCI, NORBERT.

JE RAPPORTE UNE AUTRE CUILLÈRE.
NON, NON. ÇA VA !

QUELQUES JOURS PLUS TARD...
C'EST LE MAJORDOME.
MAIS NON, C'EST LA FEMME.
FABRICE BEAULIEU UN CRIME PASSIONNEL

BRAVO, BERTHIER. MAIS, DITES-MOI, QUAND AVEZ-VOUS COMMENCÉ À SOUPÇONNER NORBERT?

J'AI SENTI ENTRE LUI ET MARIE-ANNE BEAULIEU UNE COMPLICITÉ QUI ALLAIT AU-DELÀ DU SIMPLE RAPPORT MAÎTRE-SERVITEUR. NORBERT FAIT PARTIE DE CES DOMESTIQUES QUI SE DÉVOUERAIENT CORPS ET ÂME POUR LEUR MAÎTRE.

12

CHACUN CONFIRMANT L'ALIBI DE L'AUTRE. C'ÉTAIT IMPARABLE.

OUI, ET C'EST CE QUI LES A PERDUS. NORBERT A RÉSERVÉ UNE PLACE SUR LE TRAIN DE 13h50, LE SAMEDI 15 MAI. UN CONTRÔLEUR L'A FORMELLEMENT RECONNU.

IL NE POUVAIT DONC PAS SERVIR LE DÎNER DE MADAME BEAULIEU À 8h DU SOIR.
VOUS N'AVEZ PAS DE PREUVES CONCRÈTES CONTRE MADAME BEAULIEU?

NON, MAIS IL Y A DE FORTES PRÉSOMPTIONS. ET DE TOUTE FAÇON, ELLE S'EST RENDUE COMPLICE PAR SON FAUX TÉMOIGNAGE.

UN BEAU PROCÈS EN PERSPECTIVE. PAS MAL VOTRE IDÉE DE LA PETITE CUILLÈRE.
J'AI EU DE LA CHANCE. C'EST LA SEULE FOIS QU'IL NE PORTAIT PAS DE GANTS.

IL N'EN PORTAIT PAS NON PLUS LE JOUR OÙ IL A TUÉ BEAULIEU?
NON. LES MALFAITEURS QUI ATTAQUENT LES PASSANTS DANS LA RUE EN PORTENT RAREMENT. IL VOULAIT FAIRE CROIRE À UN CRIME CRAPULEUX.
FIN

7 Retrouvez dans les conversations comment...

1. on essaie de se justifier ;
2. on exprime sa sympathie à quelqu'un ;
3. on félicite ;
4. on exprime son appréciation.

8 Ça n'explique pas tout !

Écoutez le dialogue et rétablissez la vérité en contredisant les affirmations suivantes.

1. Il suffit d'aller en Angleterre pendant les vacances pour parler anglais.
2. Les absences du professeur expliquent ses mauvais résultats.
3. On peut réussir dans la vie sans faire d'études.
4. Il n'est pas indispensable de connaître des langues étrangères.

9 Jeu de rôle.

Vous êtes journaliste et vous interviewez le commissaire Berthier pour connaître le déroulement de l'enquête depuis la découverte du corps de Jean Lescure jusqu'à l'arrestation de Norbert. Jouez la scène avec un(e) autre étudiant(e).

10 Qu'est-ce qu'ils peuvent se dire ?

Imaginez les dialogues que vous inspire le dessin. Puis jouez-les avec un(e) autre étudiant(e).

- C'est à cette heure-là que vous arrivez ?
- Alors, encore en retard...
- Vous avez vu l'heure ?...

11 Jeu de rôle.

Vous êtes « européen ». Vous avez un entretien avec le chef du personnel d'une entreprise française. Il veut savoir combien de langues vous parlez, quelles études vous avez faites, où vous avez déjà travaillé, pourquoi vous avez choisi la France pour y travailler, pourquoi vous désirez travailler dans son entreprise, etc.
Avant de jouer la scène, décidez avec votre partenaire de quelle entreprise il s'agit (import-export, maison d'édition, constructeur d'avions...).

INTONATION : LES LIAISONS INTERDITES

■ On ne fait pas la liaison dans les cas suivants.

1. **Entre les groupes de sens :**
   J'ai dit que je lui parlerais / à sa majorité.
2. **Après « et » et entre « mais » et « oui » :**
   Et / elle s'est rendue complice. -mMais / oui.
3. **Devant un « h » aspiré :**
   Il est en / haut. - C'est un / hasard. - le quartier des / Halles.
   C'est un gros / handicap. - Les / huit / Hongrois en / Hollande.
4. **Dans une inversion pronom personnel sujet-verbe :**
   Allez-vous / assister à la réunion ? - Ont-ils / arrêté le coupable ?

Par contre **l'enchaînement vocalique** doit toujours se faire.

❑ Prononcez les phrases suivantes, puis écoutez l'enregistrement et corrigez-vous si nécessaire.

1. Les enfants arriveront à la gare.
2. Mais oui, venez et on ira aux Halles ensemble.
3. Vont-elles attendre longtemps encore ?
4. Tintin est un héros de bande dessinée.

12

Europe, en avant toute ! Le vaisseau Europe accélère sa progression. L'Union européenne a déjà deux ans. Si les habitants des quinze pays qui la composent se font peu à peu à l'idée d'être citoyens européens, de nombreuses questions et de nombreux doutes s'expriment encore. La cohésion nationale, le sens de la patrie, le patrimoine culturel, la langue même sont menacés. Notre identité, ne risque-t-elle pas de se diluer dans celle d'un super-État ? Que répondre à ceux qui, à l'extérieur, nous ont fait confiance, ont adopté notre langue et se tournent vers la France pour y trouver inspiration et soutien?

D'abord que l'Europe n'est pas un facteur réducteur. Les cultures européennes sont toutes millénaires. Elles se sont souvent heurtées les unes aux autres sans jamais se détruire. Une culture forte s'enrichit le plus souvent des apports extérieurs et les intègre pour son profit. Ensuite, l'Europe peut donner plus de prestige aux réalisations françaises. Les débouchés qu'elle propose sont décuplés et elle offre à chacun des pays membres des ressources plus importantes qui permettent d'innover aussi bien dans la

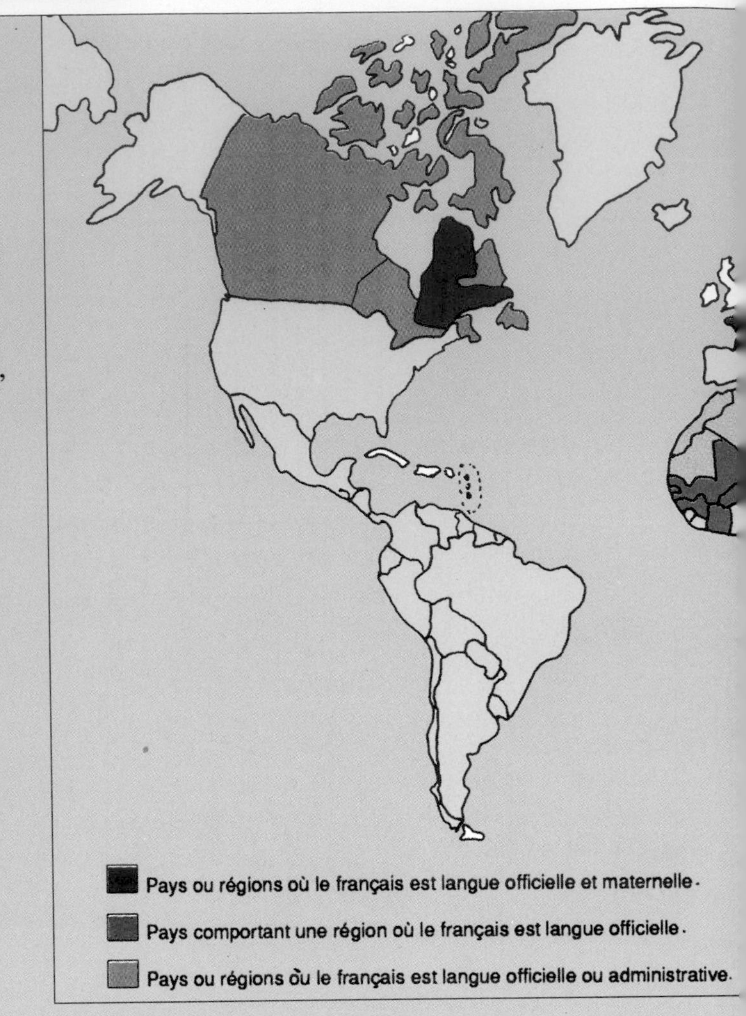

Carte produite par l'Institut géographique national (France)

12

1 Le savez-vous ?

1. Citez deux pays de l'Union européenne où le français est langue maternelle d'une partie importante de la population.
2. Citez des pays hors d'Europe où le français est langue officielle.
3. On parle français dans certains pays du monde parce que :
   - **a.** ces pays sont d'anciennes colonies françaises.
   - **b.** ces pays faisaient partie autrefois du territoire français.
   - **c.** le choix du français a fait l'objet d'un vote.

2 Quelles sont les idées principales des paragraphes ?

Lisez le texte et choisissez pour chacun des trois paragraphes, parmi les propositions ci-dessous, le titre qui vous semble en représenter le mieux l'idée principale.

1. La langue, un moyen d'exprimer son identité.
2. L'Europe, un facteur d'enrichissement.
3. L'Europe, une menace pour les cultures francophones ?
4. Des cultures européennes à toute épreuve.
5. À chacun sa langue et son identité.
6. L'Europe, une identité qui se cherche.
7. Les atouts de la francophonie.

3 Quel est leur référent ?

Dites à qui les mots suivants se réfèrent ou quelles personnes ils désignent.

1. Notre (ligne 9)
2. ceux qui nous ont fait confiance (lignes 11-12)
3. chez nous (ligne 35)
4. on (ligne 48)

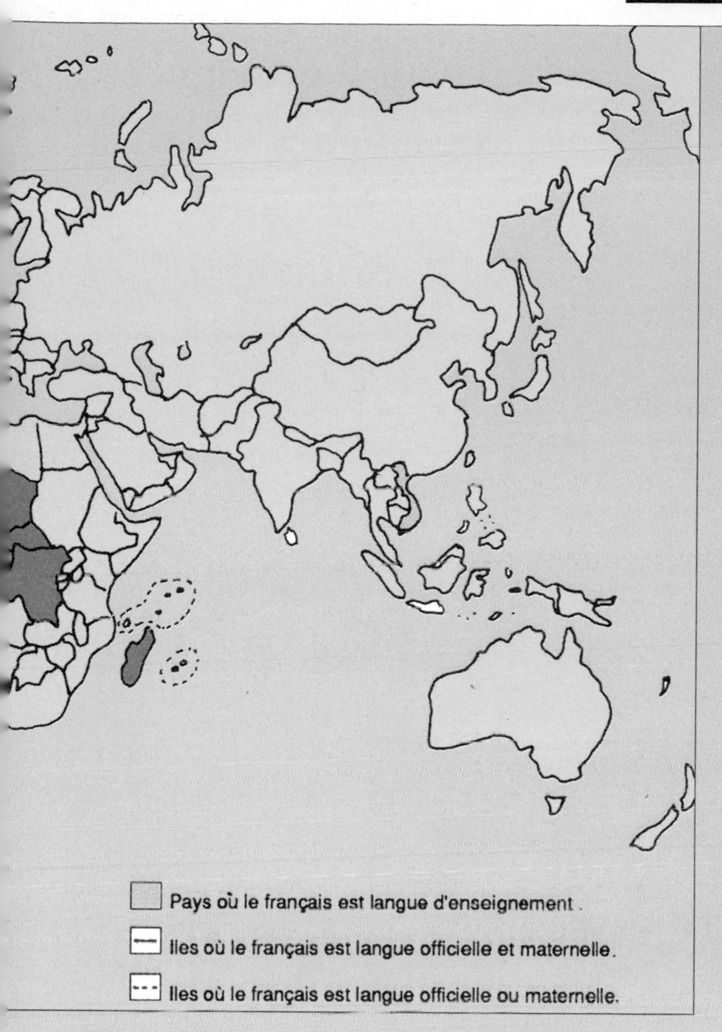

à la demande du ministère chargé de la Francophonie

recherche que dans l'industrie et les arts. La fusée *Ariane*, l'*Airbus*, le tunnel sous la Manche ne font qu'illustrer les possibilités futures. D'autre part, l'identité européenne peut s'exprimer dans d'autres langues que l'anglais. D'ailleurs, n'y a-t-il pas trois pays de l'Union à utiliser le français ? Ceux « qui nous ont fait confiance » peuvent aller puiser à des sources renouvelées, trouver chez nous de meilleures universités, des équipes de techniciens plus performantes.

Enfin, la francophonie a d'autres atouts que la France. Le Québec s'est affirmé comme son représentant américain le plus actif et le plus compétent. Mais, avant tout, les francophones doivent compter sur eux-mêmes. La langue n'est que l'écho de la volonté et de la créativité de ceux qui la parlent. Un écrivain congolais disait récemment : « Je n'écris pas français, j'écris en français » pour explorer et donner forme à des modes de vie et de culture distinctes de celles de la France. Et c'est bien le meilleur usage qu'on puisse faire de notre langue commune et la meilleure manière de façonner l'identité et l'avenir de son pays.

4 Comment est organisé ce texte ?

Faites la liste des problèmes exprimés. Complétez le tableau.

Problèmes/craintes [C]	La communauté francophone a des craintes.	
	C 1 :	C 2 : ......
	C 3 :	C 4 : ......
Arguments en réponse [R]	R 1 :	
	R 2 :	
	R 3 :	
Conséquences	Les pays francophones tireront des avantages de la nouvelle situation	
Atout [A] suplémentaires	A 1 :	
	A 2 :	
Conclusion (implicite)	Les pays francophones n'ont rien à craindre.	

5 Comment les faits et les arguments sont-ils présentés ?

1. Comment le lecteur est-il guidé dans sa lecture ? Relevez les mots qui articulent et orientent la lecture.
2. L'auteur semble-t-il toujours certain de ce qu'il avance ? Quels mots et quelles tournures signalent ses hypothèses ?
3. Vers quelle conclusion personnelle oriente-t-il le lecteur ?
4. Quelle est la fonction de ce texte : informer, inquiéter, expliquer, rassurer... ?

6 Et vous ?

1. Que savez-vous du statut de votre langue maternelle dans votre pays et dans le monde.
   Est-elle parlée dans le pays entier ou dans une région seulement ? Est-elle utilisée en dehors de vos frontières ? Où ? Pour quelles raisons ? Où est-ce qu'on l'apprend ? etc.
2. Citez des écrivains qui écrivent dans votre langue tout en affirmant une identité culturelle différente de la vôtre.

12

Faut-il enseigner les langues vivantes à l'école primaire ?

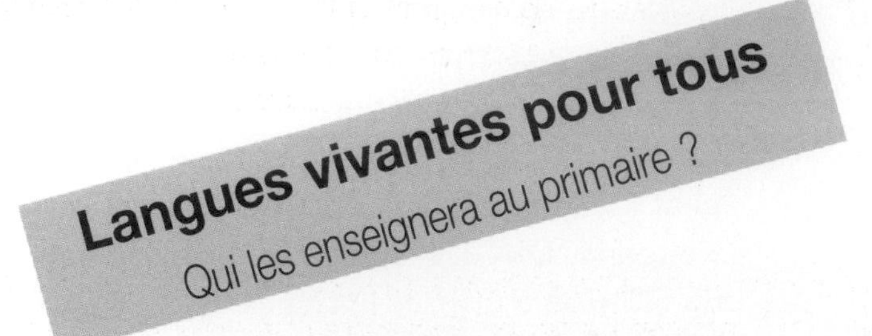

Priorité aux langues vivantes !

On demande bénévoles pour enseigner les langues au primaire !

Les langues vivantes au primaire

L'intention est bonne mais qui paiera ?

Un grand projet pour les langues

Elles seront enseignées à l'école primaire dès la rentrée.

Les langues vivantes dès le primaire !

L'UTILITÉ DES LANGUES ENFIN RECONNUE !

On les enseignera dès l'école primaire.

Il n'est jamais trop tôt

Les langues vivantes entrent au primaire.

Nos enfants parleront européen !

On leur enseignera les langues de nos voisins dès l'âge de huit ans.

Vous êtes conseiller près du ministère de l'Éducation de votre pays. On vous demande de rédiger un rapport sur l'enseignement des langues au niveau primaire.

1 Quel est l'état du problème ?

Cas n° 1 : Les langues vivantes sont déjà enseignées au niveau du primaire.

1. Où ? Par qui ?
   Cet enseignement est-il généralisé ?
2. Quelles langues ?
3. Dans quelles conditions ?
   Pendant combien de temps ?
4. Avec quel programme et quels documents ?
5. Avec quels résultats ? Etc.
6. Quelle est l'attitude des maîtres et celle des parents ?

CAS n° 2 : Les langues vivantes ne sont pas enseignées au primaire.

1. Les enseignants ont-ils une opinion ?
2. Que souhaitent les parents d'élèves ?
3. Quelles langues enseigner ?
4. L'opinion est-elle sensibilisée au problème ?
5. Quels sont les arguments techniques (âge optimal de début pour l'apprentissage d'une langue, maîtres formés, possibilités horaires...) ?
6. Quels sont les avantages et les inconvénients : pour les enfants, pour les écoles, pour le ministère, etc. ?
7. Quels seraient les objectifs à atteindre ?

2 Vous confrontez ensuite vos idées à celles des autres membres du groupe. Prenez des notes en vue de la rédaction de votre rapport.

RÉCAPITULATION

COMMUNICATION

- **Exprimer des opinions**
  Il y a de fortes présomptions.
  Il voulait faire croire à un crime crapuleux.
- **Faire des objections**
  Pourquoi ne m'avez-vous pas dit que votre mari vous avait contactée ?
  Il y a un autre détail que vous avez oublié.
- **Introduire des restrictions**
  Vous avez peut-être raison, mais ça n'explique pas tout.
  Ce n'est pas tout à fait exact.
- **Rapporter des paroles**
  J'ai dit que je lui parlerais à sa majorité.
  Le commissaire voudrait savoir où j'étais le soir du 15 mai.

12

15

GRAMMAIRE

Emplois de l'infinitif

L'infinitif peut s'employer
- **comme nom** :
  Étudier en Europe sera plus facile.
- **comme verbe** :
  - après un mot interrogatif :
    Que faire ?
  - dans une proposition infinitive **après un verbe principal** :
    On doit savoir plusieurs langues.

L'infinitif peut également être utilisé **dans les modes d'emploi et les recettes** :

Brancher l'appareil, puis appuyer sur la touche « Écoute ».

Conjonctions suivies du subjonctif :

- **temps** : avant que, jusqu'à ce que
  J'attendrai jusqu'à ce qu'il vienne.
- **but** : pour que
  Je lui ai écrit pour qu'elle m'envoie la recette.
- **concession** : bien que, quoique
  Quoiqu'il fasse beau, je ne dors pas.
- **condition** : à condition que, à moins que
  Je te fais confiance à condition que tu ne changes pas d'avis.

Le discours indirect : le futur dans le passé

Si le verbe qui introduit les paroles rapportées est à un temps du passé, le futur dans le passé s'exprime au **conditionnel** :

Il dit qu'on **prendra** des mesures.
Il a dit qu'on **prendrait** des mesures.

Transcription des enregistrements
dont le texte ne figure pas dans les dossiers

DOSSIER 1 ***exercice 1*** p. 8

1. C'est un acteur de cinéma que les amateurs de cinéma aiment beaucoup. Il joue depuis très longtemps et il a même dirigé des films. Sur la photo, les rides de son front lui donnent l'air sérieux. Il a les cheveux châtains et des traits plutôt réguliers.
2. C'est la jeune fille qui se tient le menton. Elle a les yeux bleus et les cheveux châtains. Sa bouche paraît assez grande. Elle porte de petites boucles d'oreilles.
3. C'est le jeune homme qui a le visage presque carré, les traits bien réguliers, le nez droit, la bouche assez large et des cheveux blonds plutôt longs.
4. Elle est jeune. Elle a de longs cheveux blonds, le visage ovale, les traits réguliers. C'est surtout ses grands yeux jaune et vert qu'on voit d'abord.
5. Ce sont ses grands yeux et sourcils épais qui attirent l'attention. Il a les cheveux bruns et les lèvres épaisses. Il est assez jeune.

Exercice 8 p. 10

1. C'est sa femme qu'il tenait par le bras.
2. Son mari était celui qu'elle ne regardait pas.
3. Elle avait les bras croisés et portait une jupe à carreaux.
4. Elle était plus grande que lui.
5. Il avait la main sur l'épaule de la femme qui était à côté de lui.

Exercice 11 p. 11

La femme était assise sur un fauteuil près des trois hommes qui, debout, ne faisaient pas attention à elle. Elle avait un verre à la main et elle semblait écouter de la musique. Ou bien, elle était perdue dans ses pensées. Elle était plutôt jolie.

Le premier des trois hommes était très grand. Il parlait aux deux autres qui l'écoutaient. Le deuxième était petit. Il portait un costume gris foncé. Il tenait un stylo et il essayait d'écrire. Le dernier avait des cheveux blonds assez longs. Il n'avait pas l'air très intéressé par ce qu'on racontait. Il regardait la femme.

Exercice 7 p. 12

- Alors, madame Legendre, comment ça s'est passé au commissariat ?
- Ça les intéresse, cette histoire. vous ne savez pas qui j'ai vu ?
- Non, dites-moi.
- Le commissaire Berthier.
- Pas possible ! Celui qui a arrêté le gang des Champs-Élysées ?
- Mais oui !
- Et alors... Comment il est ?
- Plutôt bel homme, blond, très grand, sportif.
- Et qu'est-ce qu'il vous a demandé ?
- Eh bien, il m'a posé des questions sur monsieur Lescure... et il m'a dit que j'avais le sens de l'observation !
- Vous aurez peut-être votre photo dans le journal ?
- C'est bien possible...

Vie pratique p. 22

1. – Ah ! Caroline, tu t'es fait couper les cheveux. C'est incroyable ce que ça te rajeunit !
   - Justement, tu ne trouves pas que ça fait un peu trop jeune ?
   - Mais non, au contraire. On va prendre ta fille pour ta petite sœur.
2. – Boujour, Nathalie. Tu as vu, j'ai acheté une nouvelle robe.
   - Ah oui ! c'est vrai... Elle est très jolie... Tu l'as pas payée très cher ?
   - Euh... non, pourquoi ?
3. – Qu'est-ce qu'il est bien ton blouson !
   - Tu trouves ? C'est mon frère qui me l'a prêté.
   - Surtout, ne le lui rend pas, il est vraiment super !
4. – Mademoiselle, j'aime beaucoup la couleur de votre pull-over. Il fait ressortir vos yeux.
   - Je ne vois pas pourquoi. Il est bleu et j'ai les yeux marron.
   - C'est-à-dire... euh, le marron et le bleu sont des couleurs qui vont très bien ensemble.

DOSSIER 2 ***Exercice 3*** p. 25

1. Vous ne pouvez pas faire attention, non ?
   - Oh, je suis désolé, je ne l'ai pas fait exprès.
   - Heureusement que vous ne l'avez pas fait exprès !
   - Je vais descendre à la prochaine station.
   - C'est ça, descendez !
2. Pouvez-vous baisser le volume de votre « walkman » (baladeur) ?
   - Mais, monsieur, un « walkman », ça ne gêne personne !
   - Mais si. Le vôtre est mal réglé. on entend tout dans la pièce.
   - Eh bien, tant pis ! Changez de pièce.
3. Vous ne pouvez pas vous garer ici, monsieur;
   - Monsieur, je me gare où je veux. Et je n'ai pas le temps.
   - Vous voyez bien le signe d'interdiction. C'est une sortie de voitures.
   - Monsieur, je n'ai pas le temps à perdre.
   - Eh bien j'appelle la police.
   - Appelez qui vous voulez. Vous n'allez pas me donner de leçons, non ?

Exercice 5 p. 25

À l'hôtel il n'y a pas l'eau chaude.
- Excusez-moi, mais il n'y a pas d'eau chaude dans la salle de bains. Pouvez-vous la réparer ou me donner une autre chambre, s'il vous plaît ?
- Il n' y a pas d'eau chaude, c'est inadmissible ! Appelez-moi le directeur. Je veux changer de chambre immédiatement.

Il n'y a pas de chauffage.
- Le chauffage ne marche pas. Vous pouvez m'envoyer quelqu'un pour vérifier, s'il vous plaît ?
- Il n'y a pas de chauffage ici en plein hiver. Ce n'est pas sérieux. Faites quelque chose, et vite !

Il manque une ampoule à une lampe.
- Il manque une ampoule à la lampe près du lit, et je ne vois pas très clair. Pouvez-vous m'en faire monter une, s'il vous plaît ?
- Vous faites payer très cher et vous n'êtes même pas capable de vérifier les ampoules dans cet hôtel !

Exercice 9 p. 26

1. S'il n'aime pas le café sucré, il doit le refuser.
2. S'il n'aime pas le café sucré, il doit y avoir du thé.
3. Tu t'es mis en colère : tu dois t'excuser.
4. Tu t'es mis en colère : tu devais en avoir assez !
5. Tu lui as promis de l'aider. Tu as dû oublier que tu as un examen ce jour-là.
6. Tu as promis de l'aider. Tu dois y aller.

Exercice 8 p. 31

- Il fait un temps idéal pour aller se promener en forêt. Tu aimes toujours autant ça ?
- Euh, oui j'aime bien, mais il est peut-être un peu tard pour y aller.
- Mais non. On est presque en été. Il fait jour tard.
- C'est vrai... Mais tu sais qu'il y a un bon film à la télé ce soir ?
- Oui, mais une promenade en forêt ce n'est pas mieux qu'un film ?
- C'est la première fois qu'on donne celui-là à la télé. J'aime mieux rester ici.
- Bon, j'ai compris.Te promener avec moi, ça ne t'intéresse plus.
- Mais si, je t'assure. Essaie de me comprendre. Je n'ai pas très envie de sortir aujourd'hui...

Faites le point. Compréhension orale. p. 37

1. Il a environ 40 ans. Il porte souvent un jean et un blouson de cuir. Il est bel homme et commissaire.
2. Il a une cinquantaine d'années. Il a les cheveux châtains. Il mesure environ 1,80 mètre. La dernière fois qu'on l'a vu, il portait un costume marron.

DOSSIER 3 ***Exercice 1*** p. 40

1. Son travail est passionnant et exige beaucoup de sens artistique, d'imagination et un solide sens des relations humaines. Il fait un métier difficile. Il doit diriger des acteurs et aussi toute une équipe de techniciens (cameraman, preneur de son, éclairagiste, habilleuse...)
2. Elle adore son métier car elle aime créer. Il lui faut beaucoup d'imagination et de connaissances techniques. Elle doit essayer de savoir quels sont les goûts et les besoins de ses clients. Elle doit coordonner le travail de nombreuses équipes et surveiller des travaux de construction.
3. Il a fait de longues études et il a déjà une longue expérience. Il agit avec une grande précision et il a un grand sens des responsabilités. La vie de ses malades est entre ses mains quand il les opère.
4. Elle a le sens des relations publiques. Elle sait gérer un budget multimédia : télé, radio, presse. Il faut qu'elle soit très créative et qu'elle ait un sens artistique développé pour concevoir des opérations de promotion, des brochures et des émissions d'information.
5. Elle doit accompagner des groupes dans des pays lointains. Pour cela le sens de l'organisation, des responsabilités et des relations humaines est indispensable. Il faut aussi qu'elle connaisse des langues étrangères et qu'elle aime voyager.
6. Il aime beaucoup lire. Il reste des heures assis à sa table de travail. Il passe plusieurs heures par jour à écrire. Il voit des gens et il voyage car il doit s'informer sur ce qui se passe autour de lui. Il a beaucoup d'imagination et de sens critique.

Exercice 7 p. 41

Le conseiller d'orientation - Bonjour, vous êtes bien Michel Dupuis, n'est-ce pas ?

Michel Dupuis - Oui, c'est moi.

- Vous allez avoir 18 ans, vous venez de passez un bac B, et vous cherchez un emploi ?
- C'est bien ça... et j'ai fait un stage d'un mois dans une agence de publicité l'été dernier.
- Vous n'avez pas l'intention d'aller à l'université ?
- Je ne sais pas... Peut-être plus tard.
- Hum... Je vois. Qu'est-ce que vous voulez faire ?
- J'ai envie de voyager, de rencontrer des gens intéressants et de bien gagner ma vie, bien sûr.
- Je comprends, mais on ne va pas vous envoyer à l'étranger tout de suite, et on ne gagne pas une fortune quand on débute. Il faut que vous ayez une meilleur formation et que vous fassiez d'abord vos preuves dans une entreprise.
- Oui, bien sûr. Mais je n'aimerais pas rester trop longtemps au même endroit. J'aime le changement.
- Il va vous falloir de la patience et du courage aussi. C'est dur de commencer au bas de l'échelle. Vous allez devoir travailler la journée et étudier le soir. Ce n'est pas toujours facile !
- Je ferais de mon mieux. De toute façon je veux m'en sortir.
- Bon, je vais voir ce que je peux faire pour vous. Je prends contact avec vous si j'ai quelque chose à vous proposer. D'accord ?
- Merci... J'espère que ça ne va pas être trop long.

Exercice 8 p. 47

1. Les photos, où les avez-vous trouvées ?
2. Il n'a pas laissé ses empreintes.
3. Ses voisins, vous les avez interrogés ?
4. La robe de mariée, où l'ont-ils achetée ?
5. Il les a obtenus facilement, ses papiers.

Exercice 11 p. 47

- Que pensez-vous de Labrot, le nouveau qui est à l'essai ?
- Je ne le connais pas encore très bien.
- C'est un garçon sérieux ?
- Je pense. Mais, vous savez, il n'est pas là depuis longtemps.
- On pourra lui confier des responsabilités.
- Sans doute...
- Il est apprécié par ses collègues ?
- Je crois, mais il est difficile de juger aussi vite...
- Vous voulez le garder dans votre service ?
- Je ne peux pas encore vous le dire. Laissez-moi un peu plus de temps.
- Bon. Mais donnez-moi votre opinion dès que vous le pourrez.

DOSSIER 4 ***Exercice 5*** p. 57

1.
   - Bonjour Eric. C'est vous qui avez eu l'idée de ce voyage ?
   - Oui, c'est moi. J'ai toujours aimé voyager. Et je continuerai tant que ça sera possible.
   - La mécanique, c'est une passion ou une nécessité ?
   - D'abord une passion. J'aurai aimé être mécanicien.
   - Vous croyez que les tractions tiendront 50 000 km ?
   - Même s'il y a un problème, quand je les aurai réparées, elles seront comme neuves.
   - Vous pensez que vous trouverez toutes les pièces de rechange et tous les outils nécessaires ?
   - On aura pris beaucoup de matériel avant de partir. Et puis, on verra sur place.
2.
   - Luc, est-ce que vous pensez déjà à ce que vous ferez à votre retour ?
   - Bien sûr. Au cours de cette expédition, j'aurai pris de nombreuses notes, j'aurai observé des manières de vivre très différentes. J'aurai fait mon travail de journaliste. J'essairai d'exploiter toutes ces données dans un livres et dans des articles.
   - Est-ce que vous aurez des contacts avec votre journal pendant le voyage ?
   - Oui, j'aurai des contacts permanents. Malheureusement, il ne sera pas possible qu'ils publient mes articles tous les mois. Ils ne le feront qu'à notre retour.
   - Et si il y a un problème, que vous ne puissiez pas publier de livre par exemple. Vous serez déçu ?
   - Oui, mais de toute façon, je suis sûr qu'on n'aura pas réalisé ce voyage pour rien. On aura fait trop de rencontres, on aura eu des expériences trop enrichissantes pour être déçus.

3
   - Thierry, vous êtes instituteur. Pensez-vous que votre expérience pourra servir à vos élèves ?
   - Sans aucun doute. J'aurai vu et appris beaucoup de choses pendant ce voyage. Je partagerai mes expériences avec mes élèves.
   - Vous leur apprendrez le sens de l'aventure ?
   - Ce n'est pas l'aventure pour l'aventure que je leur enseignerai. non. Je leur apprendrai la curiosité, l'envie de découvrir d'autres cultures et de s'intéresser à ce qui est différent de leur monde de tous les jours.
   - C'est une démarche humaniste ?
   - Oui. Notre voyage aura aussi servi à ça : la rencontre et la découverte des autres.

Exercice 10 p. 59

1. Tu as déjà pensé à tes prochaines vacances ?
   - Bien sûr. Ça se prépare longtemps à l'avance.
   - Qu'est-ce que tu vas faire cette année ?
   - J'irai faire de l'escalade dans les Alpes.
   - Tu iras seul(e) ?
   - Mais non, avec un groupe du club.
2.
   - Où est-ce que tu iras l'été prochain ?
   - J'irai faire du « rafting » dans les Pyrénées.
   - Le « rafting » ? Qu'est-ce que c'est ?
   - Tu descends un torrent sur une sorte de bateau plat en caoutchouc. Et, je t'assure, ça va vite !

– Tu es complètement folle ! Tu n'as rien trouvé de mieux pour te casser le cou !

3. – Tu feras du deltaplane à Pâques ?
   – Oh, non. Il y a mieux maintenant ?
   – Ah, et quoi donc ?
   – Le parapente.

Faites le point. p. 69

1. – Qu'est-ce que vous avez fait l'été dernier, Alain ?
   – La famille a eu des vacances sportives !
   – Vous êtes allés où ?
   – Dans les Pyrénées. nous aimons beaucoup l'escalade.
   – Ce n'est pas dangereux ?
   – Non, mais nous nous étions entraînés avant de partir et il faut être prudent. Et puis, nous nous étions bien équipés.
   – Vous en aviez déjà fait ?
   – Oui, l'an dernier, dans les Alpes. Et les enfants ont descendu un torrent en kayak. je t'avoue que je n'ai pas essayé de les accompagner !
   – Et toi, tu t'es pas lancé du haut d'un pont retenu par un élastique ?
   – Pour ça, il faudra d'abord que tu me montres comment faire !
2. 1. Tu viendras nous voir, dimanche ?
   2. Vous êtes prêt(e) pour l'entrevue ?
   3. Tu crois qu'ils seront d'accord ?
   4. Vous pensez qu'il est sincère ?
   5. Elle parle bien français ?

DOSSIER 5 *Exercice 8* p. 75

Les oiseaux les plus rapides sur de longues distances sont probablement certains canards qui peuvent voler à près de 100 km/h. Par contre, c'est un oiseau, la bécasse d'Amérique, qui peut voler le plus lentement, à 8 km/h. le poisson le plus rapide atteint une vitesse de 109 km/h qu'il peut conserver pendant quelques secondes seulement. Le guépard d'Afrique est le plus rapide des animaux sur terre. L'antilope court moins vite. Elle n'atteint pas 90 km/h.
Le mammifère qui a vécu le plus vieux (78 ans) est un éléphant d'Asie.

Exercice 9 p. 79

– J'aimerais acheter un ordinateur portable. Vous pourriez me conseiller ?
– Bien sûr. C'est pour tenir votre comptabilité, faire votre courrier.
– Oui, et c'est aussi pour mes enfants.
– Vous voulez un équipement multimédia incorporé ?
– Dites-moi quelle est la meilleur solution. Acheter un ordinateur déjà équipé ou acheter les éléments séparément ?
– Je vous conseille un ordinateur déjà équipé.
– Il y a une grande différence de prix entre les deux modèles qui sont présentés. Pouvez-vous m'expliquer pourquoi ? ...
– Leurs caractéristiques sont assez différentes. Celui-ci est le plus performant.
– Bon, je vais voir. Il faut que j'en parle à ma femme. Donnez-moi la brochure de présentation. Nous allons l'étudier.

DOSSIER 6 *Exercice 11* p. 90

Pour en savoir plus sur le monde de la publicité, nous avons interrogé un publicitaire célèbre.

– La pub est partout : dans la rue, dans le métro, à la télévision... Mais comment prépare-t-on une campagne de publicité ? Quelles sont les étapes ?
– Avant de parler des étapes, il faut rappeler que, dans toute campagne, il y a trois groupes d'acteurs en jeu : l'annonceur, qui est le client, celui qui veut vendre un produit ; l'agence de publicité, qui prend en charge l'ensemble de la campagne ; les supports, c'est-à-dire la presse écrite, la radio, les affiches, qui diffusent le message.
– L'annonceur a-t-il un rôle important dans la campagne, en dehors du financement, bien sûr ?
– Évidemment. C'est lui qui choisit les objectifs. Le plus souvent, c'est l'agence qui les lui propose. C'est la première étape. Il s'agit de bien apprendre à connaître le produit à promouvoir, de lui donner une certaine image, et de définir le public, c'est-à-dire la cible à atteindre. Dans un deuxième temps, il faut trouver un thème de campagne montrant que le produit à vendre est le plus original, le meilleur, etc.
– Et c'est là que les créatifs interviennent ?
– Exactement. Mais attention, la concurrence est impitoyable et le temps compté. L'équipe qui crée l'annonce doit nous la soumettre en moins de deux semaines !
– Comment êtes-vous sûr que l'annonce proposée va atteindre son but ?
– Avant le lancement définitif nous vérifions l'efficacité du message sur un échantillon de consommateurs. Ensuite, en supposant le test positif, nous adaptons l'annonce aux différents types de supports.
– Y a-t-il un moyen de mesurer l'impact de la campagne ?
– Une bonne campagne se termine généralement par des post-tests portant sur la compréhension du message, sur les qualités esthétiques de l'annonce, etc. Mais il est très difficile de savoir si la campagne a entraîné une augmentation des ventes et surtout d'en connaître les chiffres. Les annonceurs ne nous les communiquent pas toujours. Ils restent discrets là-dessus...

Faites le point. Compréhension orale. p. 101

1. On le trouve dans les jardins; Il est en métal ou en bois. il est quelquefois pliant. il sert à se reposer ou, quand il est près d'une table, à participer à un repas.
2. Elles sont en plastique ou en métal et en verre. On les porte en été. Avec elles vous pouvez regarder le soleil en face.
3. Cet appareil marche à l'électricité. Vous en avez besoin quand vous vous laver les cheveux.
4. Vous devez sortir et pourtant vous ne voudriez pas manquer cette émission de télévision. Alors vous branchez cet appareil.

DOSSIER 7 *Exercice 9* p. 111

1. Excusez-moi de vous déranger. Pourriez-vous me prêter votre journal si vous avez fini de le lire ?
   – Mais certainement. Vous ne me dérangez pas du tout. Le voici.
   – Merci bien. Je vous le rends tout de suite.
2. Excusez-moi. Vous avez fini de lire votre journal ? Vous pouvez me le prêter ?
   – Mais oui, prenez-le.
   – Je vous remercie.
3. Vous permettez. Je prends votre journal puisque vous avez fini de le lire.
   – Si vous voulez.
   – Merci, je le garde si vous n'en avez pas besoin.
4. J'aimerais jeter un coup d'œil à votre journal.
   – Faites.
   – Vous l'avez lu ?
   – Oui.
   – Je peux le garder alors ?

Intonation p. 111

1. Il faudrait faire vite.
2. Je voudrais que vous vérifiiez son emploi du temps.
3. Vous devriez interroger les voisins.
4. Vous pourriez commencer par ces deux-là.
5. Il est nécessaire que vous lisiez le dossier...

1. Il faut que vous bougiez.
2. Je veux que vous fassiez un régime.
3. Il est important que vous arrêtiez de fumer.
4. Vous ne devez pas rester trop longtemps immobile.
5. En reprenant trop tôt le vélo, vous aurez un accident.

DOSSIER 8 *Exercice 5* p. 124

– Monsieur Mouret, monsieur Lambert est arrivé.
– Merci, mademoiselle. Faites-le patienter un instant. j'ai encore quelques affaires à régler.
[...]
– Monsieur Lambert, navré de vous avoir fait attendre.
– Mais, je vous en prie.

Exercice 8 p. 127

- Allo... Je suis bien chez madame Dufy ?
- Oui, c'est moi.
- Voilà... C'est... votre fils. Il a eu un accident.
- Oh, mon Dieu ! C'est grave ?
- Non, non, ne vous inquiétez pas, ce n'est pas très grave.
- Mais... dites-moi ce qui s'est passé.
- Il traversait la rue en vélo et une voiture l'a renversé.
  Mais rassurez-vous, il a eu plus de peur que de mal.
- Où est-il ?
- On vient de lui faire une radio. Il est à l'hôpital central. Il sera sur pied dans deux ou trois jours.
- J'arrive tout de suite !

Exercice 9 p. 129

« Il a neigé sur la montagne de Lure une grande partie de la nuit qui a suivi l'accident. De plus, l'avion s'est écrasé au milieu des pins. Si bien qu'il était invisible depuis les hélicoptères, soit qu'il ait été masqué par les pins, soit qu'une couche de neige l'ait recouvert. Et la carlingue était de couleur blanche. Pourtant, c'est un secteur que nous survolions. Un temps plus favorable ou plusieurs arbres coupés sur le lieu de l'accident et l'avion pouvait être repéré plus tôt.
Mais, hélas, cela n'aurait rien changé ! »

Faites le point. Compréhension orale. p. 133

- Que feriez-vous si vous pouviez changer de travail ?
- Si c'était à refaire, je serais chercheur.
- Vous vous spécialiseriez dans quel domaine ?
- Je ne sais pas exactement, mais je sais que j'aimerais faire partie d'une équipe.
- Ce n'est pas trop tard. Vous pourriez reprendre vos études.
- Si je pouvais, je le ferais bien, mais j'ai deux enfants et il faut bien gagner sa vie.
- Et vous aimeriez qu'ils fassent des études ?
- Bien sûr. Moi, je n'ai pas pu mais, si j'étais à leur place, je continuerais mes études jusqu'à 30 ans !

DOSSIER 9 ***Exercice 4*** **p. 137**

1. La crise s'était aggravée.
2. À cette époque, les véhicules étaient tirés par des chevaux.
3. Deux compagnies s'étaient constituées.
4. Le projet était bien accueilli.
5. Les deux gouvernements étaient arrivés à un accord.

Exercice 9 p. 143

Non, mais tu as vu l'heure qu'il est ?
- Je sais ! Ce n'est pas de ma faute. Je vais t'expliquer.
- Ce n'est jamais de ta faute !
- Au moment de partir, je me suis aperçu que je n'avais pas mes clefs.
- Il faut toujours qu'il t'arrive quelque chose !
- Si tu crois que c'est drôle. C'est mon fils qui les avait prises sans me prévenir.
- Et tu ne pouvais pas me téléphoner ?
- Mon téléphone est en dérangement depuis ce matin.
- Tu as toujours de bonnes excuses. On ne peut pas te faire confiance.
- Viens chez moi, si tu ne me crois pas !
- Écoute. Ce n'est pas la première fois que ça t'arrive. J'en ai assez.
- Puisque tu le prends comme ça, salut !

DOSSIER 10 ***Exercice 9*** p. 159

- Alors, il t'intéresse vraiment cet appartement ? Tu vas l'acheter ?
- J'hésite. 5 000 francs d'emprunt à rembourser par mois, c'est beaucoup.
- Oui, mais tu pourras le louer au moins 3 000 francs.
- Ça, c'est ce que l'agence m'a dit. Mais on n'est sûr de rien.
- C'est vrai, mais il n'y a pas de raison pour que tu ne le loues pas.
- Et si je me retrouvais au chômage, qu'est-ce que je ferais ?
- Tu pourrais le revendre.
- Pour ça il faut trouver un acheteur... et en ce moment...
- Malgré tous ces problèmes, moi je crois que je l'achèterais, tu vois.
- Tu as peut-être raison. Si on réfléchit trop, on ne fait jamais rien !

Faites le point. Compréhension orale. p. 165

1. Par l'Eurostar, on ne met pas plus de temps pour aller à Londres que par l'avion.
2. Grâce au tunnel, la région Nord-Pas-de-Calais va connaître une nouvelle prospérité.
3. Sans le tunnel, le tourisme ne se serait pas développé aussi vite.
4. Le plus gros avantage du tunnel, c'est qu'on va pouvoir traverser sans risque même s'il y a une grosse tempête.
5. J'avais mal au cœur quand je traversais en bateau. Maintenant, je vais pouvoir faire l'aller et retour dans la journée sans problème.
6. Ça aurait été dommage de ne pas mettre en œuvre de telles possibilités technologiques.

DOSSIER 11 ***Exercice 8*** p. 173

- Vous avez des nouvelles de Duval ?
- Il se pourrait qu'il soit au Canada.
- Au Canada ? Et pourquoi est-ce qu'il y serait ?
- Il en avait peut-être assez de chercher du travail ici !
- Et vous croyez qu'il en trouvera là-bas ?
- Il semblerait qu'il ait eu une proposition.
- Il faut que ce soit une drôle de proposition pour partir aussi loin !
- Il aurait aussi bien pu partir en Australie. Il a toujours aimé les voyages.
- Il a peut-être rencontré une belle Canadienne...
- Ça se pourrait...

DOSSIER 12 ***Exercice 11*** p. 187

1. Dans l'unification de l'Europe, je vois la suppression de nombreuses formalités qui empêchaient la libre circulation des personnes et des marchandises, la possibilité d'aller travailler dans un des quinze pays européens, la paix garantie dans nos pays, qui j'espère pourra s'étendre dans le monde.
2. Grâce à l'unification de l'Europe, on peut faire ses études secondaires en France, universitaires en Espagne, en Italie ou ailleurs, faire des stages dans des entreprises anglaises, suédoises, allemandes... Mais trouver du travail reste encore difficile dans beaucoup de pays.
3. L'Europe ne fait que déplacer le chômage. On construit des usines dans les pays où les salaires sont le plus bas et on augmentera le chômage dans les autres pays.
4. L'Europe, ça veut dire le développement des contacts entre des hommes et des femmes de cultures différentes pour leur enrichissement mutuel. On prendra comme exemple ce qu'il y a de mieux chez nos voisins si bien qu'un Européen devrait être aussi créatif qu'un Italien, aussi sérieux qu'un Allemand, aussi bon financier qu'un Anglais, aussi enthousiaste qu'un Espagnol, aussi travailleur qu'un Portugais et aussi bon commerçant qu'un Grec...

Exercice 8 p. 191

- J'envoie ma fille en Angleterre pour les vacances. Elle a eu de mauvaises notes en anglais cette année.
- C'est très bien, mais ce n'est pas suffisant. Il faudra qu'elle travaille davantage l'année prochaine.
- Elle a travaillé, mais le professeur était souvent absent.
- Peut-être, mais ça n'explique pas tout. Il faut surtout qu'elle prenne conscience que c'est important d'apprendre les langues.
- Je ne vois pas les choses comme ça. Je ne parle pas de langues étrangères et j'ai une bonne situation.
- Tu as peut-être raison, mais les temps ont changé !
- Ce n'est pas tout à fait exact. De toute façon, je crois qu'on peut se débrouiller dans la vie sans faire des études jusqu'à trente ans !
- Fais attention. Ce n'est pas parce que ça s'est bien passé pour toi que ça se passera bien pour ta fille.
- Peut-être. Après tout, elle fera ce qu'elle voudra.

GRAMMAIRE

*Complément au Précis grammatical d'*Espaces 1

Le groupe du nom

- **L' accord des adjectifs de couleur** *(Voir page 11.)*
  Des chaussures noires mais des pantalons marron.
- **Le superlatif** *(Voir page 75.)*
  C'est le plus grand animal du zoo.
- **Les doubles comparatifs** *(Voir page 169.)*
  Il y a de moins en moins de travail et de plus en plus de chômage.
- **Les adverbes d'intensité devant un adjectif** *(Voir page 11.)*
- **Les pronoms possessifs** *(Voir page 78.)*
  Cette moto, c'est la mienne.
- **Les pronoms relatifs** *(Voir pages 9 et 30.)*
  Qui (personne)
  Que (chose)
  Où (lieu et temps)
- **Les pronoms compléments** *(Voir page 91.)*
  Il les lui a donnés.

La formation des mots

1. La suffixation

a) Les noms

à partir d'un verbe :

-age	(masculin)	élever	→	élevage
-ment	(masculin)	entraîner	→	entraînement
-eur	(masculin)	danser	→	danseur
-ion	(féminin)	libérer	→	libération
-ance	(féminin)	ressembler	→	ressemblance
-euse	(féminin)	nager	→	nageuse

à partir d'un adjectif :

-esse	(féminin)	riche	→	richesse
-té	(féminin)	libre	→	liberté
-eur	(féminin)	blanc	→	blancheur

b) Les verbes

à partir d'un nom ou d'un adjectif :

-er	conseil	→	conseiller
-ir	mince	→	mincir

c) Un adverbe

à partir du féminin d'un adjectif :

-ment	chaude	→	chaudement

d) Un adjectif

à partir d'un verbe :

-able	manger	→	mangeable

2. La préfixation

a) Le contraire d'un adjectif

in-	connu	≠	inconnu
mal-, mé-	heureux	≠	malheureux, méconnu

b) Le contraire d'un nom ou d'un verbe

des-, dés-	ordre	≠	désordre
	espérer	≠	désespérer

c) La répétition d'une action exprimée par un verbe

re-, ré-	faire	→	refaire

Pas de préfixe dans « descendre, recevoir, refuser ».

Le groupe du verbe

1. Les verbes en « -er »

(Voir tableaux de conjugaison, pages 203 à 206 et dans le « Précis grammatical » d'Espaces 1.)

CHANGEMENTS PHONÉTIQUES ET ORTHOGRAPHIQUES

a) Verbes comme « acheter » et « appeler » (avec un [ə] dans l'avant-dernière syllabe) : mener, se promener, se lever, élever.

J'achète / J'achèterai
mais nous achetons, vous achetez.

J'appelle / J'appellerai
mais nous appelons, vous appelez.

b) Verbes comme « espérer » (avec un [e] dans l'avant-dernière syllabe de l'infinitif) : accélérer, considérer, s'inquiéter, préférer.

J'espère
mais j'espérerai, nous espérons, vous espérez.

c) Verbes comme « essayer » (terminés en **-yer**) : appuyer, s'ennuyer, nettoyer, payer, tutoyer, vouvoyer.

J'essaie / J'essaierai
mais nous essayons, vous essayez.

d) Verbes comme « placer » (-er) : annoncer, avancer, commencer, forcer, prononcer.

Je place / nous avancions
mais nous plaçons, je plaçais

Verbes comme « manger » (-ger) : arranger, nager, protéger, ranger.

Je mange / nous mangions
mais nous mangeons, je mangeais.

- **Le passif**
  (Voir page 43.)
  La société est réorganisée.
- **Le gérondif**
  (Voir page 25.)
  En marchant.
- **L'infinitif**
  (Voir page 184.)
  Partir.
- **L'accord du participe passé et du COD**
  (Voir page 47.)
  Tu ne nous as pas vus !
- **Les doubles compléments** *(Voir page 91.)*
  Je vous en donne un.
- **La double négation**
  (Voir page 153.)
  Il n'a ni argent ni amis.

2. Tableaux de conjugaison des verbes à 1, 2 ou 3 radicaux.

(Voir pages suivantes.)

3. Les temps composés

<table>
<tr><th>Auxiliaire</th><th colspan="3">ÊTRE + participe passé
Accord avec le sujet</th><th colspan="2">AVOIR + participe passé
Accord avec le COD placé avant le participe passé</th></tr>
<tr><td></td><td colspan="3">14 verbes pronominaux et leurs composés</td><td colspan="2">Autres verbes</td></tr>
<tr><td>Passé composé</td><td>Je suis</td><td rowspan="5">allé(e)
venu(e)
monté(e)
descendu(e)
entré(e)
sorti(e)
arrivé(e)
parti(e)
tombé(e)
resté
passé(e)
devenu(e)
né(e)
mort(e)</td><td>Je me suis levé(e)</td><td>J'ai</td><td rowspan="2">chanté
fini
couru
fait</td></tr>
<tr><td>Plus-que-parfait</td><td>J'étais</td><td>Je m'étais habillé(e)</td><td>J'avais</td></tr>
<tr><td>Futur antérieur</td><td>Je serai</td><td>Je me serai servi(e)</td><td>J'aurai</td><td>mangé</td></tr>
<tr><td>Conditionnel passé</td><td>Je serais</td><td>Je me serais couchée</td><td>J'aurais</td><td>bu</td></tr>
<tr><td>Infinitif passé</td><td>Être</td><td>S'être rasé(e)</td><td>Avoir</td><td>ouvert</td></tr>
</table>

INFINITIF	INDICATIF				CONDITIONNEL	SUBJONCTIF	IMPÉRATIF	PARTICIPES
	Présent	Imparfait	Passé simple	Futur	Présent	Présent	Présent	Présent / Passé
Être *(Auxiliaire)*	je **suis** tu **es** il/elle **est** nous **sommes** vous **êtes** ils/elles **sont**	j'étais tu étais il/elle était nous étions vous étiez ils/elles étaient	je fus tu fus il/elle fut nous fûmes vous fûtes ils/elles furent	je **serai** tu seras il/elle sera nous serons vous serez ils/elles seront	je serais tu serais il/elle serait nous serions vous seriez ils/elles seraient	que je **sois** que tu sois qu'il/elle soit que nous soyons que vous soyez qu'ils/elles soient	sois soyons soyez	**étant / été**
Avoir *(Auxiliaire)*	j'**ai** tu **as** il/elle **a** nous **avons** vous avez ils/elles **ont**	j'avais tu avais il/elle avait nous avions vous aviez ils/elles avaient	j'eus tu eus il/elle eut nous eûmes vous eûtes ils/elles eurent	j'**aurai** tu auras il/elle aura nous aurons vous aurez ils/elles auront	j'aurais tu aurais il/elle aurait nous aurions vous auriez ils/elles auraient	que j'**aie** que tu aies qu'il/elle ait que nous ayons que vous ayez qu'ils/elles aient	aie ayons ayez	**ayant / eu**
Aller	je **vais** tu **vas** il/elle **va** nous **all**ons vous allez ils/elles **vont**	j'allais tu allais il/elle allait nous allions vous alliez ils/elles allaient	j'allai tu allas il/elle alla nous allâmes vous allâtes ils/elles allèrent	j'**ir**ai tu iras il/elle ira nous irons vous irez ils/elles iront	j'irais tu irais il/elle irait nous irions vous iriez ils/elles iraient	que j'**aille** que tu ailles qu'il/elle aille que nous allions que vous alliez qu'ils/elles aillent	va allons allez	**allant / allé**
(S')Asseoir	je m'**assieds** tu t'assieds il/elle s'assied nous nous **assey**ons vous vous asseyez ils/elles s'asseyent	j'asseyais tu asseyais il/elle asseyait nous asseyions vous asseyiez ils/elles asseyaient	j'assis tu assis il/elle assit nous assîmes vous assîtes ils/elles assirent	j'**assiér**ai tu assiéras il/elle assiéra nous assiérons vous assiérez ils/elles assiéront	j'assiérais tu assiérais il/elle assiérait nous assiérions vous assiériez ils/elles assiéraient	que j'asseye que tu asseyes qu'il/elle asseye que nous asseyions que vous asseyiez qu'ils/elles asseyent	assieds-toi asseyons-nous asseyez-vous	**s'asseyant / assis**
Boire	je **bois** tu bois il/elle boit nous **buv**ons vous buvez ils/elles **boiv**ent	je buvais tu buvais il/elle buvait nous buvions vous buviez ils/elles buvaient	je bus tu bus il/elle but nous bûmes vous bûtes ils/elles burent	je **boir**ai tu boiras il boira nous boirons vous boirez ils/elles boiront	je boirais tu boirais il/elle boirait nous boirions vous boiriez ils/elles boiraient	que je boive que tu boives qu'il/elle boive que nous buvions que vous buviez qu'ils/elles boivent	bois buvons buvez	**buvant / bu**
Chanter	je **chante** tu chantes il/elle chante nous chantons vous chantez ils/elles chantent	je chantais tu chantais il/elle chantait nous chantions vous chantiez ils/elles chantaient	je chantai tu chantas il/elle chanta nous chantâmes vous chantâtes ils/elles chantèrent	je **chanter**ai tu chanteras il/elle chantera nous chanterons vous chanterez ils/elles chanteront	je chanterais tu chanterais il/elle chanterait nous chanterions vous chanteriez ils/elles chanteraient	que je chante que tu chantes qu'il/elle chante que nous chantions que vous chantiez qu'ils/elles chantent	chante chantons chantez	**chantant / chanté**
Choisir	je **choisis** tu choisis il/elle choisit nous **choisiss**ons vous choisissez ils/elles choisissent	je choisissais tu choisissais il/elle choisissait nous choisissions vous choisissiez ils/elles choisissaient	je choisis tu choisis il/elle choisit nous choisîmes vous choisîtes ils/elles choisirent	je **choisir**ai tu choisiras il/elle choisira nous choisirons vous choisirez ils/elles choisiront	je choisirais tu choisirais il/elle choisirait nous choisirions vous choisiriez ils/elles choisiraient	que je choisisse que tu choisisses qu'il/elle choisisse que nous choisissions que vous choisissiez qu'ils/elles choisissent	choisis choisissons choisissez	**choisissant / choisi**
Conduire	je **conduis** tu conduis il/elle conduit nous **conduis**ons vous conduisez ils/elles conduisent	je conduisais tu conduisais il/elle conduisait nous conduisions vous conduisiez ils/elles conduisaient	je conduisis tu conduisis il/elle conduisit nous conduisîmes vous conduisîtes ils/elles conduisirent	je **conduir**ai tu conduiras il/elle conduira nous conduirons vous conduirez ils/elles conduiront	je conduirais tu conduirais il/elle conduirait nous conduirions vous conduiriez ils/elles conduiraient	que je conduise que tu conduises qu'il/elle conduise que nous conduisions que vous conduisiez qu'ils/elles conduisent	conduis conduisons conduisez	**conduisant / conduit**

INFINITIF	INDICATIF				CONDITIONNEL	SUBJONCTIF	IMPÉRATIF	PARTICIPES
	Présent	Imparfait	Passé simple	Futur	Présent	Présent	Présent	Présent / Passé
Connaître (Apparaître Paraître Reconnaître)	je **connais** tu connais il/elle connaît nous **connaiss**ons vous connaissez ils/elles connaissent	je connaissais tu connaissais il/elle connaissait nous connaissions vous connaissiez ils/elles connaissaient	je connus tu connus il/elle connut nous connûmes vous connûtes ils/elles connurent	je **connaîtr**ai tu connaîtras il/elle connaîtra nous connaîtrons vous connaîtrez ils/elles connaîtront	je connaîtrais tu connaîtrais il/elle connaîtrait nous connaîtrions vous connaîtriez ils/elles connaîtraient	que je connaisse que tu connaisses qu'il/elle connaisse que nous connaissions que vous connaissiez qu'ils/elles connaissent	connais connaissons connaissez	**connaissant / connu**
Craindre (Éteindre Peindre Se plaindre)	je **crains** tu crains il/elle craint nous **craign**ons vous craignez ils/elles craignent	je craignais tu craignais il/elle craignait nous craignions vous craigniez ils/elles craignaient	je craignis tu craignis il/elle craignit nous craignîmes vous craignîtes ils /elles craignirent	je **craindr**ai tu craindras il/elle craindra nous craindrons vous craindrez ils/elles craindront	je craindrais tu craindrais il/elle craindrait nous craindrions vous craindriez ils/elles craindraient	que je craigne que tu craignes qu'il/elle craigne que nous craignions que vous craigniez qu'ils/elles craignent	crains craignons craignez	**craignant / craint**
Croire	je **crois** tu crois il/elle croit nous **croy**ons vous croyez ils/elles croient	je croyais tu croyais il/elle croyait nous croyions vous croyiez ils/elles croyaient	je crus tu crus il/elle crut nous crûmes vous crûtes ils/elles crurent	je **croir**ai tu croiras il/elle croira nous croirons vous croirez ils/elles croiront	je croirais tu croirais il/elle croirait nous croirions vous croiriez ils/elles croiraient	que je croie que tu croies qu'il/elle croie que nous croyions que vous croyiez qu'ils/elles croient	crois croyons croyez	**croyant / cru**
Devoir	je **dois** tu dois il/elle doit nous **dev**ons vous devez ils/elles **doiv**ent	je devais tu devais il/elle devait nous devions vous deviez ils/elles devaient	je dus tu dus il/elle dut nous dûmes vous dûtes ils/elles durent	je **devr**ai tu devras il/elle devra nous devrons vous devrez ils/elles devront	je devrais tu devrais il/elle devrait nous devrions vous devriez ils/elles devraient	que je doive que tu doives qu'il/elle doive que nous devions que vous deviez qu'ils/elles doivent	(inusité)	**devant / dû**
Dire	je **dis** tu dis il/elle dit nous **dis**ons vous dites ils/elles disent	je disais tu disais il/elle disait nous disions vous disiez ils/elles disaient	je dis tu dis il/elle dit nous dîmes vous dîtes ils/elles dirent	je **dir**ai tu diras il/elle dira nous dirons vous direz ils/elles diront	je dirais tu dirais il/elle dirait nous dirions vous diriez ils/elles diraient	que je dise que tu dises qu'il/elle dise que nous disions que vous disiez qu'ils/elles disent	dis disons dites	**disant / dit**
Écrire	j'**écris** tu écris il/elle écrit nous **écriv**ons vous écrivez ils/elles écrivent	j'écrivais tu écrivais il/elle écrivait nous écrivions vous écriviez ils/elles écrivaient	j'écrivis tu écrivis il/elle écrivit nous écrivîmes vous écrivîtes ils/elles écrivirent	j'**écrir**ai tu écriras il/elle écrira nous écrirons vous écrirez ils/elles écriront	j'écrirais tu écrirais il/elle écrirait nous écririons vous écririez ils/elles écriraient	que j'écrive que tu écrives qu'il/elle écrive que nous écrivions que vous écriviez qu'ils/elles écrivent	écris écrivons écrivez	**écrivant / écrit**
Faire	je **fais** tu fais il/elle fait nous **fais**ons vous **faites** ils/elles **font**	je faisais tu faisais il/elle faisait nous faisions vous faisiez ils/elles faisaient	je fis tu fis il/elle fit nous fîmes vous fîtes ils/elles firent	je **fer**ai tu feras il/elle fera nous ferons vous ferez ils/elles feront	je ferais tu ferais il/elle ferait nous ferions vous feriez ils/elles feraient	que je **fasse** que tu fasses qu'il/elle fasse que nous fassions que vous fassiez qu'ils/elles fassent	fais faisons faites	**faisant / fait**
Falloir (Valoir)	il **faut**	il **fallait**	il fallut	il **faudra**	il faudrait	qu'il **faille**	(inusité)	(inusité) / **fallu**

INFINITIF	INDICATIF				CONDITIONNEL	SUBJONCTIF	IMPÉRATIF	PARTICIPES
	Présent	**Imparfait**	**Passé simple**	**Futur**	**Présent**	**Présent**	**Présent**	**Présent / Passé**
Mettre (Permettre Promettre)	je **mets** tu mets il/elle met nous **mettons** vous mettez ils/elles mettent	je mettais tu mettais il/elle mettait nous mettions vous mettiez ils/elles mettaient	je mis tu mis il/elle mit nous mîmes vous mîtes ils/elle mirent	je **mettrai** tu mettras il/elle mettra nous mettrons vous mettrez ils/elles mettront	je mettrais tu mettrais il/elle mettrait nous mettrions vous mettriez ils/elles mettraient	que je mette que tu mettes qu'il/elle mette que nous mettions que vous mettiez qu'ils/elles mettent	mets mettons mettez	**mettant / mis**
Mourir	je **meurs** tu meurs il/elle meurt nous **mourons** vous mourez ils/elles meurent	je mourais tu mourais il/elle mourait nous mourions vous mouriez ils/elles mouraient	je mourus tu mourus il/elle mourut nous mourûmes vous mourûtes ils/elles moururent	je **mourrai** tu mourras il/elle mourra nous mourrons vous mourrez ils/elles mourront	je mourrais tu mourrais il/elle mourrait nous mourrions vous mourriez ils/elles mourraient	que je meure que tu meures qu'il/elle meure que nous mourions que vous mouriez qu'ils/elles meurent	meurs mourons mourez	**mourant / mort**
Naître	je **nais** tu nais il/elle naît nous **naissons** vous naissez ils/elles naissent	je naissais tu naissais il/elle naissait nous naissions vous naissiez ils/elles naissaient	je naquis tu naquis il/elle naquit nous naquîmes vous naquîtes ils/elles naquirent	je **naîtrai** tu naîtras il/elle naîtra nous naîtrons vous naîtrez ils/elles naîtront	je naîtrais tu naîtrais il/elle naîtrait nous naîtrions vous naîtriez ils/elles naîtraient	que je naisse que tu naisses qu'il/elle naisse que nous naissions que vous naissiez qu'ils/elles naissent	nais naissons naissez	**naissant / né**
Partir (Dormir Sentir, Sortir)	je **pars** tu pars il/elle part nous **partons** vous partez ils/elles partent	je partais tu partais il/elle partait nous partions vous partiez ils/elles partaient	je partis tu partis il/elle partit nous partîmes vous partîtes ils/elles partirent	je **partirai** tu partiras il partira nous partirons vous partirez ils/elles partiront	je partirais tu partirais il/elle partirait nous partirions vous partiriez ils/elles partiraient	que je parte que tu partes qu'il/elle parte que nous partions que vous partiez qu'ils/elles partent	pars partons partez	**partant / parti**
Plaire	je **plais** tu plais il/elle plaît nous **plaisons** vous plaisez ils/elles plaisent	je plaisais tu plaisais il/elle plaisait nous plaisions vous plaisiez ils/elles plaisaient	je plus tu plus il/elle plut nous plûmes vous plûtes ils/elles plurent	je **plairai** tu plairas il/elle plaira nous plairons vous plairez ils/elles plairont	je plairais tu plairais il/elle plairait nous plairions vous plairiez ils/elles plairaient	que je plaise que tu plaises qu'il/elle plaise que nous plaisions que vous plaisiez qu'ils/elles plaisent	plais plaisons plaisez	**plaisant / plu**
Pleuvoir	il **pleut**	il **pleuvait**	il plut	il **pleuvra**	il pleuvrait	qu'il pleuve	(inusité)	**pleuvant / plu**
Pouvoir	je **peux** tu peux il/elle peut nous **pouvons** vous pouvez ils/elles **peuvent**	je pouvais tu pouvais il/elle pouvait nous pouvions vous pouviez ils/elles pouvaient	je pus tu pus il/elle put nous pûmes vous pûtes ils/elles purent	je **pourrai** tu pourras il/elle pourra nous pourrons vous pourrez ils/elles pourront	je pourrais tu pourrais il/elle pourrait nous pourrions vous pourriez ils/elles pourraient	que je **puisse** que tu puisses qu'il/elle puisse que nous puissions que vous puissiez qu'ils/elles puissent	(inusité)	**pouvant / pu**
Prendre (Apprendre Comprendre Reprendre)	je **prends** tu prends il/elle prend nous **prenons** vous prenez ils/elles **prennent**	je prenais tu prenais il/elle prenait nous prenions vous preniez ils/elles prenaient	je pris tu pris il/elle prit nous prîmes vous prîtes ils/elles prirent	je **prendrai** tu prendras il/elle prendra nous prendrons vous prendrez ils/elles prendront	je prendrais tu prendrais il/elle prendrait nous prendrions vous prendriez ils/elles prendraient	que je prenne que tu prennes qu'il/elle prenne que nous prenions que vous preniez qu'ils/elles prennent	prends prenons prenez	**prenant / pris**

INFINITIF	INDICATIF				CONDITIONNEL	SUBJONCTIF	IMPÉRATIF	PARTICIPES
	Présent	Imparfait	Passé simple	Futur	Présent	Présent	Présent	Présent / Passé
Savoir	je **sais** tu sais il/elle sait nous **sav**ons vous savez ils/elles savent	je savais tu savais il/elle savait nous savions vous saviez ils/elles savaient	je sus tu sus il/elle sut nous sûmes vous sûtes ils/elles surent	je **saur**ai tu sauras il/elle saura nous saurons vous saurez ils/elles sauront	je saurais tu saurais il/elle saurait nous saurions vous sauriez ils/elles sauraient	que je **sache** que tu saches qu'il/elle sache que nous sachions que vous sachiez qu'ils/elles sachent	sache sachons sachez	**sachant / su**
Suivre	je **suis** tu suis il/elle suit nous **suiv**ons vous suivez ils/elles suivent	je suivais tu suivais il/elle suivait nous suivions vous suiviez ils/elles suivaient	je suivis tu suivis il/elle suivit nous suivîmes vous suivîtes ils/elles suivirent	je **suivr**ai tu suivras il/elle suivra nous suivrons vous suivrez ils/elles suivront	je suivrais tu suivrais il/elle suivrait nous suivrions vous suivriez ils/elles suivraient	que je suive que tu suives qu'il/elle suive que nous suivions que vous suiviez qu'ils/elles suivent	suis suivons suivez	**suivant / suivi**
Valoir	je **vaux** tu **vaux** il/elle **vaut** nous **val**ons vous valez ils/elles valent	je valais tu valais il/elle valait nous valions vous valiez ils/elles valaient	je valus tu valus il/elle valut nous valûmes vous valûtes ils/elles valurent	je **vaudr**ai tu vaudras il/elle vaudra nous vaudrons vous vaudrez ils/elles vaudront	je vaudrais tu vaudrais il/elle vaudrait nous vaudrions vous vaudriez ils/elles vaudraient	que je **vaill**e que tu vailles qu'il/elle vaille que nous valions que vous valiez qu'ils/elles vaillent	(inusité)	**valant / valu**
Venir (Devenir Revenir Tenir)	je **viens** tu viens il/elle vient nous **ven**ons vous venez ils/elles **vienn**ent	je venais tu venais il/elle venait nous venions vous veniez ils/elles venaient	je vins tu vins il/elle vint nous vînmes vous vîntes ils/elles vinrent	je **viendr**ai tu viendras il/elle viendra nous viendrons vous viendrez ils/elles viendront	je viendrais tu viendrais il/elle viendrait nous viendrions vous viendriez ils/elles viendraient	que je vienne que tu viennes qu'il/elle vienne que nous venions que vous veniez qu'ils/elles viennent	viens venons venez	**venant / venu**
Vivre	je **vis** tu vis il/elle vit nous **viv**ons vous vivez ils/elles vivent	je vivais tu vivais il/elle vivait nous vivions vous viviez ils/elles vivaient	je vécus tu vécus il/elle vécut nous vécûmes vous vécûtes ils vécurent	je **vivr**ai tu vivras il/elle vivra nous vivrons vous vivrez ils/elles vivront	je vivrais tu vivrais il/elle vivrait nous vivrions vous vivriez ils/elles vivraient	que je vive que tu vives qu'il/elle vive que nous vivions que vous viviez qu'ils/elles vivent	vis vivons vivez	**vivant / vécu**
Voir	je **vois** tu vois il/elle voit nous **voy**ons vous voyez ils/elles voient	je voyais tu voyais il/elle voyait nous voyions vous voyiez ils/elles voyaient	je vis tu vis il/elle vit nous vîmes vous vîtes ils/elles virent	je **verr**ai tu verras il/elle verra nous verrons vous verrez ils/elles verront	je verrais tu verrais il/elle verrait nous verrions vous verriez ils/elles verraient	que je voie que tu voies qu'il/elle voie que nous voyions que vous voyiez qu'ils/elles voient	vois voyons voyez	**voyant / vu**
Vouloir	je **veux** tu **veux** il/elle **veut** nous **voul**ons vous voulez ils/elles **veul**ent	je voulais tu voulais il/elle voulait nous voulions vous vouliez ils/elles voulaient	je voulus tu voulus il/elle voulut nous voulûmes vous voulûtes ils/elles voulurent	je **voudr**ai tu voudras il/elle voudra nous voudrons vous voudrez ils/elles voudront	je voudrais tu voudrais il/elle voudrait nous voudrions vous voudriez ils/elles voudraient	que je **veuille** que tu veuilles qu'il/elle veuille que nous voulions que vous vouliez qu'ils/elles veuillent		**voulant / voulu**

4. Valeurs et emplois des modes et des temps

A LE MODE INDICATIF

On considère l'action comme un fait qui se réalise à un moment particulier.

Le présent

- Action en train de s'accomplir.
  Je porte deux valises à la gare.
- Vérité générale.
  Les hommes sont mortels.
- Valeur de futur.
  Je pars demain.
- Ordre, conseil.
  Tu viens ! Tu fais attention !

L'imparfait

- Action passée présentée en train de s'accomplir.
  Je travaillais. (quand tu m'as téléphoné)
- Circonstances.
  Il pleuvait. (quand je suis sorti)
- État passé.
  J'étais heureux. Je voulais te voir.
- Habitude ou répétition.
  Je me levais tôt chaque matin.
- Hypothèse.
  Si tu venais. (je t'expliquerais)
- Suggestion, souhait.
  Si nous sortions ! Ah, si j'avais de l'argent !
- Politesse.
  Je voulais vous demander si...
- Style indirect avec le verbe principal au passé.
  Elle m'a dit qu'elle allait partir.

Le plus-que-parfait

- Action ou fait antérieur à un autre fait du passé.
  Quand il avait fini de lire, il se couchait.
- Hypothèse non réalisée dans le passé.
  Si vous étiez venu, (je vous aurais tout expliqué).

Le passé simple

(Seulement à la troisième personne à l'écrit.)

- Action présentée comme achevée et éloignée.
  Il le regarda dans les yeux.

Le passé composé

- Action passée présentée comme achevée.
  J'ai tout fait.
- Résultat actuel d'une action passée.
  Elle est arrivée ce matin. (= Elle est là.)
- Action qui va se terminer dans un avenir immédiat.
  J'ai fini dans cinq minutes.

Le futur

- Action future.
  Elle viendra à cinq heures.
- Prédiction.
  Demain, il fera beau.

Le futur antérieur

- Action future antérieure à un moment du futur.
  Ce soir, il aura terminé son travail.

B LE MODE CONDITIONNEL

Le conditionnel présent

- Action ou fait qui peut ou pourra se produire.
  (Si tu venais,) je te montrerais mes achats.
- Politesse, atténuation d'un énoncé.
  Je voudrais vous parler.
- Probabilité, événements incertains.
  Un tremblement de terre aurait eu lieu hier.
- Futur du passé.
  Il a dit qu'il viendrait.

Le conditionnel passé

- Action ou fait qui aurait pu se produire.
  (Si tu avais voyagé,) tu aurais beaucoup appris.

C LE MODE SUBJONCTIF

Ce mode sert à exprimer un fait réalisable, souhaité, imaginé

- Après des verbes exprimant la volonté, la nécessité, le doute, une émotion, un souhait, un jugement.
  Il faut que nous partions.
  Je veux qu'elle vienne.
- Après certaines conjonctions *(voir page 187)*.
  Bien qu'il y ait encore des problèmes à résoudre, on a bon espoir d'aboutir.

La phrase complexe

1. Les principales conjonctions introduisant des propositions subordonnées.

(Les conjonctions en caractères gras sont suivies du subjonctif.)

VALEUR	CONJONCTIONS
Temps	quand, comme, lorsque, pendant que, tandis que, dès que, après que, depuis que, **avant que jusqu'à ce que**
Cause	parce que, puisque, comme, **ce n'est pas que**
But	**pour que, afin que, de peur que**
Concession	même si, **bien que, quoique**
Conséquence	si bien que, de sorte que, au point que
Condition	si, au cas où, **à condition que, pourvu que, à moins que**

2. Les subordonnées de condition

Hypothèse	Condition	Conséquence
Réalisable à coup sûr	*Présent* S'il fait beau / S'il ne pleut plus	*Futur / impératif* j'irai me promener / sortons
Douteuse ou fausse	*Imparfait* S'il faisait beau	*Conditionnel* je sortirais.
Non réalisée dans le passé	*Plus-que-parfait* S'il avait fait beau	*Conditionnel passé* je serais sorti.

3. L'interrogation indirecte

– Après des verbes qui posent une question : demander, ne pas savoir, ignorer, chercher...

Où allez-vous ? → Il demande où vous allez.
Qu'est-ce que tu fais ? → Il veut savoir ce que tu fais.
Qu'est-ce qui t'ennuie ? → Il cherche ce qui t'ennuie.
Est-ce que vous viendrez ? → Il ignore si vous viendrez.

– Transformations nécessaires pour passer de l'interrogation directe à l'interrogation indirecte :

1 - pas de point d'interrogation ;
2 - l'ordre sujet + verbe est rétabli (... où vous allez.) ;
3 - qu'est-ce que / qui → ce que / ce qui ;
4 - si l'interrogation est du type « oui / si / non » (c'est-à-dire porte sur toute la phrase) on emploie la conjonction « si » pour introduire la subordonnée.

LEXIQUE

Liste des abréviations

adj. :	adjectif	**loc.** :	locution	**prép.** :	préposition	**v.t.** :	verbe transitif
adv. :	adverbe	**n.f.** :	nom féminin	**pr.** :	pronom	**v.int.** :	verbe intransitif
conj. :	conjonction	**n.m.** :	nom masculin	**v.aux.** :	verbe auxiliaire	**v.irr.** :	verbe irrégulier
		pl. :	pluriel			**v.pr.** :	verbe pronominal

A

35	**aboutir,** v.int.	to lead to	terminar	καταλήγω	terminare	terminar
146	**abri,** n.m.	shelter	vivienda	καταφύγιο	riparo	abrigo
50	**accéder (à),** v.int.	to rise to	ocupar	φτάνω	accedere	aceder
130	**accomplir,** v.t.	to perform	efectuar	αποπερατώνω	compiere	cumprir
72	**accoudoir,** n.m.	armrest	posabrazo	μπράτσο καθίσματος	bracciolo	encosto
120	**accrocher,** v.int./t.	to hang	colgar	κρεμάω	appendere	agarrar
115	**accueillir,** v.t.	to accommodate	recibir	υποδέχομαι	accogliere	acolher
144	**acheminement**	conveying	envío	πορεία, αποστολή	invio	envio
42	**acquérir,** v.t.	to gain	adquirir	αποκτώ	acquisire	adquirir
113	**activer (s'),** v.pr.	to take exercise	activarse	ενεργοποιούμαι	attivarsi	activar
112	**adepte,** n.m.	follower	adepto	οπαδός	adepto	adepto
156	**adjoint,** n.m.	deputy	adjunto	συνεργάτης	assistente	adjunto
155	**adopter,** v.t.	to adopt	adoptar	υιοθετώ	adottare	adoptar
104	**aérien,** n.m.	air (traffic)	aéreo	εναέριος	aereo	aéreo
13	**affaire,** n.f.	business	asunto	υπόθεση	affare	negócio
44	**affaires,** n.f.	belongings	cosa	προσ.αντικείμενα	roba	coisas
16	**affection,** n.f.	feelings	afecto	στοργή, αγάπη	affetto	afeição
99	**affectivité,** n.f.	emotions	afectividad	το συναισθάνεσθαι	affettività	afectividade
96	**à fond,** adv.	thoroughly	a fondo	σε βάθος	a fondo	a fundo
65	**agir,** v.int.	to act	actuar	δρώ	agire	agir
106	**aggraver,** v.t.	to make worse	agravar	επιδεινώνω	aggravare	agravar
42	**agité,** adj.	troubled	agitado	ταραγμένος	agitato	agitado
120	**agricole,** adj.	agricultural	agrícola	αγροτικός	agricolo	agrícola
128	**aile,** n.f.	wing	ala	φτερό	ala	asa
98	**ailleurs,** adv.	elsewhere	en otro lado	αλλού	altrove	em outra parte
17	**aisance,** n.f.	ease	gracia	άνεση	disinvoltura	desenvoltura
19	**ajouter,** v.t.	to add	añadir	προσθέτω	aggiungere	ajuntar
128	**alerter,** v.t.	to inform	avisar	σημαίνω συναγερμό	avvertire	alertar
106	**alimentaire,** adj.	food	alimenticio	τρόφιμος	alimentare	alimentar
156	**allée et venue,** n.f.	comings and goings	ida y venida	πηγαινέλα	va e vieni	idas e vindas
83	**allier,** v.t.	to combine	combinar	συνδυάζω	unire	aliar
168	**allocation,** n.f.	benefit	asignación	χορήγηση	sussidio	gratificação
112	**allonger,** v.t.	to stretch	alargar	απλώνω	allungare	alongar
30	**allure,** n.f.	look	aspecto	φέρσιμο	andatura	procedimento
65	**amateur,** n.m.	lover	amante	ερασιτέχνης	appassionato	afeiçoado
83	**ambiance,** n.f.	atmosphere	ambiente	ατμόσφαιρα	atmosfera	ambiente
152	**aménager,** v.t.	to develop	arreglar	διαρρυθμίζω	sistemare	arrumar
170	**amener,** v.t.	to lead	llevar	φέρνω	portare	levar
25	**ampoule,** n.f.	light bulb	lámpara	γλόμπος	lampadina	lâmpada
138	**anneau,** n.m.	ring	aro	δακτύλιος	anello	anel
79	**annuler,** v.t.	to cancel	anular	ακυρώνω	annullare	anular
96	**antenne fouet,** n.f.	flexible aerial	antena flexible	ελαστική κεραία	antenna	antena flexível
193	**apercevoir (s')**	to notice	darse cuenta	αντιλαμβάνομαι	accorgersi	perceber

81	**à-plat**, n.m.	flat tint	color liso	ομοιόμορφο χρώμα	a strato	cor lisa
126	**appartenir**, v.int.	to belong	pertenecer	ανήκω	appartenere	pertencer
123	**applaudir**, v.t.	to applaud	aplaudir	χειροκροτώ	applaudire	aplaudir
67	**apporter**, v.t.	to bring	aportar	φέρνω, αποφέρω	portare	enriquecer
153	**approfondi**, adj.	thorough	más profundo	εξονυχιστική, σε βάθος	approfondito	aprofundado
96	**appuie-tête**, n.m.	headrest	reposacabeza	μαξιλαράκι	appoggiatesta	apoio de cabeça
161	**arceau**, n.m.	arch	arco de bóveda	αψίδα	arco	arco
120	**argile**, n.f.	clay	arcilla	άργιλος	argilla	argila
191	**arrestation**, n.f.	arrest	detención	σύλληψη	arresto	prisão
13	**arrêter**, v.	to arrest	arrestar	συλλαμβάνω	arrestare	prender
9	**arrière**, n.f.	back	atrás	πίσω	indietro	para trás
49	**arriviste**, adj.	go-getter	arribista	αριβιστής	arrivista	arrivista
130	**arroser**, v.t.	to water	regar	ποτίζω	inraffiare	regar
67	**artisanat**, n.m.	craftmanship	artesanía	βιοτεχνία	artigiano	artesanato
173	**assassiner**, v.t.	to murder	asesinar	δολοφονώ	assassinare	assassinar
24	**assiette**, n.f.	plate	plato	πιάτο	piatto	prato
188	**assurer**, v.t.	to assure	asegurar	βεβαιώνω	assicurare	assegurar
10	**atteindre**, v.t.	to reach	alcanzar	φτάνω	raggiungere	alcançar
82	**atténuer**, v.t.	to tone down	atenuar	μετριάζω	attenuare	atenuar
144	**atterrissage**, n.m.	landing	aterrizaje	προσγείωση	atterraggio	aterragem
50	**attestation**, n.f.	certificate	certificado	βεβαίωση	attestato	certificado
65	**aube**, n.f.	dawn	umbral	αυγή	alba	alvorada
83	**auberge**, n.f.	inn	hostería	πανδοχείο	albergo	estalagem
64	**audace**, n.f.	audacity	audacia	θράσος	audacia	audácia
90	**augmenter**, v.t.	to increase	aumentar	αυξάνω	aumentare	aumentar
145	**au large de**, adv.	off (the coast of)	a la altura de	στ'ανοιχτά του	al largo	ao largo de
144	**auparavant**, adv.	previously	atrás	αρχικά, πριν	prima	antes
89	**autocollant**, n.m.	sticker	pegatina	αυτοκόλλητο	adesivo	adesivo
90	**aveugle**, n.m.	blind man	ciego	τυφλός	cieco	cego
144	**avisé**, adj.	shrewd	sagaz	συνετός	accorto	avisado
104	**avoir l'air**	to look like	parecer	μοιάζω	aver l'aria	parecer
106	**avoir mal**	to have a pain	doler	πονάω	aver male	ter dor
44	**avoir marre (en)**	to be fed up	estar harto	βαρέθηκα	essere stufo	estar farto
17	**avouer**, v.t.	to admit	confesar	ομολογώ	confessare	confessar
160	**axe**, n.m.	road	eje	άξονας	asse	eixo

B

89	**bagage**, n.m.	baggage	equipaje	αποσκευή	bagaglio	bagagem
9	**bague**, n.f.	ring	anillo	δαχτυλίδι	anello	anel
145	**baigner**, v.t.	to wash	bañar	βρέχω	bagnare	banhar
130	**bâillonner**, v.t.	to gag	amordazar	φιμώνω	imbavagliare	amordaçar
24	**baisser**, v.t.	to turn down	bajar	χαμηλώνω	abbassare	abaixar
113	**balade**, n.f.	ride	paseo	βόλτα	passeggiata	passeio
74	**baleine**, n.f.	whale	ballena	φάλαινα	balena	baleia
120	**ballon**, n.m.	balloon	globo	αερόστατο	palla	balão
83	**banlieue**, n.f.	suburb	suburbio	προάστειο	periferia	subúrbio
161	**bariolé**, adj.	brightly coloured	abigarrado	παρδαλός	variopinto	colorido
136	**barrière**, n.f.	barrier	barrera	εμπόδιο, φράγμα	barriera	barreira
144	**bataille**, n.f.	battle	contienda	μάχη	battaglia	batalha
176	**bâtir**, v.t.	to build	basar	θεμελιώνω	costruire	construir
75	**bécasse**, n.f.	woodcock	becada, chocha	μπεκάτσα	beccaccia	galinhola
160	**berge**, n.f.	bank	borde	όχθη	argine	ribanceira
29	**bête**, n.f.	creature	bicho	ζώο	bestia	besta
138	**béton**, n.m.	concrete	hormigón	μπετόν	cemento	cimento
125	**bien**, n.m.	property	bien	αγαθό	bene	bem
48	**bienveillant**, adj.	benevolent	afable	ευνοϊκός	benevolo	benevolente
170	**bienvenue**, n.f.	welcome	bienvenida	το καλωσόρισες	benvenuto	boas vindas
15	**bijouterie**, n.f.	jeweller's	joyería	κοσμηματοπωλείο	gioielleria	joalharia
79	**billet**, n.m.	ticket	entrada	εισιτήριο	biglietto	bilhete
65	**blesser**, v.t.	to wound	herir	πληγώνω	ferire	ferir
8	**blond**, adj.	blond	rubio	ξανθός	biondo	louro
72	**boisson**, n.f.	drink	bebida	ποτό, αναψυκτικό	bevanda	bebida
120	**boîte de conserve**	tin	bote de conservas	κονσέρβα	scatola di conserva	lata de conserva
82	**bonheur**, n.m.	felicity	éxito	ευτυχία	felicità	felicidade
8	**bouche**, n.f.	mouth	boca	στόμα	bocca	boca

9	**boucle d'oreille,** n.f.	earring	pendiente	σκουλαρίκι	orecchino	brinco
106	**bouger,** v.t.	to move	moverse	κινούμαι	muovere	mexer
160	**bouleverser,** v.t.	to change completely	trastornar	αναστατώνω	sconvolgere	transtornar
76	**boulot,** n.m. fam.	job	trabajo	δουλειά	lavoro	trabalho
82	**bourse,** n.f.	purse	bolsillo	βαλάντιο	borsa	bolsa
27	**bousculer,** v.t.	to bump into	empujar	σπρώχνω	spingere	empurrar
72	**branche,** n.f.	side-piece	patilla	κλάδος	stanghetta	perna
10	**bras,** n.m.	arm	brazo	μπράτσο	braccio	braço
184	**brassage,** n.m.	mixing	mezcla	ανακάτωμα	mescolanza	mescla
172	**bref,** adv.	brief	breve	σύντομος	breve	em suma
72	**briquet,** n.m.	lighter	mechero	αναπτήρας	accendino	isqueiro
108	**brisé,** adj.	ruined	deshecho	κατεστραμμένος	finito	acabado
40	**brochure,** n.f.	brochure	folleto	μπροσούρα	opuscolo	folheto
97	**brouette,** n.f.	wheelbarrow	carretilla	καροτσάκι	carriola	carriola
128	**brouillard,** n.m.	fog	niebla	ομίχλη	nebbia	neblina
8	**brun,** adj.	brown	moreno	μελαχρινός	bruno	moreno
33	**brusquement,** adv.	suddenly	bruscamente	απότομα	all'improvviso	bruscamente
40	**budget,** n.m.	budget	dotación	προϋπολογισμός	budget	orçamento
76	**buffle,** n.m.	buffalo	búfalo	βούβαλος	bufalo	búfalo

C

45	**cacher (se),** v.pr.	to hide	esconderse	κρύβομαι	nascondersi	esconder-se
27	**cadeau,** n.m.	present	regalo	δώρο	regalo	presente
184	**cadre,** n.m.	executive	ejecutivo	στέλεχος	quadro	executivo
58	**calcaire,** n.m.	limestone	calizo	ασβεστολιθικός	calcareo	calcário
56	**calcul,** n.m.	arithmetic	aritmética	αριθμητική	calcolo	cálculo
143	**cambrioler,** v.t.	to burgle	robar	κάνω διάρρηξη	svaligiare	assaltar
42	**camp,** n.m.	sides	bando	στρατόπεδο	campo	campo
90	**campagne,** n.f.	campaign	campaña	εξοχή, καμπάνια	campagna	campo
83	**canard,** n.m.	duck	pato	πάπια	anatra	pato
42	**candidat,** n.m.	candidate	candidato	υποψήφιος	candidato	candidato
59	**caoutchouc,** n.m.	rubber	goma	καουτσούκ	caucciù	borracha
65	**captiver,** v.t.	to fascinate	cautivar	συναρπάζω	avvincere	cativar
128	**carlingue,** n.f.	cabin	carlinga	καρότσα αερ/νου	carlinga	carlinga
66	**carnet,** n.m.	logbook	diario	καρνέ	taccuino	canhenho
9	**carré,** adj.	square	rectangular	τετράγωνος	quadrato	quadrado
49	**carriériste,** n.m.	careerist	arribista	φιλόδοξος, οφελιμιστής	carrierista	carreirista
60	**casser le cou (se)**	to break one's neck	matarse	σπάω το κεφάλι μου	rompersi il collo	quebrar o pescoço
188	**cauchemar,** n.m.	nightmare	pesadilla	εφιάλτης	incubo	pesadelo
45	**causer,** v.int.	to speak	hablar	κουβεντιάζω	parlare	conversar
25	**céder,** v.int.	to give in	ceder	υποχωρώ	cedere	ceder
99	**chaîne,** n.f.	chain	cadena	αλυσίδα	catena	rede
16	**chaleur,** n.f.	warmth	calor	θέρμη	caldo	calor
60	**chantier,** n.m.	building site	obra	εργοτάξιο	cantiere	canteiro
131	**chapeau,** n.m.	introductory paragraph	"copete"	εισαγωγικό σημείωμα	introduzione	chapéu
180	**chapelle,** n.f.	chapel	capilla	παρεκκλήσι	cappella	capela
153	**charge,** n.f.	expense	tributo	δασμός	spesa	encargo
141	**charger de (se)**	to see to	encargarse de	επιφορτίζομαι	incaricarsi	encarregar-se de
18	**charme,** n.m.	attraction	encanto	γοητεία	fascino	encanto
185	**chassé-croisé,** n.m.	to-ings and fro-ings	desencuentro	μπρος-πίσω	movimento	emaranhamento
8	**châtain,** adj.	chestnut	castaño	καστανόξανθος	castano	castanho
58	**château,** n.m.	castle	castillo	κάστρο	castello	castelo
72	**chauffer,** v.t.	to heat	calentar	ζεσταίνω	scaldare	aquecer
48	**chef,** n.m.	boss	jefe	αφεντικό	capo	patrão
33	**cheminée,** n.f.	fireplace	chimenea	τζάκι	caminetto	chaminé
13	**chemise,** n.f.	shirt	camisa	πουκάμισο	camicia	camisa
11	**chemisier,** n.m.	blouse	blusa	γυν.πουκάμισο	camicetta	blusa
8	**cheveu(x),** n.m.	hair	pelo	μαλλιά	capelli	cabelo(s)
106	**cheville,** n.f.	ankle	tobillo	αστράγαλος	caviglia	tornozelo
41	**chirurgien,** n.m.	surgeon	cirujano	χειρούργος	chirurgo	cirurgião
90	**cible,** n.f.	target	blanco	κοινό διαφ/σης	bersaglio	alvo
120	**ciel,** n.m.	sky	cielo	ουρανός	cielo	céu
9	**clair,** adj.	light	claro	ανοιχτόχρωμος	chiaro	claro
33	**claquer,** v.int.	to slam	golpearse	πλαταγίζω	sbattere	bater
130	**coffre,** n.m.	safe-deposit box	cofre	χρηματοκιβώτιο	cassaforte	cofre
115	**coin,** n.m.	corner	lugar	γωνιά, μέρος	angolo	canto

11	**col**, n.m.	collar	cuello	γιακάς	colletto	colarinho
31	**collègue**, n.f./m.	colleague	compañero	συνάδελφος	collega	colega
112	**coller**, v.t.	to stick	pegar	κολλάω	incollare	colar
65	**combattre**, v.t.	to fight against	combatir	μάχομαι	combattere	combater
138	**combinaison**, n.f.	overalls	overol	συνδυασμός	tuta	fato-macaco
76	**combine**, n.f. fam.	scheme	chanchullo	κομπίνα	traffici	arranjo
83	**combler**, v.t.	to gratify	colmar	υπερπληρώ	riempire	cumular
177	**commande**, n.f.	order	pedido	παραλλελία	ordine	pedido
15	**commettre**, v.t.	to commit	cometer	διαπράττω	commettere	cometer
12	**commissaire**, n.m.	superintendent	comisario	αξιωμ.αστυνομίας	commissario	comissário
177	**commission**, n.f.	committee	comisión	επιτροπή	commissione	comissão
152	**commune**, n.f.	commune	municipio	κοινότητα	comune	comuna
24	**compartiment**, n.m.	compartment	compartimento	διαμέρισμα	scompartimento	compartimento
65	**compenser**, v.t.	to make up for	compensar	αντισταθμίζω	compensare	compensar
49	**complice**, adj.	conniving	cómplice	συνένοχος	complice	cúmplice
80	**compliqué**, adj.	intricate	complicado	πολυσύνθετος	complicato	complicado
108	**compliquer (se)**	to get more complicated	complicarse	περιπλέκομαι	complicarsi	complicar
17	**comporter (se)**	to behave	actuar	συμπεριφέρομαι	comportarsi	comportar-se
184	**compris**, adj.	included	incluído	περιλαμβανόμενος	capito	incluído
156	**compromettant**, adj.	compromising	comprometedor	προσβλητικός	compromettente	comprometedor
120	**compteur**, n.m.	meter	contador	μετρητής	contatore	contador
170	**concepteur**, n.m.	designer	conceptista	σχεδιαστής, επινοητής	ideatore	idealizador
49	**concertation**, n.f.	consultation	concertación	συνδιοργάνωση	concertazione	combinação
40	**concevoir**, v.t.	to design	concebir	επινοώ, συλλαμβάνω	concepire	conceber
140	**concurrence**, n.f.	competition	competencia	ανταγωνισμός	concorrenza	concorrência
76	**condamner**, v.t.	to sentence	condenar	καταδικάζω	condannare	condenar
146	**conduite (d'eau)**	(water) pipe	conducto	σωλήνωση	condotta	tubo (de água)
26	**confiance**, n.f.	confidence	confianza	εμπιστοσύνη	fiducia	confiança
138	**confronter**, v.t.	to face	enfrentar	αντιπαρατίθεμαι	confrontare	confrontar
56	**congé**, n.m.	leave	permiso	άδεια	congedo	dispensa
83	**connaisseur**, n.m.	connoisseur	conocedor	γνώστης	conoscitore	conhecedor
58	**conquérir**, v.t.	to conquer	lograr	κατακτώ	conquistare	conquistar
120	**consacrer**, v.t.	to devote	dedicar	αφιερώνω	consacrare	consagrar
152	**conseil municipal**	town council	consejo municipal	δημ.συμβούλιο	consiglio comunale	conselho municipal
72	**conserver**, v.t.	to keep	mantener	διατηρώ	conservare	conservar
140	**conserverie**, n.f.	canning industry	conservas	κονσερβοποιΐα	conservificio	conservaria
65	**consommateur**	consumer	consumidor	καταναλωτής	consumatore	consumidor
57	**constamment**, adv.	constantly	permanentemente	διαρκώς, σταθερά	continuamente	constantemente
177	**constater**, v.t.	to note	notar	διαπιστώνω	constatare	constatar
15	**contredire**, v.t.	to disagree with	contradecir	λέω το αντίθετο	contraddire	contradizer
177	**convaincre**, v.t.	to persuade	convencer	πείθω	convincere	convencer
49	**copain**, n.m.	pal	amigo	σύντροφος	amico	amigo
75	**corne**, n.f.	horn	cuerno	κέρατο	corno	chifre
189	**corps et âme**, adv.	body and soul	en cuerpo y alma	ψυχή τε και σώματι	anima e corpo	corpo e alma
10	**costume**, n.m.	suit	traje	κοστούμι	completo	fato
128	**couche**, n.f.	layer	capa	στρώμα	strato	camada
11	**coude**, n.m.	elbow	codo	αγκώνας	gomito	cotovelo
93	**couloir**, n.m.	corridor	corredor	διάδρομος	corridoio	corredor
24	**coup**, n.m.	blow	golpe	κτύπημα	colpo	golpe
108	**coup d'œil**, n.m.	quick look	vistazo	ματιά	occhiata	olhada
8	**couple**, n.m.	couple	pareja	ζευγάρι	coppia	casal
26	**courage**, n.m.	spirit	entereza	θάρρος	coraggio	coragem
50	**couramment**, adv.	fluently	fluídamente	με ευχέρεια	correntemente	correntemente
123	**courant**, n.m.	movement	corriente, escuela	ρεύμα	corrente	corrente
45	**courtois**, adj.	courteous	atento	ευγενής, άψογος	cortese	cortês
28	**couteau**, n.m.	knife	cuchillo	μαχαίρι	coltello	faca
58	**coûteux**, adj.	expensive	caro	δαπανηρός	costoso	custoso
62	**craindre**, v.t.	to fear	temer	φοβάμαι	temere	temer
44	**crapuleux**, adj.	foul	depravado	με κίνητρο την κλεψιά	infame	devasso

13	**cravate,** n.f.	tie	corbata	γραβάτα	cravatta	gravata
136	**crayeux,** adj.	chalky	gredoso	κιμωλιώδης	gessoso	gredoso
58	**creuser,** v.t.	to hollow out	excavar	σκάβω	scavare	cavar
24	**crier,** v.t.	to shout	gritar	φωνάζω	gridare	gritar
44	**crime,** n.m.	murder	crimen	έγκλημα	crimine	crime
12	**croiser,** v.t.	to pass	cruzar	διασταυρώνω	incrociare	cruzar
162	**crotte,** n.f.	droppings	estiércol	κουράδα	sterco	excremento
120	**cuir,** n.m.	leather	cuero	δέρμα	cuoio	coiro

D

112	**débloquer,** v.t.	to make ... relax	aflojar	χαλαρώνω	sbloccare	desbloquear
130	**débrancher,** v.t.	to disconnect	desconectar	αποσυνδέω	staccare	desligar
128	**débris,** n.m.	fragments	resto	θραύσμα	frammenti	destroço
109	**débrouiller (se)**	to sort it out o.s.	arreglárselas	τα βγάζω πέρα	sbrigarsela	sair de apuros
41	**débuter,** v.int./t.	to start	empezar	ξεκινώ	cominciare	principiar
122	**décennie,** n.f.	decade	década	δεκαετία	decennio	decênio
141	**décès,** n.m.	death	fallecimiento	θάνατος	decesso	falecimento
83	**décevoir,** v.t.	to disappoint	decepcionar	απογοητεύω	deludere	decepcionar
120	**déchiffrer,** v.t.	to decipher	descifrar	αποκρυπτογραφώ	decifrare	decifrar
130	**déclencher,** v.t.	to set off	encender	βάζω σε λειτουργία	attivare	disparar
65	**déclin,** n.m.	decline	decadencia	παρακμή	declino	declínio
128	**décollage,** n.m.	takeoff	despegue	απογείωση	decollo	decolagem
146	**décombres,** n.m.	rubble	escombros	συντρίμμια	macerie	descombros
35	**décor,** n.m.	setting	decorado	σκηνικό	scena	cenário
51	**découpage,** n.m.	division	división	χωρισμός	taglio	corte
192	**décuplé,** adj.	increased tenfold	decuplado	δεκαπλασιασμένος	decuplicato	décuplo
110	**déduire,** v.t.	to deduce	deducir	συμπεραίνω	dedurre	deduzir
128	**défaillant,** adj.	faulty	en mal estado	ελαττωματικός	non funzionante	falho
32	**défait,** adj.	ruffled	despeinado	χαλασμένος	disfatto	desfeito
42	**défendre,** v.t.	to defend	defender	υπερασπίζω	difendere	defender
33	**défi,** n.m.	challenge	desafío	πρόκληση	sfida	desafio
31	**défunt,** n.m.	deceased	difunto	μακαρίτης	defunto	defunto
9	**dégager,** v.t.	to bare	despejado	ελευθερώνω	scoprire	livre
146	**dégât,** n.m.	damage	daño	φθορά	danno	estrago
130	**déguisement,** n.m.	disguise	disfraz	μεταμφίεση	travestimento	fantasia
49	**déléguer,** v.t.	to delegate	delegar	εξουσιοδοτώ	delegare	delegar
58	**deltaplane,** n.m.	hang-glider	ala delta	αετός	deltaplano	asa delta
63	**démission,** n.f.	resignation	dimisión	παραίτηση	dimissione	demissão
161	**démolir,** v.t.	to demolish	demoler	κατεδαφίζω	demolire	demolir
161	**dénaturer,** v.t.	to distort	alterar	εκφυλίζω	snaturare	desnaturar
64	**dénoncer,** v.t.	to denounce	mostrar	καταγγέλλω	denunciare	denunciar
83	**déplacement,** n.m.	trip	ida y vuelta	μετακίνηση	spostamento	deslocamento
12	**déposition,** n.f.	statement	deposición	κατάθεση	deposizione	deposição
48	**déprime,** n.f.	depression	depresión	κατάπτωση	depressione	depressão
161	**dérisoire,** adj.	ludicrous	irrisorio	γελοίος, αμελητέος	derisorio	derrisório
191	**déroulement,** n.m.	course	desarrollo	ξετύλιγμα, εξέλιξη	svolgimento	desenvolvimento
49	**désavouer,** v.t.	to disown	desautorizar	ρίχνω την ευθύνη	rinnegare	renegar
174	**descendre,** v.t.	to shoot (kill)	bajar	κατεβαίνω, τουφεκίζω	uccidere	matar
32	**désespéré,** adj.	desperate	desesperado	απελπισμένος	disperato	desesperado
14	**désigner,** v.t.	to identify	nombrar	προσδιορίζω	designare	designar
168	**dès maintenant**	henceforth	desde ya	από δω και στο εξής	da adesso	a partir de agora
99	**détente,** n.f.	relaxation	relajación	χαλάρωση	distensione	descanso
24	**détester,** v.t.	to detest	aborrecer	απεχθάνομαι	detestare	detestar
160	**détruire,** v.t.	to destroy	destruir	καταστρέφω	distruggere	destruir
124	**dévoué,** adj.	devoted	servicial	αφοσιωμένος	devoto	dedicado
56	**diffuser,** v.t.	to distribute	difundir	διακινώ, διανέμω	diffondere	difundir
146	**digne de foi,** adj.	trustworthy	fidedigno	αξιόπιστος	degno di fede	digno de fé
192	**diluer (se),** v.pr.	to be diluted	diluirse	σβήνω, διαλύομαι	diluirsi	diluir-se
40	**diriger,** v.t.	to manage	dirigir	κατευθύνω	dirigere	dirigir
110	**discrétion,** n.f.	discretion	discreción	διακριτικότητα	discrezione	discreção
25	**discuter,** v.int./t.	to discuss	conversar	συζητώ	discutere	discutir
12	**disparaître,** v.int.	to go missing	desaparecer	εξαφανίζομαι	sparire	desaparecer
177	**disponible,** adj.	available	disponible	διαθέσιμος	disponibile	disponível
72	**disposer,** v.t.	to have (at one's disposal)	disponer	διαθέτω	disporre	colocar

29	**disposition (à votre),** n.f.	disposal (at your)	órdenes	στη διάθεση σας	disposizione	disposição (a sua)
33	**dispute,** n.f.	quarrel	pelea	τσακωμός	litigio	disputa
129	**dissiper,** v.t.	to be dispelled	aclarar	διαλύω	dissipare	dissipar
58	**doigt,** n.m.	finger	dedo	δάχτυλο	dito	dedo
76	**domicile,** n.m.	address	domicilio	κατοικία	domicilio	domicílio
17	**don,** n.m.	gift	destreza	χάρισμα	dono	dom
28	**dos,** n.m.	back	espalda	πλάτη	schiena	costas
18	**douceur,** n.f.	gentleness	dulzura	γλυκύτητα	dolcezza	doçura
25	**douche,** n.f.	shower	ducha	ντούς	doccia	duche
17	**doué,** adj.	gifted	dotado	προικισμένος	dotato	dotado
106	**douleur,** n.f.	ache	dolor	πόνος	dolore	dor
145	**dresser (se),** v.pr.	to rise up	alzarse	στήνομαι	rizzarsi	erguer-se
92	**droit,** n.m.	right	derecho	δικαίωμα	diritto	direito
60	**drôle (un... de)**	strange	curioso	παράξενος	strano	esquisito
24	**dur,** adj.	tough	duro	σκληρός	duro	duro
41	**durée,** n.f.	length	duración	διάρκεια	durata	duração

E

162	**éboueur,** n.m.	dustman	basurero	σκουπιδιάρης	netturbino	lixeiro
76	**écarter,** v.t.	to dismiss	descartar	παραμερίζω	tralasciare	descartar
162	**échange,** n.m.	exchange	permuta	ανταλλαγή	scambio	troca
90	**échantillon,** n.m.	sample	muestra	δείγμα	campione	amostra
192	**échéance,** n.f.	date	fecha	λήξη προθεσμίας	scadenza	vencimento
49	**échec,** n.m.	failure	fracaso	αποτυχία	fallimento	fracasso
41	**échelle,** n.f.	scale	escalafón	κλίμακα	scala	escada
143	**échouer,** v.int.	to fail	fracasar	αποτυγχάνω	fallire	fracassar
120	**éclairage,** n.m.	lighting	iluminación	φωτισμός	illuminazione	iluminação
81	**éclatant,** adj.	vivid	resplandeciente	λαμπερός	vivace	brilhante
127	**éclater,** v.int.	to break	estallar	ξεσπάω	scoppiare	estourar
128	**écraser (s'),** v.pr.	to crash	estrellar	συντρίβω	schiacciare	esmagar
44	**effacer,** v.t.	to wipe out	borrar	σβήνω	cancellare	apagar
42	**efficace,** adj.	efficient	eficaz	αποτελεσματικός	efficiente	eficiente
125	**effleuré,** adj.	occurred	ocurrido	αγγίζω	sfiorato	roçado
17	**effort,** n.m.	effort	esfuerzo	προσπάθεια	sforzo	esforço
35	**effrayé,** adj.	frightened	asustado	πτοημένος	spaventato	assustado
128	**éjecter,** v.t.	to throw out	despedir	εκσφενδονίζω	espellere	ejectar
153	**élire,** v.t.	to elect	elegir	εκλέγω	eleggere	eleger
61	**embauche,** n.f.	hiring	contratación	πρόσληψη	assunzione	engajamento
14	**embellir,** v.t.	to embellish	enaltecer	εξωραΐζω	abbellire	embelezar
92	**embranchement**	side road	bifurcación	διακλάδωση	ramificazione	ramificação
14	**emmener,** v.t.	to take away	llevar	φέρνω μαζί μου	portare	levar
110	**emparer de (s')**	to get hold of	adueñarse	αρπάζω	appropriarsi	apoderar-se de
160	**emplacement,** n.m.	site	lugar	τοποθεσία	area	lugar
44	**empreinte,** n.f.	fingerprint	huella	αποτύπωμα	impronta	impressão
152	**emprunter,** v.t.	to borrow	pedir prestado	δανείζομαι	prendere in prestito	pedir emprestado
192	**en avant toute!**	full steam ahead!	¡adelante!	πρόσω ολοταχώς	avanti!	avante!
72	**enceinte,** n.f.	speaker system	bafle	κουτί ηχείου	cassa	caixa
120	**encre,** n.f.	ink	tinta	μελάνι	inchiostro	tinta
146	**endommagé,** adj.	damaged	dañado	πληγμένος	danneggiato	estragado
41	**engager,** v.t.	to take on	contratar	προσλαμβάνω	assumere	empregar
35	**ennuyé,** adj.	bored	aburrido	ενοχλημένος	annoiato	aborrecido
19	**enquête,** n.f.	survey	encuesta	έρευνα	inchiesta	investigação
65	**enrichissement**	enrichment	enriquecimiento	εμπλουτισμός	arricchimento	enriquecimento
187	**entendre (s'),** v.pr.	to get on together	entenderse	συνεννοούμαι	capirsi	entender-se
106	**entorse,** n.f.	sprain	esguince	στραμπούληγμα	storta	entorse
128	**entourer,** v.t.	to surround	rodear	περιβάλλω	circondare	cercar
56	**entraîner,** v.t.	to influence	arrastrar	παρασύρω	trascinare	levar
123	**entrée en scène**	entrance	entrada en escena	μπάσιμο στη σκηνή	entrare in scena	entrada em cena
31	**envie (avoir)**	to want	ganas	όρεξη	voglia	vontade
9	**épais,** adj.	bushy	tupido	πυκνός	spesso	espesso
122	**épanouissement**	fulfilment	desarrollo	άνθιση	sviluppo	desenvolvimento
10	**épaule,** n.f.	shoulder	hombro	ώμος	spalla	ombro
128	**épave,** n.f.	wreckage	restos	συντρίμμι	relitto	destroço
145	**épopée,** n.f.	epic	epopeya	εποποιΐα	epopea	epopéia

173	**épouser,** v.t.	to marry	casarse con	παντρεύομαι	sposare	desposar
72	**éprouvé,** adj.	tried and tested	garantizado	δοκιμασμένος	sperimentato	experimentado
106	**équitation,** n.f.	horse-riding	equitación	ιππασία	equitazione	equitação
161	**ériger,** v.t.	to erect	erigir	ανεγείρω	erigere	erigir
144	**escadrille,** n.f.	flight	escuadrilla	μέρος μοίρας	squadriglia	esquadrilha
58	**escalade,** n.f.	climbing	alpinismo	αναρρίχηση	scalata	escalada
74	**escargot,** n.m.	snail	caracol	σαλιγκάρι	lumaca	caracol
35	**espionnage,** n.m.	espionage	espionaje	κατασκοπεία	spionaggio	espionagem
90	**étape,** n.f.	stage	etapa	στάδιο	tappa	etapa
48	**éternel,** adj.	everlasting	eterno	ατελείωτος, αιώνιος	eterno	eterno
81	**étoffe,** n.f.	fabric	tela, tejido	γερό ύφασμα	stoffa	tecido
47	**évasif,** adj.	evasive	evasivo	ασαφής	evasivo	evasivo
64	**évasion,** n.f.	escape	evasión	φυγή	evasione	evasão
89	**éveiller,** v.t.	to arouse	provocar	ξυπνάω	svegliare	despertar
49	**éviter,** v.t.	to avoid	evitar	αποφεύγω	evitare	evitar
49	**évoluer,** v.int.	to change	cambiar	εξελίσσομαι	ẹvolvere	evoluir
14	**évoquer,** v.t.	to evoke	hacer acordar	θυμίζω	evocare	evocar
40	**exiger,** v.t.	to require	requerir	απαιτώ	esigere	exigir
57	**exploit,** n.m.	exploit	hazaña	μεγαλούργημα	exploit	proeza
19	**exposé,** n.m.	presentation	presentación	έκθεση	esposto	exposição

F

90	**fable,** n.f.	story	fábula	αλληγορία	favola	fábula
120	**fabriquer,** v.t.	to manufacture	fabricar	παράγω	fabbricare	fabricar
193	**façonner,** v.t.	to shape	dar forma	διαπλάθω	modellare	modelar
65	**factice,** adj.	artificial	artificial	πλαστός	fittizio	factício
193	**faire défaut**	to be lacking	hacer falta	ελλείπω	mancare	faltar
61	**faire (s'en)**	to worry	preocuparse	ανησυχώ	preoccuparsi	preocupar-se
25	**faire exprès**	to do on purpose	hacerlo a propósito	κάνω επίτηδες	fare apposta	fazer de propósito
130	**faire le guet**	to be on the look-out	esperar vigilando	κρατάω τσίλλιες	fare da palo	vigiar
96	**faire le plein**	to fill up	llenar el tanque	γεμίζω	fare il pieno	completar
161	**faire peau neuve**	to adopt a new image	cambiar de vida	αλλάζω εντελώς	rinnovarsi	modernizar
44	**faire un tour**	to go for a stroll	dar una vuelta	κάνω μια βόλτα	fare un giro	dar uma volta
33	**fait accompli,** n.m.	fait accompli	hecho consumado	τετελεσμένο γεγονός	fatto compiuto	fato consumado
130	**fait divers,** n.m.	news item	suceso	απλό συμβάν	cronaca	pequeno acontecimento
82	**farci,** adj.	stuffed	relleno	γεμιστός	farcito	recheado
45	**fauché,** adj. fam.	broke	pelado	μπατήρης	al verde	duro
74	**faucon,** n.m.	falcon	halcón	γεράκι	falcone	falcão
49	**fauve,** n.m.	wildcat	fiera	θηρίο	belva	fera
151	**favoriser,** v.t.	to favour	facilitar	ευνοώ	favorire	favorecer
48	**féliciter,** v.t.	to congratulate	felicitar	συγχαίρω	congratularsi	felicitar
46	**fendre,** v.t.	to put a vent in	tajear	σχίζω	fendere	fender
141	**fermeture,** n.f.	closure	cierre	κλείσιμο	chiusura	encerramento
144	**fiable,** adj.	reliable	confiable	αξιόπιστος	affidabilità	fiável
16	**fidélité,** n.f.	loyalty	fidelidad	πίστη, σταθερότητα	fedeltà	fidelidade
49	**fier,** adj.	proud	jactancioso	περήφανος	fiero	orgulhoso
44	**filer,** v.int. fam.	to go off	largarse	φεύγω, του δίνω	filare	safar-se
83	**filet,** n.m.	fillet	filete	φιλέτο	rete	rede
17	**finesse,** n.f.	subtlety	fineza	λεπτότητα	finezza	fineza
185	**fixer (se),** v.pr.	to settle	afincarse	εγκαθίσταμαι	fissarsi	fixar-se
72	**flamme,** n.f.	flame	llama	φλόγα	fiamma	chama
75	**fleuve,** n.m.	river	río	ποταμός	fiume	rio
48	**fonceur,** adj.	go-getting	acometedor	δυναμικός	grintoso	lutador
61	**fond (au)**	at heart	fondo (en el)	(κατά) βάθος	in fondo	fundo (no)
49	**fonder,** v.t.	to base	basar	θεμελιώνω	fondare	fundar
112	**fondre,** v.t.	to dissolve	derretir	λιώνω, εξαφανίζω	fondere	derreter
138	**forer,** v.t.	to bore	perforar	διατρυπώ	bucare	furar
45	**formel,** adj.	positive	categórico	κατηγορηματικός	formale	formal
26	**fort,** adv.	loud	fuerte	δυνατά	forte	forte
128	**fouiller,** v.t.	to comb	investigar	ερευνώ	setacciare	escavar
99	**fraîcheur,** n.f.	freshness	frescura	φρεσκάδα	freschezza	frescura
73	**frais/-aîche,** adj.	cold	fresco/a	δροσερός	fresco	fresco/a
67	**frais,** n.m.pl.	expense	gastos	έξοδα	spese	gastos
83	**fraise,** n.f.	strawberry	fresa	φράουλα	fragola	morango
144	**franchir,** v.t.	to cross	cruzar	διασχίζω	superare	transpor

18	**franchise**, n.f.	frankness	franqueza	ευθύτητα	franchezza	franqueza
80	**frapper**, v.t.	to strike	llamar la atención	εντυπωσιάζω	colpire	tocar
65	**freiner**, v.t./int.	to slow down	disminuir	φρενάρω, περιορίζω	frenare	travar
79	**fréquenter**, v.t.	to frequent	frecuentar	συχνάζω σε	frequentare	frequentar
9	**friser**, v.t./int.	to curl	rizar	κατσαρώνω	arricciare	encrespar
8	**front**, n.m.	forehead	frente	μέτωπο	fronte	testa
185	**frontière**, n.f.	border	frontera	σύνορο	frontiera	fronteira
33	**fuir**, v.int./t.	to run away from	rehuir	αποφεύγω, δραπετεύω	fuggire	fugir
128	**fuselage**, n.m.	fuselage	fuselaje	σκελετός αερ/νου	fusoliera	fuselagem

G

41	**gagner**, v.t.	to earn	ganar	κερδίζω	guadagnare	ganhar
26	**gaieté**, n.f.	cheerfulness	alegría	ευθυμία	allegria	alegria
61	**gaillard**, n.m. fam.	chap	tío	πονηρός	tipo	espertalhão
83	**galette**, n.f.	cake	torta	γαλέττα	tortina	torta
79	**garantir**, v.t.	to guarantee	garantizar	εγγυώμαι	garantire	garantir
77	**garder**, v.t.	to keep	mantener	φυλάω	tenere	conservar
61	**gars**, n.m.	fellow	tío	παιδί, τύπος	tale	rapaz
127	**gendarmerie**, n.f.	police force	gendarmería	χωροφυλακή	gendarmeria	corpo de gendarmes
193	**généraliser**, v.int.	to become wide-spread	generalizar	γενικεύω	generalizzare	generalizar
11	**genou**, n.m.	knee	rodilla	γόνατο	ginocchio	joelho
40	**gérer**, v.t.	to manage	administrar	διαχειρίζομαι	gestire	gerir
33	**geste**, n.m.	gesture	movimiento	χειρονομία	gesto	gesto
42	**gestion**, n.f.	administration	administración de empresas	διοίκηση	gestione	gerência
27	**gifle**, n.f.	slap	cachetada	χαστούκι	schiaffo	bofetada
24	**glisser**, v.int.	to slide	pasar	γλιστρώ	scivolare	escorregar
58	**gorge**, n.f.	gorge	quebrada	φαράγγι	gola	garganta
58	**gouffre**, n.m.	chasm	abismo	χαράδρα	abisso	abismo
26	**gourmandise**, n.f.	greed	gula	λαιμαργία	golosità	gula
16	**goût**, n.m.	taste	gusto	όρεξη, διάθεση	gusto	gosto
49	**gouverner**, v.int/t.	to rule	gobernar	διοικώ	governare	governar
152	**gradin**, n.m.	step (of the terracing)	grada	κερκίδα	gradinata	bancada
106	**graisse**, n.f.	fat	grasa	λίπος	grasso	gordura
160	**gratte-ciel**, n.m.	skyscraper	rascacielos	ουρανοξύστης	grattacielo	arranha-céu
80	**grenade**, n.f.	pomegranate	granada	ρόδι	granata	granada
58	**grimper**, v.int.	to climb	subir	αναρριχώμαι	arrampicarsi	trepar
58	**grotte**, n.f.	cave	gruta	σπηλιά	grotta	gruta
74	**guépard**, n.m.	cheetah	guepardo	τσίτα	ghepardo	lobo-tigre
106	**guérir**, v.t./int.	to cure	curar	θεραπεύω	guarire	curar

H

49	**habilement**, adv.	cleverly	habilmente	επιδέξια	abilmente	habilmente
40	**habilleuse**, n.f.	dresser	encargada de vestuario	ενδυματολόγος	vestiarista	vestiária
82	**hachis**, n.m.	chopped vegetables	picadillo	πουρρές	trito	picado
89	**hasard**, n.m.	chance	casualidad	σύμπτωση	caso	acaso
72	**haut-parleur**, n.m.	loudspeaker	altavoz	ηχείο	alto parlante	alto-falante
143	**héberger**, v.t.	to put up	alojar	φιλοξενώ	ospitare	hospedar
74	**herbivore**, n.m.	herbivore	herbívoro	χορτοφάγος	erbivoro	herbívero
125	**hériter**, v.int./t.	to inherit	heredar	κληρονομώ	ereditare	herdar
128	**heurter**, v.t.	to hit	chocar contra	προσκρούω	urtare	chocar
29	**horloge**, n.f.	clock	reloj	ρολόι τοίχου	orologio	relógio
105	**hors de**, adv.	away from	fuera de	έξω από	fuori	fora de
65	**hors-la-loi**, n.m.	outlaw	persona fuera de la ley	παράνομος	fuorilegge	fora da lei
120	**huile**, n.f.	oil	aceite	λάδι	olio	óleo

I

136	**île**, n.f.	island	isla	νησί	isola	ilha
108	**immobilier**, adj.	real-estate	inmobiliario	κτιριακός	immobiliare	imobiliário
189	**imparable**, adv.	watertight	irrefutable	αδιάσειστος	incomparabile	incomparável

90	**impitoyable,** adj.	merciless	despiadado	ανελέητος	spietato	desapiedado
160	**implanter,** v.t.	to build	implantar	εγκαθιστω	impiantare	implantar
64	**impliquer,** v.t.	to imply	presuponer	συνεπάγομαι	implicare	implicar
72	**inclinable,** adj.	inclinable	reclinable	ρυθμιζόμενης κλίσης	inclinabile	inclinável
26	**indécision,** n.f.	indecisiveness	indecisión	αναποφασιστικότητα	indecisione	indecisão
66	**inédit,** adj.	original	inédito	πρωτότυπος	inedito	inédito
41	**informaticien,** n.m.	computer technician	analista programador	ασκολούμενος με κομπιούτερ	specialistà in informatica	técnico em informática
145	**infranchissable**	insuperable	infranqueable	αδιάβατος	insuperabile	intransponível
128	**infructueux,** adj.	fruitless	infructuoso	άκαρπος	infruttuoso	infrutuoso
168	**innover,** v.t.	to innovate	innovar	εισάγω νεωτερισμό	rinnovare	inovar
145	**insatisfait,** adj.	unsatisfied	insatisfecho	ανικανοποίητος	insoddisfatto	insatisfeito
41	**inscrire,** v.t.	to write	escribir	γράφω	iscrivere	inscrever
56	**instituteur,** n.m.	primary school teacher	maestro	δάσκαλος	maestro	professor
32	**Insupportable,** adj.	unbearable	insoportable	ανυπόφορος	insopportabile	insuportável
35	**interrogatoire,** n.m.	interrogation	interrogatorio	ανάκριση	interrogatorio	interrogatório
107	**interrompre,** v.t.	to interrupt	interrumpir	διακόπτω	interrompere	interromper
58	**intrépide,** adj.	daring	intrépido	ατρόμητος	intrepido	intrépido
67	**investissement**	investment	empeño	επένδυση, δόσιμο	investimento	investimento
31	**irréprochable,** adj.	beyond reproach	intachable	υπεράνω υποψίας	irreprensibile	irrepreensível
144	**issu,** adj.	coming from	nacido	προερχόμενος	nato	originário
162	**itinérant,** adj.	itinerant	móvil	πλανόδιος	itinerante	itinerante

J

26	**jalousie,** n.f.	envy	celos	ζήλεια	gelosia	ciúme
11	**jambe,** n.f.	leg	pierna	γάμπα	gamba	perna
58	**jeter,** v.t.	to throw	tirar	ρίχνω	buttare	lançar
50	**joindre,** v.t.	to contact	localizar	ερχομαι σε επαφή	unire	juntar
172	**jouer au plus fin,** v.int.	to try to outsmart	dárselas de listo	προσπαθώ να εξαπατήσω	fare il furbo	usar de astúcia
49	**jouer serré,** v.int.	to tread carefully	obrar con prudencia	ενεργώ συγκρατημένα	giocare duro	jogar duro
45	**journalier,** adj.	daily	diario	καθημερινός	giornaliero	diário
56	**journalisme,** n.m.	journalism	periodismo	δημοσιογραφία	giornalismo	jornalismo
138	**jumeau,** n.m.	twin	gemelo	δίδυμος	gemello	gêmeo
65	**justicier,** n.m.	lover of justice	justiciero	τιμωρός	giustıziere	justlceiro

L

90	**là-dessus,** adv.	on that point	al respecto	εκεί πάνω	a questo proposito	a este respeito
154	**laisser (se),** v.pr.	to let o.s.	dejarse	αφήνομαι	lasciarsi	deixar-se
112	**lancer,** v.t.	to kick	levantar	εκσφενδονίζω	lanciare	lançar
56	**lancer (se),** v.pr.	to set off	lanzarse	ρίχνομαι	lanciarsi	lançar-se
82	**lapin,** n.m.	rabbit	conejo	κουνέλι	coniglio	coelho
32	**larme,** n.f.	tear	lágrima	δακρυ	lacrlma	lágrima
141	**léguer,** v.t.	to bequeath	legar	κληροδοτώ	legare	legar
48	**lent,** adj.	slow (coach)	lento	αργόστροφος	lento	lento
95	**lessive,** n.f.	washing powder	jabón en polvo	απορρυπαντικό	bucato	lixívia
8	**lèvre,** n.f.	lip	labio	χείλος	labbra	lábio
79	**libérer (se),** v.pr.	to get off work	liberarse	απαλλάσσομαι	liberarsi	liberar-se
130	**ligoter,** v.t.	to bind hand and foot	atar	δένω	legare	atar
176	**loi,** n.f.	law	ley	νόμος	legge	lei
168	**loisir,** n.m.	leisure	ocio	ελεύθερος χρόνος	tempo libero	lazer
77	**loto,** n.m.	lottery	lotería	λαχείο	tombola	loto
83	**lotte,** n.f.	devilfish	lota	είδος ψαριού	pescatrice	lota
168	**ludique,** adj.	play	lúdico	ψυχαγωγικός	ludico	lúdico
72	**lunette,** n.f.	glasses	gafa	γυαλιά	occhiali	óculos
58	**lutter,** v.int.	to fight	luchar	παλαίβω	lottare	lutar
83	**luxueux,** adj.	luxurious	lujoso	πολυτελές	lussuoso	luxuoso

M

10	**maigre,** adj.	thin	flaco	λεπτός	magro	magro
113	**maintenir (se),** v.pr.	to keep	mantenerse	διατηρούμαι	mantenersi	manter-se
9	**main,** n.f.	hand	mano	χέρι	mano	mão
76	**mairie,** n.f.	town hall	ayuntamiento	δημαρχείο	municipio	câmara municipal

65	**maîtriser,** v.t.	to master	dominar	γίνομαι κύριος	dominare	dominar
141	**maître,** n.m.	(term of address given to solicitors)	"título" de notario	κύριος, αφέντης	dottore	doutor
186	**majorité,** n.f.	coming of age	mayoría (de edad)	ενηλικίωση	maggioranza	maioria
40	**malade,** n.m./f.	patient	enfermo	ασθενής	malato	doente
130	**malfaiteur,** n.m.	thief	malhechor	κακοποιός	malfattore	malfeitor
74	**mammifère,** n.m.	mammal	mamífero	θηλαστικό	mammifero	mamífero
48	**manifester,** v.t.	to show	mostrar	εκδηλώνω	manifestare	manifestar
65	**manque,** n.m.	void	carencia	έλλειψη	carenza	carência
9	**marquer,** v.t.	to mark	marcar	σημειώνω	segnare	marcar
9	**marron,** adj.inv.	chestnut	marrón	κάστανο, καστανός	marrone	castanha/os
129	**masquer,** v.t.	to conceal	cubrir	καλύπτω	nascondere	esconder
113	**masser,** v.t.	to massage	dar masajes	κάνω μασάζ	massaggiare	massagear
177	**massif,** adj.	large-scale	masivo	μαζικός	massiccio	maciço
73	**matériau,** n.m.	material	material	υλικό	materiale	material
61	**mauvais,** adj.	bad	malo	κακός	cattivo	mau
63	**méchant,** adj.	nasty	malo	μοχθηρός, κακός	cattivo	bravo
49	**méfier (se),** v.pr.	to distrust	desconfiar	δυσπιστώ	diffidare	desconfiar
17	**mélange,** n.m.	combination	mezcla	μίγμα	miscuglio	mistura
109	**mêler,** v.t.	to involve in	involucrar	αναμιγνύω	mescolare	misturar
111	**ménager,** v.t.	to treat tactfully	tener consideración con	φείδομαι	avere il controllo	manejar
90	**mendier,** v.t.	to beg	mendigar	ζητιανεύω	mendicare	mendigar
191	**mentir,** v.int.	to lie	mentir	ψεύδομαι	mentire	mentir
9	**menton,** n.m.	chin	mentón	σαγόνι	mento	queixo
152	**mériter,** v.t.	to deserve	merecer	αξίζω, δικαιούμαι	meritare	merecer
88	**message,** n.m.	message	mensaje	μήνυμα	messaggio	recado
42	**mesure,** n.f.	measure	medida	μέτρο	misura	medida
40	**métier,** n.m.	profession	profesión	επάγγελμα	mestiere	ofício
60	**mettre au courant**	to learn the ropes	enterarse	κατατοπίζομαι	mettere al corrente	estar ao par
156	**mettre sur écoute**	to phone-tap	intervenirle el teléfono	παρακολουθώ το τηλέφωνο	mettere sotto ascolto	vigiar
127	**mieux (en),** adv.	for the better	para mejor	προς το καλύτερο	meglio	para melhor
17	**milieu,** n.m.	social class	clase	κοινωνικός κύκλος	livello	meio
8	**mince,** adj.	thin	delgado	λεπτός	snello	esbelto
120	**mine,** n.f.	lead (of pencil)	mina	μύτη (μολυβιού)	mina	mina
13	**mission,** n.f.	assignment	misión	αποστολή	missione	missão
113	**modelage,** n.m.	modelling	modelado	πλάσιμο	modellatura	modelagem
75	**montagne,** n.f.	mountain	montaña	βουνό	montagna	montanha
120	**montgolfière,** n.f.	hot-air balloon	globo	αερόστατο	mongolfiera	balão
72	**monture,** n.f.	frame	armazón	σκελετός	montatura	armação
33	**moquer (se) de**	not to care less	no importar	περιφρονώ	prendere in giro	zombar
173	**mouillé,** adj. fam.	involved	metido	μπερδεμένος	coinvolto	envolvido
9	**moustache,** n.f.	moustache	bigote	μουστάκι	baffi	bigode
74	**museau,** n.m.	muzzle	hocico	μουτσούνα	muso	focinho
160	**mutation,** n.f.	changes	cambio	εξέλιξη, αλλαγή	mutazione	mutação

N

106	**nager,** v.int./t.	to swim	nadar	κολυμπώ	nuotare	nadar
136	**navette,** n.f.	shuttle	vehículo transportador	βαγονέττο	autobus	camioneta
65	**navigateur,** n.m.	sailor	navegante	θαλασσοπόρος	navigatore	navegador
124	**navré,** adj.	sorry	afligido	λυπημένος	dispiaciuto	sinto muito
109	**négliger,** v.t.	to overlook	descartar	παραμελώ	trascurare	negligenciar
160	**nettoyer,** v.t.	to clean	limpiar	καθαρίζω	pulire	limpar
72	**neuf,** adj.	new	nuevo	καινούργιος	nuovo	novo
8	**nez,** n.m.	nose	nariz	μύτη	naso	nariz
61	**nier,** v.int./t.	to deny	negar	αρνούμαι	negare	negar
170	**nœud,** n.m.	knot	nudo	κόμβος	nodo	nó
125	**notaire,** n.m.	solicitor	notario	συμβολαιογράφος	notaio	tabelião

120	**nouveauté,** n.f.	novelty	novedad	νεωτερισμός	novità	novidade
17	**nouvelle,** n.f.	news	noticia	είδηση	notizia	notícia
193	**nuire,** v.int.	to harm	perjudicar	ζημιώνω	nuocere	prejudicar

O

126	**obéir,** v.int.	to obey	obedecer	υπακούω	obbedire	obedecer
79	**occasion (d'),** n.f.	second-hand	de segunda mano	ευκαιρία	di occasione	ocasião
128	**occupant,** n.m.	passenger	ocupante	κάτοχος	occupante	ocupante
13	**occuper de (s')**	to take charge of	encargarse	ασχολούμαι με	occuparsi	ocupar-se de
8	**œil/yeux,** n.m.	eye/eyes	ojo (s)	μάτι, μάτια	occhio	olho/s
74	**oiseau,** n.m.	bird	ave	πουλί	uccello	pássaro
170	**opter,** v.int.	to opt for	optar	διαλέγω	optare	optar
65	**ordinateur,** n.m.	computer	ordenador	κομπιούτερ	computer	computador
9	**oreille,** n.f.	ear	oreja	αυτί	orecchio	orelha
115	**orienter,** v.t.	to direct	orientar	προσανατολίζω	orientare	orientar
74	**ours,** n.m.	bear	oso	αρκούδα	orso	urso
42	**ouvrier,** n.m.	worker	obrero	εργάτης	operaio	operário

P

49	**paisible,** adj.	peaceful	tranquilo	ήρεμος	gradevole	tranquilo
90	**pancarte,** n.f.	sign	cartel	ταμπέλα	cartello	cartaz
158	**panne (en),** n.f.	stuck for	pairo	βλάβη, έλλειψη	guasto	avaria
120	**parachute,** n.m.	parachute	paracaídas	αλεξίπτωτο	paracadute	para-quedas
10	**paraître,** v.int.	to seem	parecer	φαίνομαι	sembrare	aparecer
120	**parapluie,** n.m.	umbrella	paraguas	ομπρέλα	ombrello	guarda-chuva
65	**parcourir,** v.t.	to sail all over	recorrer	περιτρέχω	percorrere	percorrer
58	**pardon,** n.m.	pardon (Breton pilgrimage)	escultura religiosa bretona	θρησκευτικό άγαλμα της βρετάνης	scultura bretone	escultura religiosa bretã
26	**paresse,** n.f.	laziness	pereza	οκνηρία	pigrizia	preguiça
72	**paroi,** n.f.	surface	pared	τοίχωμα	parete	parede
66	**partager,** v.t.	to share	repartir	μοιράζομαι	dividoro	dividir
49	**partout,** adv.	everywhere	en todos lados	παντού	dappertutto	em toda parte
145	**parvenir,** v.int.	to reach	llegar	φτάνω	riuscire a	conseguir
125	**patienter,** v.int.	to wait	esperar	περιμένω	avere pazienza	esperar
161	**patrimoine,** n.m.	heritage	patrimonio	κληρονομιά	patrimonio	património
128	**patrouille,** n.f.	patrol	patrulla	περίπολος	pattuglia	patrulha
29	**pauvre,** adj.	poor	pobre	φτωχός	povero	pobre
83	**paysage,** n.m.	landscape	paisaje	τοπίο	paesaggio	paisagem
61	**peau,** n.f.	skin	pellejo	τομάρι	pelle	pelo
8	**peintre,** n.m.	painter	pintor	ζωγράφος	pittore	pintor
58	**pénible,** adj.	tiresome	arduo	επίπονος	penoso	penoso
65	**percer,** v.t.	to penetrate	entender	διεισδύω	scoprire	desvendar
128	**perdition (en),** n.f.	in distress	perdido	εν κινδύνω	perdizione	perdição (em)
106	**perte,** n.f.	loss	pérdida	χάσιμο	perdita	perda
10	**peser,** v.t./int.	to weigh	pesar	ζυγίζω	pesare	pesar
189	**petite cuillère,** n.f.	teaspoon	cucharita	κουταλάκι	cucchiaino	colherinha
93	**petit malin,** fam.	clever Dick	listo	εξυπνάκιας	furbetto	espertinho
170	**peupler,** v.t.	to inhabit	poblar	κατοικώ	popolare	povoar
67	**phare,** n.m.	lighthouse	faro	φάρος	faro	farol
8	**physionomiste,** adj.	good at remembering faces	fisonomista	που συγκρατεί Φυσιογνωμίες	fisionomista	fisionomista
58	**pic,** n.m.	pick	pico	σκαπάνη	piccozza	picareta
72	**pichet,** n.m.	jug	jarra	κανάτα	boccale	pichel
56	**pièce de rechange**	spare part	repuesto	ανταλλακτικό	pezzo di ricambio	sobressalente
162	**piétonnisation,** n.f.	creation of a pedestrian precinct	peatonización	πεζοδρόμηση	rendere pedonale	para peões
128	**pin,** n.m.	pine tree	pino	πεύκο	pino	pinho
127	**pire (en),** adv.	for the worse	para peor	προς το χειρότερο	peggio	para pior
76	**piste,** n.f.	lead	pista	ίχνος	pista	pista
88	**pitié,** n.f.	pity	piedad	έλεος	pietà	piedade
170	**planifier,** v.t.	to plan	planificar	προγραμματίζω	pianificare	planificar

162	**plaque,** n.f.	name plate	placa	πινακίδα	piastra	placa
90	**plaindre (se),** v.pr.	to make a complaint	protestar	κάνω παράπονα	lamentarsi	queixar-se
33	**pleurer,** v.int.	to weep	llorar	κλαίω	piangere	chorar
72	**plier,** v.t.	to fold	plegar	διπλώνω	piegare	dobrar
8	**plisser,** v.t./int.	to wrinkle	arrugar	κάνω πτυχές	rigare	enrugar
120	**plomb,** n.m.	lead	plomo	μόλυβδος	piombo	chumbo
75	**pluie,** n.f.	rain	lluvia	βροχή	pioggia	chuva
10	**plupart (la),** n.f.	majority	la mayor parte	η πλειονότητα	la maggior parte	a maior parte
9	**poche,** n.f.	pocket	bolsillo	τσέπη	tasca	bolso
10	**poids,** n.m.	weight	peso	βάρος	peso	peso
33	**poing,** n.m.	fist	puño	γροθιά	pugno	punho
82	**poireau,** n.m.	leek	puerro	πράσσο	porro	alho-porro
24	**poli,** adj.	polite	educado	ευγενής	educato	polido
97	**pompe à essence,** n.f.	petrol pump	surtidor de gasolina	αντλεία βενζίνης	distributore	bomba de gasolina
138	**pompe,** n.f.	pump	bomba	αντλεία	pompa	bomba
58	**port,** n.m.	harbour	puerto	λιμάνι	porto	porto
65	**portée,** n.f.	significance	alcance	βεληνεκές, αξία	portata	alcance
28	**portefeuille,** n.m.	wallet	cartera (de bolsillo)	πορτοφόλι	portafoglio	carteira
47	**porter tort,** v.int.	to do wrong to	perjudicar	δίνω άδικο	fare torto	prejudicar
105	**portier,** n.m.	porter	portero	πορτιέρης	portiere	porteiro
49	**portrait,** n.m.	sketch	descripción	πορτραίτο	ritratto	retrato
33	**poser,** v.int.	to put	apoyar	στηρίζω	posare	colocar
17	**posséder,** v.t.	to possess	poseer	έχω, διαθέτω	possedere	possuir
50	**poste,** n.m.	position	cargo	θέση εργασίας	posto	posto
60	**pot,** n.m. fam.	drink	trago	ποτό	bicchiere	copo
105	**poubelle,** n.f.	dustbin	basura	σκουπιδοντενεκές	pattumiera	lixo
120	**poudre à canon**	gunpowder	pólvora	πυρίτιδα	esplosivo	pólvora de canhão
19	**pousser,** v.t.	to incite	llevar	ωθώ	spingere	empurrar
16	**pourtant,** adv.	however	sin embargo	όμως	tuttavia	todavia
142	**préalable, au**	preliminary	previo	προκαταρκτικός	preliminare	prévio
62	**précédemment**	previously	anteriormente	προηγουμένως	precedentemente	anteriormente
58	**précipiter (se)**	to throw o.s.	tirarse	ορμώ, γκρεμίζομαι	precipitarsi	precipitar-se
17	**prédire,** v.t.	to predict	predecir	μαντεύω	predire	predizer
186	**prendre des mesures,** v.int.	to take steps	tomar medidas	παίρνω μέτρα	prendere delle misure	tomar medidas
91	**prendre en charge**	to take charge of	encargarse de	αναλαμβάνω	incaricarsi	encarregar-se
40	**preneur de son**	sound engineer	grabador	ηχολήπτης	tecnico del suono	técnico de som
189	**présomption,** n.f.	presumption	presunción	υπόνοια	presunzione	presunção
40	**presse,** n.f.	newspapers	prensa	τύπος	stampa	imprensa
47	**pressé (être)**	in a hurry	tener prisa	βιαστικός	avere fretta	apressado (estar)
141	**pression,** n.f.	pressure	presión	πίεση	pressione	pressão
124	**prêter,** v.t.	to lend	prestar	δανείζω	imprestare	emprestar
40	**preuve,** n.f.	proof	prueba	απόδειξη	prova	prova
28	**prévenir,** v.t.	to let know	avisar	ειδοποιώ	prevenire	prevenir
67	**prévoir,** v.t.	to plan	prever	προβλέπω	prevedere	prever
83	**prime (en)**	(as) a bonus	además	ως δώρο	in aggiunta	gratificação
138	**privé,** adj.	private	privada	ιδιωτικός	privato	privado
120	**procédé,** n.m.	process	método	διαδικασία	procedimento	procedimento
189	**procès,** n.m.	trial	juicio	δίκη	processo	processo
185	**produire,** v.t.	to produce	producir	παράγω	produrre	produzir
75	**profondeur,** n.f.	depth	profundidad	βάθος	profondità	profundidade
176	**progresser,** v.int.	to progress	progresar	προοδεύω	progredire	progredir
160	**projeter,** v.t.	to throw	proyectar	εκπέμπω, ρίχνω	progettare	projectar
144	**prolonger,** v.t.	to extend	prolongar	προεκτείνω	prolungare	prolongar
128	**promeneur,** n.m.	walker	paseante	περιπατητής	passante	passante
42	**promouvoir,** v.t.	to promote	ascender	προάγω	promuovere	promover
135	**propulser,** v.t.	to propel	propulsar	προωθώ	propellere	propulsar
110	**protestation,** n.f.	protest	protesta	διαμαρτυρία	protesta	protesto
170	**prouver,** v.t.	to prove	probar	αποδεικνύω	provare	provar
184	**provenance,** n.f.	origin	procedencia	προέλευση	provenienza	proveniência
104	**provoquer,** v.t.	to cause	provocar	προκαλώ	provocare	provocar
79	**prudemment,** adv.	cautiously	con cautela	συνετά	prudentemente	prudentemente

89	**publiciste,** n.m.	adman	publicista	δημοσιογράφος	pubblicitario	publicista
193	**puiser,** v.t.	to take	beber	δανείζομαι	attingere	tirar
146	**puissance,** n.f.	magnitude	fuerza	ένταση, δύναμη	potenza	potência

Q

168	**quasiment,** adv.	virtually	casi	σχεδόν, περίπου	quasi	quase
61	**quelque part,** adv.	somewhere	en algún lado	κάπου	da qualche parte	alguma parte
74	**queue,** n.f.	tail	cola	ουρά	coda	cauda
45	**queue-de-pie,** n.f.	tails	chaqué	ουρά φράκου	frac	casaca
63	**quitter,** v.t.	to leave	irse	εγκαταλείπω	lasciare	deixar
144	**quotidiennement**	every day	a diario	καθημερινά	quotidianamente	diariamente

R

93	**rafraîchir,** v.t.	to refresh	refrescar	δροσίζω	rinfrescare	refrescar
9	**raide,** adj.	straight	lacio	ίσια	rigido	duro
177	**raisonnement,** n.m.	argument	razonamiento	κρίση	ragionamento	raciocínio
128	**rallier,** v.t.	to return to	dirigirse a	επαναπροσεγγίζω	radunare	juntar
162	**ramassage,** n.m.	picking up	recolección	μάζεμμα	raccolta	apanhamento
58	**rapide,** n.m.	rapid	rápido	μικρός καταρράκτης	rapida	corrente
45	**rapport,** n.m.	report	informe	αναφορά	rapporto	relatório
63	**rapport,** n.m.	relationship	relación	σχέση	rapporto	relação
58	**rapprocher (se)**	to move closer	acercarse	προσεγγίζομαι	avvicinarsi	aproximar-se
49	**rassurer,** v.t.	to reassure	tranquilizar	καθησυχάζω	rassicurare	assegurar
146	**ravager,** v.t.	to devastate	devastar	λεηλατώ	devastare	devastar
72	**rayon,** n.m.	ray	rayo	ακτίνα	raggio	raio
145	**rayon d'action,** n.m.	range	radio de acción	ακτίνα δράσης	raggio d'azione	raio de acção
19	**réagir,** v.int.	to react	reaccionar	αντιδρώ	reagire	reagir
176	**recherche,** n.f.	research	investigación	έρευνα	ricerca	pesquisa
25	**réclamation,** n.f.	complaint	reclamación	ένσταση	reclamo	reclamação
48	**reconnaissance**	gratitude	reconocimiento	αναγνώριση	riconoscenza	reconhecimento
144	**recruter,** v.t.	to recruit	enganchar	στρατολογώ	recrutare	recrutar
128	**recueillir,** v.t.	to gather	recoger	συγκομίζω	raccogliere	recolher
186	**reculer,** v.int.	to be on the decline	perder terreno	οπισθοχωρώ	indietreggiare	recuar
42	**redouter,** v.t.	to fear	tener miedo a	φοβάμαι πολύ	temere	temer
192	**réducteur, trice**	reducing	reductor	περιοριστικός	riduttore	redutor
67	**réduire,** v.t.	to cut back	reducir	μειώνω	ridurre	reduzir
83	**régaler (se),** v.pr.	to treat	hacer gozar	φιλεύω	deliziarsi	regalar-se
106	**régime,** n.m.	diet	dieta	δίαιτα	dieta	dieta
61	**registre,** n.m.	ledger	matrícula	πρακτικά	registro	registro
28	**régler,** v.t.	to regulate	ajustar	ρυθμίζω	regolare	regular
65	**regretter,** v.t.	to regret	lamentar	λυπάμαι	rimpiangere	lastimar
145	**rejoindre,** v.t.	to convey to	ir	συναντώ, φτάνω	raggiungere	encontrar
66	**relater,** v.t.	to relate	relatar	διηγούμαι λεπτομερώς	riferire	relatar
41	**relation,** n.f.	relationship	relación	σχέση	relazione	relação
120	**relier,** v.t.	to link	unir	συνδέω	collegare	ligar
104	**remarquer,** v.t.	to notice	notar	επισημαίνω	notare	notar
72	**remplir,** v.t.	to fill	llenar	γεμίζω	riempire	encher
124	**remuer,** v.t.	to stir up	remover	ανασκαλεύω	rimuovere	remover
14	**rencontre,** n.f.	meeting	entrevista	συνάντηση	incontro	encontro
61	**rendre,** v.t.	to give back	devolver	επιστρέφω	restituire	devolver
113	**rendre (souple),** v.t.	to make (supple)	devolver (la agilidad)	καθιστώ (εύκαμπτο)	rendere sciolto	tornar flexível
77	**rendre compte (se)**	to imagine	darse cuenta	διαλογίζομαι, κατανοώ	rendersi conto	perceber
122	**renouveau,** n.m.	renewal	renovación	ανανέωση	rinnovamento	renovação
61	**renvoyer,** v.t.	to dismiss	despedir	απολύω	licenziare	despedir
120	**répandre (se),** v.pr.	to spread	propagarse	διαδίδομαι	spandersi	espalhar-se
99	**répartir,** v.t.	to share out	repartir	διανέμω	suddividere	repartir

24	**repousser,** v.t.	to push away	rechazar	σπρώχνω με απέχθεια	respingere	repelir
42	**reprises (à plusieurs),** n.f.	occasions (on several)	oportunidades	κατ' επανάληψη	riprese	vezes (várias)
111	**reprocher (se),** v.pr.	to reproach o.s.	reprocharse	προσάπτω ευθύνη	rimproverarsi	censurar-se
143	**réputé,** adj.	said to be	considerado	φημισμένος	ritenuto	considerado
128	**réquisitionner,** v.t.	to requisition	requisar	επιτάσσω	requisire	requisitar
114	**réserver,** v.t.	to book	reservar	φυλάω	prenotare	reservar
33	**résignation,** n.f.	resignation	resignación	παραίτηση	rassegnazione	resignação
162	**résoudre,** v.t.	to solve	solucionar	επιλύω	risolvere	resolver
8	**ressembler à,** v.int.	to resemble	parecerse a	μοιάζω με	sembrare a	parecer com
47	**retard (en),** adv.	late	retraso	καθυστερημένα	ritardo	atrasado
106	**retarder,** v.t.	to delay	retardar	καθυστερώ	ritardare	atrasar
17	**retenir,** v.t.	to retain	llamar	κρατάω	trattenere	reter
138	**retirer,** v.t.	to withdraw	retirar	αποσύρω	ritirare	retirar
49	**retraite,** n.f.	retirement	jubilación	σύνταξη	pensione	reforma
120	**retransmettre,** v.t.	to broadcast	retransmitir	αναμεταδίδω	ritrasmettere	retransmitir
35	**retrouvailles,** n.f. pl.	reunion	reencuentro	ξανασμίξιμο	il rincontrarsi	reencontro
96	**rétroviseur,** n.m.	rear-view mirror	retrovisor	καθρέφτης αυτοκίνητου	retrovisore	retrovisor
17	**réussite,** n.f.	success	éxito	επιτυχία	riuscita	sucesso
140	**revenu,** n.m.	income	ingreso	εισόδημα	guadagno	renda
26	**rêverie,** n.f.	daydreaming	fantasía	ονειροπόληση	fantasticheria	devaneio
49	**rigide,** adj.	rigid	rígido	άκαμπτος	rigido	rigido
48	**risque,** n.m.	risk	riesgo	ρίσκο	rischio	risco
144	**rivaliser,** v.int.	to rival sb. in	competir	αναμετριέμαι	rivalizzare	rivalizar
138	**roc,** n.m.	rock	roca	βράχος	roccia	rocha
9	**rond,** adj.	round	redondo	στρογγυλό	rotondo	redondo
83	**rouget,** n.m.	mullet	salmonete	λιθρίνι	triglia	salmonete
32	**rougir,** v.int.	to become red	enrojecer	κοκκινίζω	arrossire	corar
77	**roulotte,** n.f.	caravan	caravana	τροχόσπιτο	roulotte	carroça
35	**rupture,** n.f.	separation	ruptura	ρήξη	rottura	ruptura

S

83	**sagesse,** n.f.	moderation	saber	σοφία	saggezza	sabedoria
146	**sain et sauf,** adj.	safe and sound	sano y salvo	σώος κι αβλαβής	sano e salvo	são e salvo
104	**sang,** n.m.	blood	sangre	αίμα	sangue	sangue
93	**sans blague,** fam.	you don't say!	en serio	χωρίς πλάκα	senza scherzi!	não me diga
82	**saumon,** n.m.	salmon	salmón	σολωμός	salmone	salmão
112	**sauter,** v.int./t.	to jump	saltar	πηδάω	saltare	saltar
58	**sauvage,** adj.	wild	salvaje	παρθένος, άγριος	selvaggio	selvagem
48	**sauver,** v.t.	to save	salvar	σώζω	salvare	salvar
83	**savoureux,** adj.	tasty	sabroso	γευστικός	saporito	saboroso
74	**scarabée,** n.m.	beetle	escarabajo	σκαραβαίος	scarabeo	escaravelho
32	**scénario,** n.m.	scenario	guión	σενάριο	sceneggiatura	roteiro
72	**sèche-cheveux**	hair drier	secador de pelo	σεσουάρ	asciugacapelli	secador de cabelo
65	**secours,** n.m.	help	auxilio	βοήθεια	soccorso	socorro
146	**secousse sismique**	earth tremor	sacudida sísmica	σεισμική δόνηση	scossa sismica	abalo sísmico
129	**secteur,** n.m.	sector	sector	τομέας	settore	sector
33	**s'efforcer,** v.pr.	to endeavour	tratar	βάζω τα δυνατά μου	sforzarsi	esforçar-se
146	**séisme,** n.m.	earthquake	sismo	σεισμός	sisma	sismo
96	**sellerie,** n.f.	upholstery	tapicería	σαγματοθήκη, ιπποσκευή	finimenti	selaria
90	**sembler,** v.int.	to seem	parecer	μοιάζω	sembrare	parecer
13	**sens,** n.m.	sense	sentido	αίσθηση	senso	sentido
195	**sensibiliser,** v.t.	to make aware of	concienciar	ευαισθητοποιώ	sensibilizzare	sensibilizar
26	**sensibilité,** adj.	fine feeling	sensibilidad	ευαισθησία	sensibilità	sensibilidade
32	**serré,** adj.	clenched	cerrado	σφιγμένος	stretto	apertado
24	**serveur,** n.m.	waiter	camarero	γκαρσόνι	cameriere	empregado
60	**serviable,** adj.	obliging	servicial	εξυπηρετικός	servizievole	serviçal
30	**service,** n.m.	service	favor	βοήθεια, θέλημα	servizio	favor
25	**serviette,** n.f.	napkin	servilleta	πετσέτα	tovagliolo	guardanapo
14	**signalement,** n.m.	description	señas personales	περιγραφή	segnalazione	sinalização
162	**sillonner,** v.t.	to criss-cross	recorrer	διατρέχω	solcare	sulcar
152	**situer,** v.t.	to situate	ubicar	τοποθετώ	situare	situar
81	**sobriété,** n.f.	sobriety	sobriedad	λιτότητα	sobrietà	sobriedade

67	**soie**, n.f.	silk	seda	μετάξι	seta	seda
174	**soigné**, adj.	elegant	formal	προσεγμένος	accurato	apurada
154	**soin**, n.m.	treatment	asistencia	περίθαλψη	cura	cuidado
40	**solide**, adj.	sound	firme	σταθερός, ισχυρός	solido	sólido
80	**sombre**, adj.	dark	oscuro	σκοτεινός	scuro	escuro
124	**somme**, n.f.	sum	suma	ποσό	somma	soma
65	**sommeiller**, v.int.	to lie dormant	dormir	κοιμάμαι ελαφριά	sonnecchiare	cochilar
83	**sommelier**, n.m.	wine waiter	sumiller	σερβιτόρος κρασιών	sommelier	degustador
128	**sommet**, n.m.	top	cumbre	κορυφή	cima	cume
81	**somptuosité**, n.f.	magnificence	suntuosidad	μεγαλοπρέπεια	sontuosità	sumptuosidade
16	**sondage**, n.m.	opinion poll	sondeo	έρευνα, στατιστική	sondaggio	sondagem
79	**sonner**, v.int./t.	to ring	llamar	κτυπάω το κουδούνι	suonare	tocar
41	**sortir (s'en)**, v.int.	to get ahead in life	salir adelante	τα βγάζω πέρα	cavarsela	safar-se
48	**soudain**, adj.	sudden	repentino	ξαφνικός	all'improvviso	de repente
112	**souffler**, v.int./t.	to puff	soplar	ξεφυσσάω	soffiare	soprar
171	**souffrir**, v.int.	to suffer	sufrir	υποφέρω	soffrire	sofrer
157	**soulager**, v.t.	to relieve	aliviar	ανακουφίζω	riconfortare	aliviar
66	**soumettre**, v.t.	to submit	presentar	υποβάλλω	sottomettere	submeter
126	**soupçonner**, v.t.	to suspect	sospechar	υποπτεύομαι	sospettare	suspeitar
161	**soupirail**, n.m.	air hole	tragaluz	φεγγίτης	spiraglio	respiradoiro
146	**source**, n.f.	source	fuente	πηγή	fonte	fonte
9	**sourcil**, n.m.	eyebrow	ceja	φρύδι	sopracciglio	sobrancelha
109	**sous les verrous**	behind bars	preso	στα σίδερα	imprigionato	na prisão
135	**soutenir**, v.t.	to maintain	sostener	υποστηρίζω	sostenere	sustentar
160	**souterrain**, n.m.	underground	subterráneo	υπόγειος	sotterraneo	subterrâneo
124	**spéculer**, v.int.	to speculate	especular	εκμεταλλεύομαι τις αλλαγές της αγοράς	speculare	especular
56	**sponsoriser**, v.t.	to sponsor	esponsorizar	χρηματοδοτώ σπόρ	sponsorizzare	patrocinar
104	**standardiste**, n.f.	operator	telefonista	τηλεφωνήτρια	centralinista	telefonista
97	**station-service**, n.f.	petrol station	gasolinera	μεγάλο βενζινάδικο	stazione di servizio	posto
104	**subir**, v.t.	to be subjected to	aguantar	ανέχομαι	subire	sofrer
49	**subordonné**, n.m.	subordinate	subordinado	υφιστάμμενος	subordinato	subordinado
152	**subvention**, n.f.	subsidy	subsidio	επιχορήγηση	sovvenzione	subvenção
113	**succéder (à)**, v.int.	to follow	suceder a	διαδέχομαι	succedere a	suceder
66	**suffire**, v.int.	to be enough	bastar	αρκώ	bastare a	bastar
49	**suffisamment**, adv.	enough	lo suficiente	αρκετά	sufficientemente	suficientemente
89	**support**, n.m.	medium	material	στήριγμα, μέσο	supporto	suporte
90	**supposer**, v.t.	to assume	suponer	υποθέτω	supporre	supor
25	**sûr**, adj.	sure	seguro	σίγουρος	certo!	certo
128	**sur le coup**, adv.	instantly	instantáneamente	αμέσως	immediatamente	imediatamente
136	**surmonter**, v.t.	to overcome	superar	υπερβαίνω	superare	superar
40	**surveiller**, v.t.	to supervise	supervisar	επιβλέπω	sorvegliare	fiscalizar
62	**suspect**, n.m.	suspect	sospechoso	ύποπτος	sospetto	suspeito
57	**suspendre**, v.t.	to hang	colgar	κρεμάω	sospendere	suspender

T

72	**tablette**, n.f.	table top	mesita	τραπεζάκι	tavolino	mesinha
104	**tache**, n.f.	blip	mancha	στίγμα	incarico	nódoa
11	**taille**, n.f.	height	altura	ύψος	taglia	tamanho
120	**tanner**, v.t.	to tan	curtir	βυρσοδεψώ	conciare	curtir
138	**tapis roulant**, n.m.	conveyor belt	cinta transportadora	κυλιώμενος τάπητας	scala mobile	tapete rolante
56	**tas**, n.m.	loads of	montón	σωρός	mucchio	montão
24	**tasse**, n.f.	cup	taza	φλυτζάνι	tazza	chávena
90	**tellement**, adv.	so much	tanto	τόσο, πολύ	talmente	de tal modo
146	**télex**, n.m.	teleprinter	teletipo	τελέτυπος	fax	teletipo
24	**témoin**, n.m.	witness	testigo	μάρτυρας	testimone	testemunha
65	**témoigner**, v.int.	to testify	mostrar	μαρτυρώ	testimoniare	testemunhar
11	**tendre**, v.t.	to stretch out	alargar	τεντώνω	tendere	estender
24	**tendre**, adj.	tender	tierno	τρυφερός	tenero	tenro
18	**tendresse**, n.f.	tenderness	ternura	τρυφερότητα	tenerezza	ternura
124	**terrain**, n.m.	ground	terreno	έδαφος, γη	terreno	terreno
65	**terrifier**, v.	to terrify	aterrorizar	τρομάζω	terrorizzare	terrificar
125	**testament**, n.m.	will	testamento	διαθήκη	testamento	testamento
11	**tête**, n.f.	head	cabeza	κεφάλι	testa	cabeça

45	**tient (ça se),** fam.	it makes sense	es lógico	έχει βάση	è valido	é válido
120	**tisser,** v.t.	to weave	tejer	υφαίνω	tessere	tecer
138	**tonne,** n.f.	metric ton	tonelada	τόνος	tonnellata	tonelada
74	**tortue,** n.f.	tortoise	tortuga	χελώνα	tartaruga	tartaruga
80	**torturé,** adj.	tormented	tortuoso	παραμορφωμένος	torturato	torturado
25	**totaliser,** v.t.	to add up	sumar	αθροίζω	totalizzare	totalizar
125	**toucher,** v.t.	to receive	cobrar	ακουμπώ, παίρνω	prendere dei soldi	receber
24	**tour,** n.m.	turn	turno	σειρά	turno	vez
137	**tour de force,** n.m.	amazing feat	proeza	επίτευγμα	tour de force	esforço
80	**tourmenter,** v.t.	to torment	atormentar	ταράζω	tormentare	atormentar
35	**tournant,** n.m.	turning point	cambio	καμπή	cambiamento	virada
174	**tourner autour du pot**	to beat about the bush	dar vueltas	γυροφέρνω, αποφεύγω	menar il can per l'aia	fazer rodeios
193	**tournure,** n.f.	turn of phrase	giro	σύνταξη	costruzione	construção
24	**tousser,** v.int.	to cough	toser	ξεροβήχω	tossire	tossir
56	**traction avant,** n.f.	front-wheel drive vehicle	coche con tracción delantera	μπροστινή κίνηση	trazione anteriore	tracção dianteira
9	**trait,** n.m.	features	rasgo	χαρακτηριστικό	tratto	traço
48	**traiter,** v.int./t.	to deal with	hacer	επεξεργάζομαι	trattare	tratar
99	**trajet,** n.m.	distance	viaje	διαδρομή	percorso	trajecto
90	**transmettre,** v.t.	to tell	contar	διαβιβάζω	trasmettere	transmitir
112	**transpirer,** v.int.	to perspire	transpirar	ιδρώνω	sudare	transpirar
137	**traversée,** n.f.	crossing	cruce	πέρασμα, διάπλους	traversata	travessia
32	**trembler,** v.int.	to tremble	temblar	τρέμω	tremare	tremer
162	**troc,** n.m.	swap	trueque	ανταλλαγή αγαθών	baratto	troca
144	**tronçon,** n.m.	section	tramo	κομμάτι	pezzo	pedaço
95	**trouer,** v.t.	to make a hole	agujerear	τρυπώ	bucare	furar
44	**tuer,** v.t.	to kill	matar	σκοτώνω	uccidere	matar
138	**tunnelier,** n.m.	tunneller	tunelera	εκσκαφέας τούνελ	minatore	tuneleiro
120	**tuyau,** n.m.	pipe	tubo	σωλήνας	tubo	tubo

U - V

60	**usine,** n.f.	factory	fábrica	εργοστάσιο	fabbrica	fábrica
137	**vaincre,** v.int./t.	to overcome	derrotar	υπερνικώ, νικώ	vincere	vencer
48	**valeur (en),** adv.	to best advantage	(dar) valor	σε εξέχουσα θέση	valore	valor (em)
11	**valise,** n.f.	suitcase	maleta	βαλίτσα	valigia	mala
48	**valorisant,** adj.	increasing one's standing	valorizador	επιτιμητικός	valorizzante	valorizador
89	**vanter,** v.t.	to praise	destacar	εγκωμιάζω	vantare	gabar
176	**vapeur,** n.f.	steam	vapor	ατμός	vapore	vapor
60	**veilleur de nuit**	night watchman	sereno	νυχτοφύλακας	guardiano	guarda-nocturno
76	**veine,** n.f. fam.	good luck	suerte	τύχη, φλέβα	fortuna	sorte
50	**vente,** n.f.	sale	venta	πώληση	vendita	venda
112	**vertu,** n.f.	virtue	virtud	αρετή	virtù	virtude
152	**vestiaire,** n.m.	changing room	vestuario	αποδυτήριο	vestiario	vestiário
58	**vide,** n.m.	void	vacío	κενό	vuoto	vazio
83	**vinaigre,** n.m.	vinegar	vinagre	ξύδι	aceto	vinagre
128	**virage,** n.m.	turn	giro	στροφή	curva	curva
8	**visage,** n.m.	face	rostro	πρόσωπο	viso	rosto
88	**visuellement,** adv.	visually	visualmente	οπτικά	visivamente	visualmente
170	**vitesse de croi-sière,** n.f.	cruising speed	velocidad crucero	μέση ωριαία ταχύτητα	velocità di crociera	velocidade de cruzeiro
56	**vivres (les),** n.m.pl.	provisions	víveres	τα προς το ζην	viveri	víveres
160	**voie (rapide),** n.f.	expressway	autopista	δρόμος, οδός	via	via (rápida)
67	**voie (en ... de),** n.f.	in the process of	vías	προς	via	vias (em...de)
138	**voie de chemin de fer,** n.f.	railway track	vía de ferrocarril	σιδηρογραμμή	ferrovia	via de estrada de ferro
15	**vol,** n.m.	theft	robo	κλοπή	furto	roubo
74	**vol piqué,** n.m.	dive	vuelo en picada	πτήση σα βούτηγμα	volo in picchiata	voo vertical
120	**voler,** v.int.	to fly	volar	πετώ	volare	voar
63	**voyou,** n.m.	lout	disoluto	αλήτης	cattivo soggetto	vagabundo

Dépôt légal n° 8500-05 1995
Collection n° 26 Edition n° 01
15/5020/1